2013. 8. 23.

노원구립도서관 북서트에서

심 윤경 드림

사랑이
달리다

사랑이
달리다

심윤경 장편소설

문학동네

먹구름이 세상을 휘감아 덮었다. 검은 밤하늘 어딘가에는 만월이 숨어 있을 것이다. 잿빛 구름이 급류처럼 빠르게 서쪽으로 흘러가는 모습을 분명히 볼 수 있었다. 서쪽 마을에 사는 사람들은 구름을 피해 서둘러 대피해야 하는 것이 아닐까. 그러나 내가 타고 있는 빨간색 컨버터블은 구름을 따라가 기어이 화를 당해야 직성이 풀릴 듯, 정확히 서쪽을 향해 달리고 있었다.

사람의 몸은 속도를 인식하지 못한다. 오로지 시각의 도움으로 짐작할 뿐이다. 눈을 감아버리면 시속 오십 킬로미터로 달리건 오백 킬로미터로 달리건 아무런 차이도 없다. 사람의 몸이 스스로 인지할 수 있는 것은 가속도. 번지점프나 바이킹 같은 것들이 아찔한 흥분과 스릴을 안겨주는 것은 이 오락행위에 끊임없는 속도 변화가 동반되어 몸을 자극하기 때문이다.

작은오빠가 운전하는 자동차는 그런 의미에서 그 어떤 놀이기구보다도 자극적이었다. 자동차 전용도로에 접어들자 작은오빠는 한 번에 다섯 개 차선을 가로지르며 시속 백육십 킬로미터까지 급가속 했다. 이런 상황에 처하면 웬만한 사람들은 시야에 밀려들어오는 풍경을 감당하기 힘들어진다. 나도 별수 없이 어깨를 움츠리고 발 가락을 오그라뜨리며 술잔을 쥔 손에 힘을 주었다. 고속도로 근처, 구름을 뚫을 듯이 높이 솟은 주상복합 빌딩이 무시무시한 속도로 다가왔다가 멀어졌다.

슈베르트의 〈마왕〉을 연상시키는 으스스한 장면을 만들고 있지 만, 사실 작은오빠와 나는 별로 심각하지 않았다. 오빠는 오디오에 서 흘러나오는 샤우팅 보컬을 따라 해본다고 아까부터 목이 꺾인 닭 같은 소리를 질러대고 있고, 나는 고속질주의 공포감을 극복하 기 위해 카베르네 소비뇽의 힘을 빌리고 있었다. 컨버터블의 소프 트톱 커버를 때리는 바람 소리가 오싹하고, 수시로 시속 백육십 킬 로미터를 돌파하는 계기판을 믿고 싶지 않아서 되도록 정신을 알코 올의 세계 속에 놓아두려 노력하는 중이었다. 홈질하는 바늘 끝처 럼 두 개의 차선을 날렵하게 넘나들며 일곱 대의 자동차를 앞지르 는 빨간 스포츠카를 타고서는 사실 제정신을 유지하기 어렵다.

일단 작은오빠의 손이 운전대에 얹히면 그 어떤 팔순의 고물차라 도 총알탄 미꾸라지로 변신하는데, 지금 그가 손에 쥔 것은 출고한 지 채 한 달도 되지 않은 유럽형 소프트톱 컨버터블 스포츠카의 유 선형 운전대이니 그 오죽한 사정은 말할 필요도 없었다. 눈앞 유리 창을 스크린 삼아 벌어지는 현란한 차선 곡예를 보고 있으면 자동차 가 유연하고 탄력 넘치는 고무질의 유기체로 변신해 〈매트릭스〉의

키아누 리브스처럼 자재롭게 몸을 비트는 것만 같은 환각에 빠져들었다.

"조금 있으면 비가 쏟아질 거야."

작은오빠의 목소리가 흥분으로 엷게 떨렸다. 나 역시 긴장하며 오디오를 끄고 정신을 두 귀에 집중했다. 서쪽으로 몰려가는 구름은 대초원의 버팔로떼처럼 거칠고 사나운데, 기다리는 비는 올 듯 말 듯 애만 태웠다. 물경 사십억원의 빚을 지고 사는 작은오빠가 어디서 긁어온 돈인지 일억원을 들여서 이 빨간 컨버터블을 산 이유가 바로 그거였다. 달리는 차 안에서 빗소리 듣기.

우리나라에서 컨버터블이란 물건이 애초 생뚱맞긴 하지만 그 와중에도 실용성을 따지자면 하드톱 컨버터블을 선택해야 옳았을 것이다. 하지만 오빠는 지붕이 검은 천으로 된 소프트톱 컨버터블을 선택했고, 그건 전적으로 헝겊지붕 위로 떨어지는 빗소리를 듣기 위해서라고 했다. 빨간 오픈카를 몰고 들어갔다가 작은올케에게 손톱 테러를 당하고 우리 집으로 쫓겨온 작은오빠는 당당하게 실용성이라는 말을 입에 담았다.

"뒷문까지 있는 사 인승이잖아. 내가 정말 내 생각만 하는 놈이면 간지 살게 이 인승으로 뽑지, 총 맞았다고 사 인승으로 샀겠냐? 우리 가족 다 탈 수 있게, 실용성을 생각해서 사 인승으로 결정한 거잖아. 끝까지 다 듣지도 않고 악부터 쓰고 난리야."

이미 오래전부터 이혼의 무게를 저울질하고 있는 작은올케에게 빨간 오픈카는 수십억의 빚과 함께 '이혼' 접시 쪽에 육중한 추가 되어 매달린 것이 분명했다. '인내' 쪽 접시에 남은 것은 이제 네 살

된 조카 태욱이뿐이었다. 그 귀염둥이 녀석은 한 품에 안기는 자그마한 몸뚱이로 제 아비의 각종 신용불량 행각과 빨간 스포츠카의 무게까지 모두 당해내느라 안 해도 될 고생을 하고 있었다. 다행히 요즘 태욱이의 귀여움이 절정에 달한 덕분에 작은올케의 '인내' 접시는 위태롭게나마 '이혼' 접시의 버거운 무게를 견뎌내고 있었다.

가족 모두 오붓한 드라이브를 즐기기 위해 사 인승 스포츠카를 구입한 작은오빠는 불행히도 대개 혼자서 차를 몰았다. 딱 한 번, 태욱이를 뒷좌석에 앉힌 채 '일산 찍고 분당 턴 한 시간 돌파 프로젝트'에 도전했던 일이 있었다. 사람들이 알면 미친 아빠라고 욕하겠지만, 그 곁에서 약간의 불안감을 표시하는 것만으로 양심을 달래며 속으로는 다섯 개 차선을 시원스레 가로지르는 심야 드라이브에 열광했던 미친 고모로서는 오빠를 욕할 구실이나 염치가 전혀 없었다. 작은올케에게 외면당한 빨간 오픈카의 조수석은 내가 타지 않을 땐 언제나 비어 있었다. 그에게 삼천 명의 죽마고우와 이만 명의 오빠부대가 있다는 것을 감안하면 대단한 순정이 아닐 수 없다. 이렇게 말하면 작은올케가 나를 죽이려 들겠지만, 그에게는 부인할 수 없는 가족적인 면모가 있다.

갑자기 작은오빠가 저속 차선으로 옮기더니 속도를 시속 백 킬로미터 아래로 떨어뜨려서 주변 차들과 보조를 맞추었다. 나는 어리둥절했다.

"뚜껑 열어줄까? 원래 시속 사십 넘으면 뚜껑 안 열리게 돼 있거든. 그런데 그런 법이 어디 있냐. 달팽이같이 발발 기어갈 때나 뚜껑을 열 수 있다니. 노인네들만 컨버터블을 타라는 말이야? 그래서 튜닝했어, 아무 때나 열 수 있게. 내가 팔십까지는 열어봤는데, 그것도 굉장하더라. 테니스 라켓으로 한 방 맞는 기분이야. 오늘은 백에 도전해보려고. 준비됐어? 목받침대에 뒷머리를 대. 안 그러면 목뼈 부러져."

이런 바람 속에서 톱커버를 열었다가는 머리 가죽이 통째로 벗겨져 가발처럼 날아갈 것 같았다. 나는 싫다고 말했다. 작은오빠는 실망한 표정이었으나 강요하지는 않았다. 그는 부드럽게 차선을 바꾸어서 다시 가속페달을 밟았다.

우르릉우르릉. 위협적인 천둥소리가 낮게 깔렸다. 감질나는 빗방울이 한두 방울 앞창을 때렸다. 하지만 후드득후드득 머리 위에 떨어지는 빗방울 소리를 감상할 수 있을 정도는 아니었다. 속도계의 눈금이 꿈결같이 시속 백육십 킬로미터를 넘어섰다. 나는 다시 한 번 와인잔을 채웠다. 빨간색 컨버터블은 여섯 대의 자동차를 단숨에 제치며 올림픽대로로 접어들었다. 곁에는 검은 한강이 말없이 흐르고 있었다.

오빠가 빨간 스포츠카를 사고 처음으로 드라이브를 제안했던 날, 우리의 목적지는 천안이었다. 고속도로를 타고 내달리면 한 시간 안에 다녀올 수 있다고 했다. 그러나 늘 그렇듯이 작은오빠는 진입로를 잘못 선택했고 얼결에 한강변을 달리게 되었다. 계획에 없던 일이었지만 우리는 한강을 따라 흐르는 길이 마음에 들었고 그뒤로는 늘 이 코스를 따라 달리곤 했다. 오빠의 부주의가 심각한 부작용 없이 오히려 더 좋은 방향으로 작용한 드문 경우였다. 운전에 관한 '신의 손'이라 불려도 모자람 없을 작은오빠지만, 이런 식의 행방불명은 일상다반사였다.

작은오빠는 불행히도 길눈이 어두웠다. 아니, 길눈이 어둡다는 일반적인 표현으로는 그의 상태를 표현하기 힘들었다. 길에 대한 그의 감각과 판단은 끔찍했다. 한 달 이상 반복적으로 다닌 길이 아니라면 거의 매번 길을 잃는다고 보면 된다. 그럼에도 그는 누구에게도 길을 묻지 않고, 지도를 보는 일도 없고, 옆사람의 훈수나 조언은 애초 무시하고, 내비게이션은 아예 장착조차 하지 않았다. 오로지 감각만 믿고 달렸다.

운전중 그의 관심은 주로 옆 차선을 달리는 자동차에 집중되었다. 옆 자동차에 타고 있는 두 남녀가 무슨 사이인지, 어떤 대화를 나누고 있는지, 반대쪽 차선으로 섬광같이 지나간 저 자동차가 어느 영화에 나왔던 무슨 차종인지, 브레이크를 밟지 않고 코너링을 하면서 낱낱이 파악해내는 것이 그의 취미였다. 도로안내 표지판이 나와도 그것을 유심히 살펴보며 방향을 찾기보다는 표지판 바로 아래에서 방금 빨간불로 바뀐 신호등을 극복하고 교차로를 논스톱 통과하는 것을 최우선 과제로 삼기 때문에, 운전대를 손에 쥔 작은오빠는 그냥 문맹이나 다름없었다.

그 결과 그는 언제나 제멋대로 달렸다. 대전을 향해 달리다 말고 춘천을 발견하는 식이었다. 내가 보기에 작은오빠는 속도 내기와 끼어들기에 너무 집중하기 때문에 정작 자신이 어느 방향, 어느 차선을 선택해야 하는지 생각할 겨를이 없었다. 또는, 원래 작정했던 곳과 전혀 다른 장소를 향해 빛의 속도로 질주하는 일 자체를 매우 즐기는 것 같기도 했다. 그에게 중요한 것은 어디로 가고 있느냐가 아니라 어떻게 운전하느냐였다.

작은오빠가 처음으로 키를 훔쳐 엄마 자동차를 몰고 나갔을 때 그는 고등학교 일학년이었는데—믿기 어렵겠지만 그날도 나는 조수석에 앉아 있었다—오빠는 그날도 오늘과 비슷한 분위기로 운전을 했고, 그의 장구한 운전 역사를 가장 근거리에서 목격해온 내가 단언하건대 그날 이후 지금까지 접촉사고 한 번 내본 일 없었다.

작은오빠가 운전대를 잡기 시작한 이후, 엄마와 아빠는 작은오빠가 곧 누구를 죽이거나 스스로 죽고 말 거라는 공포감에 끊임없이 시달렸다. 그 공포감을 누그러뜨린 것은 다름아닌 작은오빠 본인이었다. 대학도 졸업하기 전부터 작은오빠는 사업을 한다고 설치더니 정신없이 금융사고를 쳐대기 시작했다. 그 규모는 병원장인 아빠조차 숟가락을 떨어뜨릴 만큼 어마어마했다. 그 와중에도 자동차는 쉴새없이 바꿔댔다. 너무 많아서 어떤 차종이었는지 기억조차 나지 않았다. 오빠가 난폭운전으로 다치거나 죽을지 모른다는 염려는 씻은 듯이 사라졌다. 아빠는 작은오빠에게 "저 염병할 자동차 몰고 나가서 차라리 죽어"버리라고 고함을 질렀다.

휴대전화가 손안에서 진동했다. 어둠 속의 고양이 눈처럼 파랗게 빛나는 화면에는 엄마의 전화번호가 찍혀 있었다. 나는 잠시 받을까 말까 고민하다가 순순히 전화기를 귀에 댔다. 비가 언제 올지 끊임없이 하늘을 살피던 작은오빠도 슬며시 귀를 기울이는 눈치였다.

"너 지금 어디니?"

"작은오빠랑 드라이브하는데."

"그럼 성민이는? 집에 혼자 있고?"

"응, 게임하고 있을 거야."

엄마가 손자인 양 쉽게 이름을 부르는 성민은 나의 남편이었다. 성민과 나는 어릴 때 한동네에 살던 친구였으므로 콩가루 법도를 따르는 우리 집안에서는 결혼 십 년을 바라보는 지금까지도 여전히 옆집 꼬맹이 같은 대우를 받고 있었다.

"김학원 이 망할 놈의 새끼, 내가 기필코 그놈의 자동차에 대못으로 난을 쳐놓고 말 테다. 왜 멀쩡하게 있는 애를 꼬여내?"

신기할 것도 없지만 엄마가 화를 내고 있는 대상은 내가 아니라 작은오빠였다. 우리 집에서는 누가 잘못하든 결국 작은오빠를 욕하는 것이 늘 자연스러웠다. 참 미묘하면서도 고약하게 꼬인 관계회로였다.

내가 무얼 잘못하더라도 혼나는 건 언제나 작은오빠였다. 작은오빠는 워낙 옹호의 여지가 없는 인간이었으므로 나는 내가 저지른 사소한 잘못들을 작은오빠의 큼지막한 비행의 그늘에 숨겨버리는 것을 당연하게 여기며 자라왔다. 지금도 엄마는 내가 남편을 혼자 내버려두고 심야 드라이브를 즐기는 것이, 또한 결혼한 지 십 년이 다 되도록 아이를 낳지 못하는 것까지도, 모두 다 작은오빠의 탓인 것처럼 흥분했다.

"애, 애, 너 얼른 집에 들어가. 나도 니 큰오빠 낳고 육 년이나 소식이 없었어. 그래서 더이상 못 낳는가보다 했는데 얼결에 학원이 낳았고, 일이 잘되려니까 연년생으로 너도 또 나왔잖니. 사람 일은 모르는 거야. 너는 아직 젊으니까 괜찮아. 학원이한테 얼른 차 돌려서 집에 데려다달라고 그래. 네가 얼른 집에 들어가야 내가 마음 놓고 잠을 자지. 학원이 그 자식이 운전은 또 얼마나 험하게 하니. 난 네가 걔 차에 타고 있으면 목이 졸리는 것 같다. 니 마음 답답한 건 엄마가 다 알겠는데, 바람 좀 쐬었으면 이제 얼른 집에 돌아가, 응?"

홍콩에서 인공수정을 하거나 미국에서 시험관 아기를 만들어보라고 오두방정을 떠는 사람은 엄마와 작은오빠뿐이었다. 사실 엄마의 안달은 이전만한 경제적 지위를 유지하지 못하게 된 한물간 상류층 부인에게 남아 있는 언어의 관성 같은 것이었다. 이제 우리에게 그만한 자금 동원능력이 없다는 사실은 우리 가족 누구나 잘 알고 있었다.

아마도 성민과 내가 좀 둔한 편인가보다. 우리도 아이를 낳자고 의기투합했던 시절이 있었다. 안 해서 그렇지 하기만 하면 금방 아이가 생길 거라고 자신했다. 하지만 네 번의 인공수정이 줄줄이 수포로 돌아가자 우리의 불임에 횟수 부족보다 좀더 심각한 원인이 있다는 사실을 알게 되었다. 우리는 굳이 원인을 찾지 않고 깨끗이 포기했다. 아이를 그렇게까지 간절히 원하는 건 아니었다. 아빠가 집을 나간 뒤로는 하나도 아쉽지 않게 되었다. 음주를 위해서는 임신을 자제하는 것이 좋다고도 하고.

우리는 사이좋은 부부였다. 삼 분 이상 싸워본 적이 없었다. 주말이면 사이좋게 영화를 보고 쇼핑을 하고 농담을 주고받았다. 기분 좋은 날 우리의 밤인사는 하이파이브였다.

"야, 잘 자라."

남들이 밤일을 한 횟수만큼 우리는 하이파이브를 했을 것이다.

하지만 어른들은 그렇게 생각하지 않았다. 아이가 없는 이상 우리는 파탄이 예정된 시한폭탄이나 다름없었다. 이 믿음이 너무나 확고한 나머지 성민은 나를 구타하고 밖으로 나돌아야만 하는 사회적 책임이 지워진 것이 아닌가 때때로 의심할 지경이었다.

엄마는 나의 불임에 대해서 창의적인 견해를 가지고 있었다.

"다 학원이 때문이다. 학원이가 줄창 사고를 쳐대는 바람에 네가 신경을 쓰느라 아이가 생기지 않는 거다. 학원이 녀석이 어려서부터도 얼마나 극성스러웠는지 내가 너에게 신경쓸 겨를조차 없었다. 성민이한테 면목이 없어서 어쩌면 좋냐."

도무지 말도 안 되는 논리였지만 엄마는 정말로 진지했다. 하도 많이 듣다보니 나도 가끔 작은오빠 때문에 내가 애가 없나보다 한다. 작은오빠는 그냥 빙글거리기만 했다. 나 때문에 억울하게 욕먹는 일쯤은 즐겁고도 기쁘기만 하다는 표정이었다.

나름대로 장점이 없지 않은 작은오빠가 우리 가족 내에서 그렇게 고립된 위치를 차지하게 된 이유가 뭘까? 따지고 보면 작은오빠는 우리 삼남매 중에 학벌이 제일 좋았다. 누구나 부러워할 만한 최고 사학의 상경계 최고 인기학과 출신이었다. 그런데도 우리 식구들은 작은오빠가 나온 대학의 빛나는 이름 따위는 진즉에 잊은 지 오래였다.

육 년이나 터울지게 태어난 동생에게 관용을 베푸는 일 따위는 없었던 사납고 억센 큰오빠 때문이었을까? 오랜 기다림 끝에 태어난 둘째가 가질 법한 특권을 단숨에 꿰차고 앉아버린 연년생 동생, 나 때문이었을까? 어린 시절부터 요란스럽고 부산하기만 했지, 속

깊고 실속 있는 구석이라고는 찾을 길 없었다던 작은오빠의 별난 개성 때문이었을까? 아니면, 둘째아들에게서 예쁜 구석을 찾아보려는 노력 따윈 하지 않았던 엄마 아빠의 편견 때문이었을까?

아무리 생각해보아도 그 모든 연관관계의 맨 앞줄에 세울 만한 원천 요인이 무엇인지는 쉽게 헤아릴 수 없다. 그저 우리 가족들은 우리에게 찾아오는 불명예와 위기가 모두 작은오빠 때문이라고 생각하기를 좋아하고, 나름대로 영특한 작은오빠는 어찌된 일인지 이런 말도 안 되는 편견을 모두 합리화시킬 만큼 덜떨어진 짓을 하면서 살아갈 따름이었다. 열애 끝에 그와 결혼한 작은올케조차 작은오빠를 만악의 근원으로 보기 시작한 것이, 올케마저 우리 식구의 나쁜 습관에 쉽사리 물들어버린 것인지 아니면 작은오빠가 누구에게나 그런 평가를 받아 마땅한 한심한 인간임을 입증하는 상징적인 사건인지 나는 잘 모르겠다.

대학을 졸업한 뒤에는 증권회사의 실적 괜찮은 직원으로 착실하게 인센티브나 받으면서 평범한 직장인 노릇을 하는가 싶더니, 어느 날 지점장이 찾아와서 김학원이 이 년 동안 빼돌린 돈이 자그마치 사억원이라며 마그마를 뿜었다. 고객이 예치한 돈을 그 자리에서 입금 취소해버리고 자기가 주물렀다는 것이다. 제 깐에는 수익을 남겨서 고객의 돈도 메워넣고 알토란 같은 딴주머니도 차겠다는 계산이었겠지만, 작은오빠는 돈을 불리는 일에는 어릴 때 배웠던 피아노만큼도 재능이 없었다. 아빠는 작은아들의 감방 견학을 막기 위해 사억원을 썼다.

사억쯤은 영국에 유학 몇 년 보냈던 셈 치자고 쓰린 가슴을 쓸어

내렸던 것도 잠시였다. 작은오빠는 그깟 영국 유학 정도로 인생공부를 마칠 생각이 없는 것이 확실했다. 불명예스러운 전력에도 불구하고 작은오빠는 곧 이름이 꽤 그럴듯한 외국계 투자회사로 자리를 옮겨 제 능력으로는 상당히 과하다 싶은 액수를 주무르기 시작했다. 거기서는 좀 오래 버티나 싶었지만 결과는 비슷했다. 아빠는 매상이 괜찮던 골프의류 대리점을 정리해서 그가 친 사고를 틀어막아야만 했다. 그러나 애통하게도 작은오빠의 투자 인생은 거기서 끝나지 않았다. 모두의 인생을 악몽으로 몰아넣으며, 그는 물오른 자금 조달능력을 보여주었다.

그의 훌륭한 학벌은 흉기나 다름없었다. 그의 주변에는 쟁쟁한 재력가들이 우글우글했다. 그의 동문들은 대한민국의 내로라하는 자리들을 줄줄이비엔나처럼 꿰차고 있었다. 선후배들의 주머니를 몇 번 털어먹고 동창들 사이에 소문이 퍼지면 더 우려낼 돈도 없으려니 했지만, 악평이 퍼질 만큼 퍼진 뒤에도 일은 쉽게 끝나지 않았다. 쟁쟁한 동문들의 이름을 팔아먹는 것만 해도 몇 년 치 사업거리는 되었다.

선후배를 팔아먹는 일조차 여의치 않게 되었는데도 김학원은 굴할 줄 몰랐다. 그는 근사한 용모와 훌륭한 학벌, 눈부신 운전 실력과 지칠 줄 모르는 체력, 영어로 듣기 좋게 버무려진 그의 전 직장들을 두루 활용해서 전국의 순진한 뭉칫돈들을 긁어모았다. 돈은 강남에만 있는 줄 알았는데, 알고 보니 전 국토가 돈덩어리였다. 대한민국 어딜 가나 토지보상으로 큰돈을 손에 쥔 촌로들이 있었고 그 돈만 믿고 허파에 바람이 잔뜩 들어간 자식들이 있었다. 그렇게 긁어모은 돈으로 도널드 트럼프나 워런 버핏의 계보를 잇는 것이 그의 목표였지만, 알 수 없는 비슷비슷한 과정들을 거치다보면 돈은 자취도 없이 사라지고 성난 투자자들만 남았다. 복잡한 경제용어와 법률용어로 칠갑된 살벌한 문서가 수시로 날아들었다. 작은오빠가 쳐낸 각종 사고의 목록은 떠올리는 것만으로도 숨이 찼다.

"잠깐, 학원이 혹시 음주운전 하는 건 아니지? 혜나 얼른 그 차에서 내려라. 김학원, 너 지금 제정신인 거 맞지? 너 술 처먹고 운전하는 건 아니지? 니 동생 태우고 헛짓하면 내가 가만두지 않는다. 저 녀석은 그냥 골프채로 두들겨줘야 정신을 차리는데 이젠 그럴 사람도 없고……"

엄마의 목소리가 점점 흥분의 색조를 띠었다. 작은오빠가 피식 웃음을 흘리며 큰 소리로 말했다.

"엄마, 또 초저녁에 낮잠 자놓고 밤에 잠이 안 오니까 괜히 전화걸어서 내 욕 하는 거지? 엄마는 쓸데없는 걱정하지 말고 잠이나 주무세요. 우리 지금 중요한 사업 이야기 하러 나왔단 말이야. 혜나 내가 다시 시집보내려고요. 혜나가 애를 못 낳긴 왜 못 낳아? 얘는 완전 씨받이 체질이야. 다 성민이 때문이야. 분명히 어림도 없을 거야. 내가 그래서 처음부터 반대했잖아! 엄마, 혜나 나이가 벌써 서른아홉이야. 그 유명한 삼십대 후반 아니유? 엄마도 같은 여자로서 이해가 가죠? 여자는 그때가 절정이잖아. 어쩌자고 등신같이 성민이랑 후딱 결혼을 해버렸는지 몰라. 혜나가 철이 없어서 그랬는데 지금은 후회하고 있거든요. 그냥 내가 확 이혼시키고 선배 하나 붙여줄라고요. 돈 많고 미끈한 놈으로 벌써 구해놨어요. 기왕 한 번

사는 거 잘 살아야지. 너도 좋지? 오늘 오케이 한 거다?"

"야, 이 미친놈아, 너 얼른 차 돌리지 못해? 당장 혜나 집에 데려다놓지 못해? 내가 당장 망치를 들고 가서 그 망할 놈의 자동차 문짝부터 조져놓고……"

스피커폰을 통해 작은오빠와 엄마 사이에 욕설이 별처럼 총총하게 박힌 직통 대화가 이루어졌다. 안 그래도 산만한 오빠의 정신을 조금이라도 운전 쪽으로 돌려야 할 것 같아서, 나는 그대로 휴대전화의 배터리를 빼버렸다.

"아이구, 우리 엄마는 정말 귀여워. 칠순이 다 됐는데도 저렇게 팔딱팔딱 잘 뛴단 말이야. 우리 엄마는 아마 구십까지는 문제없이 살 것 같아. 저렇게 기운이 넘치시는데, 당연히 새시집 보내드려야지. 엄마가 아빠 때문에 상처를 많이 받으셨잖니? 이제부터라도 좋은 남자 만나서 알콩달콩 이십 년만 더 사시면 그보다 더 큰 행복이 어디 있겠니. 난 그래서 오다가다 영감님들 만나면 허술하게 보지 않는다. 우리 엄마 생각나서."

"박회장한테 진상한다면서."

"어, 맞어. 박진석 그 새끼가 나만 보면 죽이려고 드는데, 엄마 이야기를 하면 갑자기 김이 빠지면서 느물거리거든? 아무래도 우리 엄마한테 마음이 있는 게 분명해. 엄마가 일류 여대 나오고 병원장 사모님이었으니까 가다가 제대로 서잖아? 아직 살결도 보들보들하고 육십대 이상 노친네들한테는 분명히 어필한단 말이야. 엄마가 한 번만 주면 박회장 그 새끼가 우리 의붓아버지가 되는 셈인데, 그러면 아무리 받을 돈이 있더라도 의붓아들을 그렇게 험하게 대하겠냐? 엄마가 아예 박회장 호적에까지 올라가주면 우리 식구는 대복 튼 거지. 우린 평생 놀아도 그 돈 다 못 쓸걸. 박회장은 자식도 없거든."

아무렇게나 내뱉는 듯한 작은오빠의 언술은 진위를 판단하기가 대단히 어려웠다. "어, 나 컨버터블 하나 지르려구. 요샌 싸더라, 일 억밖에 안 해"라든가 "혜나야, 난 널 위해 죽을 수도 있다. 작은오빠는 너만 생각하면 눈물이 나. 이 세상에 내가 진심으로 사랑하는 사람은 너 하나뿐이다" 같은 말들이 진담인 한편, "응, 내일 한시에 센트럴타워로 와라. 오빠가 점심 사줄게. 십사층에 누들 익스프레스 있거든? 거기 야키소바 괜찮더라" 같은 말은 우습게도 농담일 수 있는 작은오빠 같은 사람이 세상에는 생각 외로 많다.

그의 말을 들으면서 어디까지가 진짜고 어디까지가 가짜인지를 판단하려 애써서는 안 된다. 그건 정말로 무의미하고 시간 아까운 짓에 불과하다. 그의 말들은 그냥 하나의 음률로, 세상에 존재하는 다양한 음향 중의 하나로 받아들여야 한다. 그래야 그를 진정으로 이해하는 것이고 그가 원하는 것 또한 그런 것이었다. 물론, 그의 종잡을 수 없는 진정을 알아듣는 척하면 상당히 기뻐했다.

"너 아빠한테 아직도 연락 안 했지?"

작은오빠가 뜬금없이 물었다.

"엉."

나는 다시 한번 와인글라스를 찰랑찰랑하게 채웠다.

"너도 참 지독하다. 한번 가. 아빠 분명히 기다린다니까."

이 년 전 아빠는 엄마에게 이혼장을 내밀었다. 큰오빠보다 두 살 어린 새 여자 때문이었다. 해마다 내 생일이면 회사에 휴가를 낸 다음 한복을 입고 하루 종일 집에서 덩실덩실 춤을 추었던 아빠였다. 나는 아빠가 엄마를 떠난 게 아니라 나를 떠난 거라고 받아들였다. 아빠가 떠난 후, 나는 아빠에게 단 한 번도 연락하지 않았다. 전화 한 통, 문자 하나 하지 않았다. 하지만 그건 아빠도 마찬가지였다. 아빠도 나에게 연락하지 않았다. 우리는 서로에게 지독했다. 아빠와 엄마의 이별은 그럭저럭 마무리되었지만 아빠와 나의 이별은 시작도 끝도 없었다.

"내가 왜 아빠한테 연락을 해? 그럴 일 없거든."

"아빠가 너랑 이혼한 건 아니잖아. 엄마랑 헤어진 건 헤어진 거고, 부모 자식 사이까지 정리한 건 아니잖아. 이제 그만하고 아빠 한번 찾아가지그래."

"오빠도 안 가면서 나한테만 왜 그래?"

"나는 그래도 몇 번 갔다, 뭐. 그리고 난 가든 안 가든 아빠가 상관 안 하잖아. 하지만 너는 아빠한테 특별하잖아. 이제나 저제나 기다릴 텐데."

"집어치워. 됐거든."

파국적 위기를 맞았을 때 인간은 보통 네 단계의 감정을 거친다고 한다. 분노, 부정, 회피, 인정. 아빠가 이혼이라는 뻔뻔한 카드를 내밀었을 때 우리 가족의 반응은 각각의 단계를 대표했다. 나는 지구를 뒤엎을 기세로 분노했고, 작은오빠는 아무 일도 일어나지 않았다는 듯이 부정했고, 큰오빠는 자기에게만은 피해가 없을 것이라고 회피했다. 당사자인 엄마만 오히려 모든 단계를 쉽게 뛰어넘어

담담하게 이혼을 받아들였다. 이 년이 흐른 지금까지도 우리의 상태는 달라진 것이 없었다.

　모두 삼사십대 중후반으로 접어든 우리 삼남매에게 부모의 이혼 사태가 그토록 파국적 위기로 다가왔다는 것은 우리가 그만큼 실질적으로 아동이나 다름없다는 뜻이었다. 우리 덜떨어진 삼남매는 모두 무절제하게 자라왔고 우리가 쓰는 돈이 어디에서 나오는지 아무 관심도 없었다. 우리가 그렇게 살아도 아무 문제 없을 만큼 풍족하게 돈을 벌어왔던 아빠가 싹 빠져버리자 우리 셋은 사하라사막 한가운데 떨어진 것처럼 막막했고 목이 타들어가는 듯한 갈증을 느꼈다.

　"엄마도 뭐라고 안 할걸. 꼭 그 집에 가라는 게 아니야. 아빠만 나오라고 해서 밖에서 만나면 되잖아."

　나는 검지로 와인잔을 휘저은 다음 앞유리창에 '지버쳐'라고 썼다. 운전석 쪽에도 한 개 더 써주려고 했는데 작은오빠가 소리를 빽 질렀다.

　"그만해! 어제 세차했는데!"

　작은오빠는 운전대를 두드리며 다시 샤우팅 보컬을 흉내내기 시작했고 나는 도도하게 와인잔을 비웠다. 작은오빠와 나는 침대에서 일어나는 은밀한 일까지 다 털어놓는 사이였지만 작은오빠에게조차 차마 말할 수 없는 끔찍한 일이 있었다.

　아빠의 신용카드 사용기한이 다음달로 끝난다.

　나는 결혼한 뒤에도 아빠 명의로 된 신용카드를 써왔다. 설마 했던 이혼이 현실로 닥쳐온 뒤로도 카드의 임자는 좋다 싫다 아무 말이 없었다. 내가 그어댄 금액은 아무 말썽 없이 깔끔하게 결제되었다. 나도 자존심이 있어서 되도록 아빠 카드를 쓰지 않으려고 노력했다. 하지만 성민의 월급날이 며칠 지나지도 않아서 내 카드는 한도초과라고 비명을 내질렀다. 그러면 아빠 카드를 쓰지 않을 수가 없었다. 언제나 조마조마하게 그었지만, 언제나 든든하게 결제가 이루어졌다. 아빠 카드에 한도 따위는 없었다. 그 든든한 카드의 사용기한이 내달이었다. 사용기한이 너무 짧게 남아서 이미 인터넷 결제는 되지 않았다.

그리고 아빠에게서는 여전히, 말이 없었다.

눈앞의 하늘이 섬광으로 갈가리 찢어졌다. 번개가 하늘 이곳저곳을 가르더니 먼 땅의 어느 한 지점으로 사납게 내리꽂혔다. 맹수에게 일격을 당한 새끼 짐승의 비명처럼, 천둥은 날카로운 고음이었다. 오빠는 맹렬한 속도로 구름을 따라잡았다. 우리는 검은 양떼를 뒤쫓는 새빨간 양몰이 개처럼 보였을 것이다. 오빠의 흥분을 부채질하듯 빗방울이 검은 지붕을 두드렸다. 잠시 대화가 멈추었고 머리 위에서는 이제 규칙적이고 분명하게 또닥또닥 똑똑똑똑 하고 빗방울 떨어지는 소리가 들렸다. 기대했던 것만큼, 빗소리는 듣기 좋았다. 톱커버를 두드리는 빗방울은 굵고 성글어서 오빠가 바라던 최적의 음향을 전해줄 수 있을 것 같았다.

"이럴 때 〈월광〉 삼악장이 쫙 흘러줘야지."

오빠는 손수 DJ 노릇까지 할 모양이었다. 그건 안 될 일. 나는 신용불량자의 손에서 얼른 CD 케이스를 빼앗았다. 눈앞이 어질어질했지만 어쨌든 그가 원하는 베토벤 소나타 CD를 찾아낼 수 있었다. 눈의 초점을 맞추고 CD를 홈 안에 집어넣기 위해 나는 상당한 집중력을 발휘했다. 곧 맑게 구르는 듯한 피아노 터치가 자동차 안을 메 웠다.

오빠는 운전대를 두드리며 몸을 흔들었다. 날카로운 C자 형태로 차를 꺾으며 단숨에 세 개 차선을 가로질렀다가 다시 원래 차선으로 돌아오는 걸 보니 예술적인 영감이 간헐천같이 뿜어오르기 시작한 모양이었다. 하지만 투명하고 분명하게 끊어지는 피아노 선율은 별로 내 취향이 아니었다. 나는 CD를 꺼내 내던지고 파가니니의 〈바이올린 협주곡 제2번〉을 거칠게 밀어넣었다. 내가 이래 봬도 왕년에는 모 도시를 대표하는 교향악단과 협연도 했던 몸이었다.

나는 가상의 바이올린을 턱 아래 비껴안고 파가니니의 선율을 연주하기 시작했다. 열천(熱川)처럼 끓어오르다가 발작적으로 조여드는 바이올린의 음률이 귓전에 흐르자 알 수 없는 그리움에 명치끝이 저릿저릿했다. 밀려가는 검은 구름 사이로 언뜻언뜻 파리한 달그림자가 비치고 현을 긋는 활의 감촉은 손끝에 되살아나 새파랗게 푸드덕거렸다.

"다음번엔 꼭 바이올린을 가지고 와야겠어."

"정말 죽이는구만!"

작은오빠가 갑자기 고함을 지르는 바람에 움찔 놀랐다. 오빠는 흥분과 격정의 쓰나미에 휩쓸려 먼 인도양 어딘가를 헤매고 있었다.

"내가 톱커버를 열어줄게! 우리를 따라올 수 있는 놈들만 들을 수 있는 콘서트를 여는 거야! 너는 까만 반짝이 드레스를 입고 스카프를 휘날리면서 파가니니를 연주하라구!"

검은 스카프를 휘날리며 바이올린을 연주하는 내 모습을 상상하는 것만으로도 오빠는 이미 절반쯤 오르가슴을 느끼는 표정이었다. 그는 언제나 예술적인 성향의 여성에게 매료되는 경향이 있었다. 자그마한 체구에 버거워 보이는 화구를 안고 다니며 오빠를 매혹시킨 아름다운 작은올케는 오늘날 씩씩한 미술학원 원장님이 되어서 그를 부양하고 있다. 작은오빠의 예술적 탐닉이 경제적인 의미로 결실을 맺은 유일한 성공사례였다. 부디 이혼으로 물거품이 되지 않기만을 기도할밖에.

마침내 톱커버를 두드리는 빗소리가 급격히 빠른 리듬을 타기 시작했다. 그렇다, 이 빗소리를 듣기 위해 오빠는 붉은 차를 샀고 밤마다 발정난 고양이처럼 비를 품은 구름을 찾아 검은 길들을 헤맸다. 우리는 드디어 소원하던 것 이상으로 힘차고 거대한 폭우를 만났다. 빗소리는 과연 대단했다. 바이올린의 여린 비브라토 따위는 어느 지옥 속으로 밀려들어갔는지 모를 일이었다. 소프트톱 커버에 온몸을 던지는 굵은 빗방울의 충돌은 힘차고 단호했다. 검은 천이 뚫어지는 건 아닐까, 나는 지붕에 손바닥을 대보았다. 먹장구름에서 날아온 실한 물방울 하나가 검은 천 너머에서 산산이 부서졌다. 한 우주가 소멸되는 힘찬 박동에, 나는 전율을 감추며 손바닥을 접었다.

"멋진 세상이야!"

작은오빠가 소리를 질렀다.

"옳소!"

나도 목이 터져라 외쳤다.

"21세기니까!"

작은오빠가 21세기를 좋아하는 건 그 발음이 멋지기 때문이었다.

이시빌 쎄기. 이십 쎄기도 멋졌지만 이시빌 쎄기를 따라올 수는 없었다. 우리는 21세기를 살아가는 행운아들이었다. 파가니니의 애잔한 선율 속에서 21세기를 위해 건배를 외치며, 나는 오빠의 어깨에 머리를 기대고 팔을 쭉 뻗어 현란한 버튼들을 이것저것 쿡쿡 눌러보았다. 두서없이 윈도워셔액이 뿜어져올라오고 프런트미러가 접혔다. 언제나 열광적인 작은오빠는 목숨을 담보로 한 나의 장난들을 미치도록 좋아했다. 늘 한결같았던 작은오빠의 관용에 힘입어, 나는 운전자의 영역을 점점 더 깊숙이 침범했다.

이제 때가 되었어.

버튼을 누르자 하늘이, 검은 하늘이 갈라졌다.

"뭐하는 거야?"

작은오빠의 비명이 몇 광년 밖의 우주 소음처럼 멀게 들렸다. 검은 천으로 덮인 하늘이 열리고 주먹질과도 같은 강풍과 빗방울들이 한꺼번에 얼굴을 때렸다. 오빠가 급브레이크를 밟는 바람에 나는 운전대에 부딪쳐 머리가 참외처럼 으깨질 뻔했다.

"너 미쳤니? 젠장, 내 동생이라서 그런 거야? 정말로 그래서 너도 미친 거냐구?"

붉은 스포츠카는 지그재그로 격렬하게 비틀거렸으나 우리는 기적적으로 가드레일을 들이받거나 중앙선을 침범하지 않았다. 작은오빠는 갑작스런 재앙에 몹시 당황한 것이 분명했지만 침착하게 추돌을 피하며 속도를 충분히 낮추었다. 우리는 순식간에 함빡 젖었다. 주변의 다른 차들보다 훨씬 더 천천히 달렸지만 얼굴에 쏟아지는 강풍과 빗방울 때문에 숨쉬기조차 힘들었다. 그런 한계적 돌발

상황에서도 작은오빠는 톱커버를 다시 닫지 않고 곱게 달리고 있었으니 그는 과연 운전의 신이라 불려 마땅했다.

"오빠, 괜찮아?"

"야! 지금 괜찮아 보이니? 콧구멍으로 물이 들어와서 미치겠다구. 너 정말 변태구나. 이러구 얼마나 더 달려야 만족하겠어?"

"조금만 더, 아주 조금만 더."

우리는 붕어들처럼 뻐끔거리며 조금 더 달렸다. 목둘레가 넓게 파인 티셔츠를 입은 작은오빠는 거북이처럼 목을 움츠리고 운전했다. 정열도 술기운도 흔적 없이 사라졌다. 우리는 시야를 확보하기 위해 쉴새없이 얼굴의 물방울을 훑어내려야 했다. 몇 분 뒤 작은오빠가 톱커버를 다시 올릴 때 나는 말리지 않았다.

"짜릿했지?"

"이 변태야. 성민이가 불쌍하다. 아 씨발, 죽는 줄 알았네."

"그래도 별로 피해는 없었잖아."

나는 주위를 둘러보았다. 오른손에 들고 있던 와인글라스는 목이 부러져 나뒹굴었고 바닥엔 흙탕물이 고여 질척거렸다.

"잠깐 미쳤다가 돌아와도 아무 일 없다구."

나는 의기양양하게 말했다. 방금 보여준 돌발적인 광기가 자못 자랑스럽다는 듯이.

"계집애야, 너 때문에 길 잘못 들었잖아."

"여기가 어딘데?"

"나도 몰라. 아무튼 집으로 가는 길은 아니야."

폭우는 여전히 앞창을 흐렸고 번개는 하늘을 할퀴며 마왕처럼 땅으로 쏟아져내렸다. 젖은 몸에 한기가 들어 우리는 히터를 켰다. 어디로 향하는 것인지 알 수 없는 길은 가로등이 드물어서 어두웠다. 우리는 검은 길 속으로 순순히 빨려들었다.

우리가 아까 고통 없이 죽은 거라면.
그래서 우리가 지금 영계(靈界)의 진입로를 달리고 있는 거라면.
저 앞쯤에 서 있는 희끄무레한 형체가, 우리를 마중 나온 천국의 인도자라면.
얼마나 좋을까.
모든 추락과 수치를 면제받고 손쉽게 죽은 거라면.

자동차는 부드럽게 그 희미한 형체를 지나쳤다. 그는 노란 비옷을 입은 촌로였다. 우리는 죽지 않은 것 같았다. 흐린 차창 밖으로 이정표 하나가 획 지나갔지만 우리가 가고 있는 이 길이 어디로 이어진 건지 궁금하지도 않았다. 나는 두 손으로 얼굴을 비볐다.
"이제 감 잡았어. 대충 방향을 알겠거든."
집으로 돌아가는 길을 제대로 찾기 위해서는 오빠가 이 말을 서너 번쯤 반복해야 했다. 오늘은 비가 내리고 시야가 흐리니 더 오래 걸릴지도 모른다. 내가 있던 그곳으로 다시 돌아가야 한다는 사실에 나는 의기소침해지고 말았다.
"겨우 그 정도 가지고 그렇게 넋이 나갔냐. 나중에 뚜껑 열고 연주회를 하려면 일단 몸의 균형을 잘 잡아야 해. 검은 드레스 입고 발라당 나자빠져봐라. 무슨 개쪽이냐. 우리 좀더 연습을 하자."

헐벗은 드레스를 입고 스카프를 휘날리며 바이올린을 연주하는 내 모습을 상상하고 작은오빠는 다시 흐뭇함에 젖었다. 차창에 부연 습기가 차서 춥지만 에어컨을 켜고, 우리는 무턱대고 어디론가를 향해 달렸다. 그렇다. 우리는 부단히 연습할 것이다. 컨버터블의 커버를 열고 불꽃같은 연주회를 벌일 그날까지. 그 연주를 들으려면 우리를 따라올 수 있을 만큼 담대해야 한다. 시속 이백 킬로미터로 달리는 붉은 차 안에서, 나는 등뼈에 철심을 박은 듯 꼿꼿이 서서 지옥의 파가니니를 연주할 것이다. 그림을 더 그럴듯하게 만들려면 아무래도 머리를 더 길러야 하겠다.

여전히 우르릉거리는 하늘 밑으로, 아까보다 한결 조신해진 빨간 스포츠카가 달려갔다. 그 차가 어디로 향하는지는 아무도 모른다. 방향을 알지 못하고 달리는 것이 그 차의 운명이다.

2

큰오빠가 차린 투자 사무실은 깜찍하게도 그 앞에 너른 공원을 앞마당처럼 거느리고 있었다. 이 복잡한 강남 한복판의 어디에서 시작되고 마무리될 수 있는지 의문스러운 작은 실개천이 공원 한가운데를 흐르고, 개울 옆으로는 새로 만든 작고 예쁜 바닥분수가 물줄기를 뿜어올리고 있었다. 투명한 물줄기가 솟아오르면, 반쯤 벌거벗은 아이들이 소리를 지르며 그 속으로 뛰어들었다.

투박한 철재로 외벽을 마감해 세련된 느낌을 주는 건물의 삼층에 큰오빠의 투자 사무실이 있었다. 일층과 이층은 카페와 이탈리안 레스토랑이었다. 정확히는 모르지만 큰오빠는 아웃도어용품을 수입하는 일과 기획부동산이라는, 얼핏 들어서는 별 상관 없어 보이는 두 가지 사업을 병행하고 있었다. 보통 이런 업종을 개업할 때는 창밖으로 보이는 전망 따윈 신경쓰지 않는 법이다. 하지만 아름다운 경치를 보면 다리에 맥이 풀리고 주저앉아 울고 싶어지는 게 우리 김씨 집안 삼남매들이었다. 큰오빠는 이 시원한 공원 조망권을 사기 위해 좋이 수억원의 웃돈을 지불했을 것이다. 무리하게 큰 사업을 벌이면서도 역시나 시원한 조망의 유혹을 버리지 못한 것을 보면 큰오빠의 팍팍해 보이는 혈관 속에도 나와 유사한 성분의 혈액이 흐르고 있음을 느낄 수 있었다.

나는 기분좋게 큰오빠의 사무실에 들어섰다. 문가에 앉아 있던 젊은 여직원이 친절하게 나를 맞이했다. 나는 그녀에게 큰오빠를 만나러 왔다고 말했다. 그녀는 좀 당황하는 것 같았다.

"아, 사장님 동생분이세요? 아, 어쩌나…… 지금 사장님께서 회의중이신데…… 한 시간 정도 기다리셔야 할 텐데……"

큰오빠가 회사 직원들에게 내가 올 거라고 미리 말을 해놓는다거나 내가 올 시간에 맞추어 스케줄을 비워놓을 것이라고는 조금도 기대하지 않았으므로 나는 그녀의 말에 그다지 놀라지 않았다. 도대체 나를 왜 사무실로 부른 것인지 용건조차 몰랐지만 굳이 알고 싶지도 않았다. 어차피 나는 백수, 바쁜 일이라고는 조금도 없다는 것이 큰오빠의 확신이었다. 사실 나는 큰오빠가 생각하는 것보다는 바쁘게 살았지만, 그래도 한 시간쯤 기다리지 못할 정도로 바쁘지는 않았다.

나는 투자상담실 용도로 만들어진 것 같은 방에서 몇 권의 잡지를 끌어안고 시간을 보냈다. 잡지들은 깨끗했으나 이미 날짜가 많이 지난 것뿐이었다. 이곳에서 잡지를 보며 상담을 기다리는 사람들은 그리 많지 않은 것 같았다. 기다림보다도 나는 배가 고팠다. 점심을 함께 먹자고 해놓고 아무런 언질도 없이 벌써 두시가 넘었다. 도대체 얼마나 더 기다려야 하는 건지 슬슬 화가 나기 시작했다. 나는 문 앞의 친절한 여직원에게 다가갔다.

"저기요, 오빠가 언제쯤 나올 수 있을까요? 혹시 한참 더 오래 걸릴 거라면 제가 먼저 밥을 먹을까 해서 그러는데, 오빠한테 좀 물어봐주실래요?"

그녀는 재빠르게 회의실로 달려가서 노크하고 잠시 머리를 들이밀더니 갈 때처럼 재빠르게 돌아왔다.

"거의 다 끝나셨대요. 모처럼 오셨는데 조금만 더 기다리셨다가 같이 점심 드시자는데요."

나는 주린 배를 움켜잡고 소파로 돌아왔다. 아래층에 있는 아름다운 이탈리안 레스토랑을 생각하며 희망을 가졌다. 큰오빠가 아무리 짠돌이라지만, 모처럼 여동생이 찾아왔는데 적어도 근사한 파스타 정도는 사주겠지. 직원들 보는 눈도 있는데 분명히 맛있는 거 사주겠지. 저렇게 바쁘니까 멀리 가지도 못할 거야. 나는 오로지 그 희망 하나로 기다렸다.

두시 사십분이 되어서야 회의실 문이 열리고 피곤한 얼굴의 직장인 네다섯 명이 우르르 쏟아져나왔다. 큰오빠가 그들의 뒷등에 대고 못다 한 마지막 사자후를 내뿜었다.

"힘을 내자구! 매출 백억까지 왔잖아! 해낼 수 있어!"

매출 백억, 되는 일 없는 우리 집구석에서는 근래 들어본 일 없는 고무적인 성취였다. 보이지 않는 커튼 뒤에 삼백억쯤 되는 투자금이 숨어 있으리라는 냉혹한 현실인식의 눈을 잠시 감겨둔다면, 매출 백억이라니, 언제나 역주행 인생인 작은오빠의 부채 오십억보다는 얼마나 황홀한 숫자인가. 똑같이 골칫덩어리이지만 큰오빠와 작은오빠는 플러스 백억과 마이너스 오십억의 차이만큼이나 다른 인간들이었다.

이제는 더이상 점심시간이라고 부를 수도 없는 시간이 되어서야 겨우 마주하게 된 큰오빠는 은박지로 포장된 길쭉한 덩어리 두 개를 손에 쥐고 있었다. 나는 그 반짝이는 덩어리에서 눈을 떼지 못했다. 설마. 설마.

그러나 불행히도 큰오빠는 두 개의 은박지 덩어리 중 하나를 나에게 내밀었다.

"이 동네엔 도대체 먹을 게 없어. 그나마 이게 제일 낫더라. 망할 놈의 동네. 월세만 비싸고."

큰오빠가 투덜거리며 은박지 포장을 풀었다. 나는 저 광대한 먹자골목은 물론이고 아래층에 있는 레스토랑에도 먹을 것이 하나도 없더냐고 울부짖고 싶은 심정이었지만 말없이 오빠가 내미는 김밥을 받아들었다. 너무 배가 고파서 큰오빠라도 잡아먹고 싶은 지경이었다.

"그래도 소고기는 들었네."

나는 볼이 미어지도록 김밥을 쑤셔넣으면서 말했다.

"소고기김밥이 제일 낫더라."

큰오빠는 내 말에 박혀 있는 커다란 가시에 전혀 아랑곳하지 않고 태연하게 대답했다.

큰오빠를 이렇게 가까이에서 보는 것도 참 오랜만이었다. 잘생겼지만 어쩐지 사나워 보이던 큰오빠의 얼굴은 나이가 들면서 차분하게 정돈된 인상으로 변했다. 나이가 들수록 오히려 인상이 좋아지는 얼굴이었다. 큰오빠는 엄마의 훌륭한 용모와 아빠의 다부진 체형을 물려받은 중간형이었다. 키는 작은오빠보다 작았지만 풋볼선수처럼 위협적인 체구에, 빨래를 널 수도 있을 만큼 어깨가 넓었다.

작은오빠는 엄마를 고스란히 빼닮아 갸름한 얼굴에 팔다리가 긴 늘씬한 체형이었다. 그런데 나는 동그란 얼굴에 작은 키에 손목 발목은 가늘고 몸의 중심부로 갈수록 펑퍼짐해지는 별불가사리 같은 체형이었다. 이런 몸뚱이로는 아무리 멋을 내도 옷발이 살지 않았다. 한마디로 요약하면, 나만 아빠를 닮았다.

우리는 딱 삼 분 만에 김밥을 다 먹어치웠다. 친절한 여직원이 생수를 가져다주었다. 급하게 쑤셔넣은 김밥이 위장까지 가지 못하고 식도에 고스란히 쌓여서 숨쉬기도 힘들었다. 나는 물을 한 모금 넘기려고 몸을 뒤틀다가 껵껵거리며 가슴을 쳤다.

"아버지는 제주도에 별장을 지으신대. 이야기 들었어?"

큰오빠가 물었다. 식도에서 저항하던 김밥이 분수처럼 솟구칠 뻔했다. 나는 겨우 고개만 저었다.

"지난주에 찾아뵀었더니 그런 말씀을 하시더라고. 어머니가 그런 계획을 세우셨나봐. 여름엔 제주도에 방 잡기도 힘든데 아버지 덕분에 편하게 지낼 곳이 생겼어."

큰오빠가 아빠와의 친밀함을 과시했다. 큰오빠는 그쪽과의 독점적 유대관계를 상당히 만족스럽게 여겼다. 자신보다 두 살 어린 그녀를 가족의 일원으로 인정한 대가가 언젠가는 현금화될 것이라는 확고한 믿음을 가지고 있었다. 하지만 그쪽에서 큰오빠를 반갑게 여기는지는 별개의 문제였다.

큰오빠가 어떤 사람이나 사물에 관심을 가진다는 것은 곧 현금 수익을 기대한다는 뜻이었다. 돈과 관련이 없는 사람이나 사물은 큰오빠의 관심권 안에 머물지 못했다. 즉 아빠를 제외한 엄마와 작은오빠와 나는 큰오빠의 관심에서 한참 멀리 떨어져 있었다. 그저 돈 없는 것들과는 멀리 지내는 것이 최선이라는 좌우명을 가진 큰오빠가 무슨 생각으로 나를 여기까지 불렀는지 모를 일이었다.

"아마 바닷가에 널찍한 집을 지으실 모양이야. 새어머니는 집 가꾸는 걸 좋아하시니까 정원 가꾸면서 소일하시고 아버지는 골프나 치시면서 날씨 좋은 곳에서 한철 지내실 모양이지. 누구나 꿈꾸는 모범적인 노후를 향해 달려가는 중이라고 할까."

언제나 최악으로 부적절한 단어만 선택하는 큰오빠였지만 오늘 '모범'이라는 단어는 유난히 내 성질을 긁었다.

"불쌍한 모범이 택시만도 못한 곳에서 별 고생을 다 한다. 모범적인 노후를 위해서 모범적으로 불륜하고 모범적으로 이혼했대냐?"

큰오빠의 짙은 눈썹이 불끈 치켜올라갔다. 엄마와 아빠가 이혼한 후 큰오빠와 나는 각자 한쪽 부모의 입장을 대변하여 대리전을 치르는 경향이 있었다. 이혼한 부부만큼이나 우리 사이의 악감정도 깊었다.

"내가 어머니 때문에 정말로 미치겠다. 진즉에 재산분할 청구소송을 내시라고 아무리 말해도 듣질 않으셨잖아? 아버지가 숨겨둔 재산이 있는 게 뻔한데도 어머니는 혼자 고고한 척하셨잖아? 이젠 청구기한도 다 지났으니 아버지는 두 다리 쭉 뻗고 주무시겠지. 어머니가 저렇게 쪼들리는 신세가 된 건 다 자업자득이야. 그래놓고선 어머니는 아직도 도우미 아주머니를 끊을 수가 없다는 거야. 도대체 생각이 없어. 학원이는 원래 미친놈이라지만, 어머니라도 좀 철이 들어야지. 혼자 살면서 왜 도우미 아주머니가 필요해? 이제 돈도 없고 남편도 없고 낙동강 오리알 신세 된 거, 아직도 그렇게 모르나? 아무래도 이건 나를 압박하는 거야. 요즘 내 사업이 웬만하다 싶으니까 나한테 압력을 가하면 뭔가 나올 거라고 생각하는 거지. 나도 돈이 많다면야 어머니한테 야박하게 굴 이유가 없어. 하지만 나는 정말로 여유가 없거든. 겨우겨우 버티는 수준이라고."

엄마는 아빠가 일군 재산의 정확히 절반을 가질 권리가 있었다. 아빠가 무일푼일 때 결혼한데다 외할아버지가 물려준 신월동의 작은 땅 한 조각을 기반 삼아 사업을 일으켰기 때문이다. 하지만 엄마는 언제나 꿈을 먹고 사는 몽상가였다. 사랑이 끝났으면 결혼생활도 끝나야 한다고 믿었고 돈을 더 내놓으라고 핏대를 올리는 건 아무리 끝물이라도 사랑에 대한 예의가 아니라고 여겼다. 그래서 아빠가 제시한 말도 안 되는 재산분할에 별 실랑이도 않고 합의해버렸다. 그렇게 대책 없는 사람이니까 아빠 같은 사기꾼과 결혼해서 우리를 줄줄이 낳은 것이었다. 그게 우리 엄마였다. 엄마가 가사도우미를 쓰는 것은 인간이 팬티를 입는 것처럼 당연한 일이었다.

"엄마가 뭘 압박한다고 그래? 엄마는 아무것도 요구한 적 없거든? 괜히 오빠가 맏아들 노릇 못 하는 자격지심에 그러는 거지. 사업이 웬만하거든 엄마한테 가끔 용돈이라도 드려보시지? 그러면 정신건강에 훨씬 좋을걸?"

나는 큰오빠의 맏아들 콤플렉스를 콕 찔러주었다. 큰오빠의 뺨 근육이 푸르르 떨렸다.

"벌써 드리고 있어. 나도 힘들지만 어머니께도 아버지께도 있는 힘껏 자식 된 도리를 하고 있다고. 너한테 일일이 보고하지 않을 뿐이야. 그럴 이유도 없고."

하지만 큰오빠처럼 침묵을 숭상하지 않는 엄마는 큰오빠가 얼마나 있는 힘껏 자식 된 도리를 했는지 나에게 미주알고주알 다 고해바친 뒤였다. 엄마와 아빠가 이혼한 직후 어느 깊은 밤, 고주망태가 되도록 술에 취한 큰오빠가 엄마에게 전화를 걸어와 눈물바람을 했던 적이 있었다고 한다.

"어머니, 힘드시죠. 제가 못나서…… 제가 못나서…… 어머니, 죄송해요. 조금만 기다리세요. 어머니, 힘내세요. 제가 모자라지만…… 최선을 다할게요."

그때까지 큰아들에게 이만큼 따뜻한 말을 들어본 적이 없었던 엄마는 너무 놀라고 감동해서 전화기를 붙들고 울어버렸다고 한다.

"어머니, 힘드실 텐데…… 제가 모셔야 하는데…… 아직 아이들도 어리고…… 사업도 안정이 되질 않아서……"

"아니다, 철원아, 너 힘든 거 다 안다. 나는 괜찮다. 아무 걱정 하지 마라."

"어머니, 정말 죄송해요. 그래도 제가 맏이니까 저를 믿으세요. 혹시 동생들 모르게 꼭 필요한 돈이 있으시면 저한테 말씀하세요. 제가 어떻게든 최선을 다해서……"

천하무적 김철원이 이렇게까지 나오자 엄마는 정말로 깜짝 놀랐다고 한다. 큰아들의 위로에서 이혼의 보람까지도 찾을 수 있을 것 같은 심정이었다고 한다.

"제가 오만원까지는 언제든지 보내드릴 수 있으니까…… 어머니, 꼭 저한테 먼저 말씀하세요…… 아무래도 제가 맏아들이니까……"

큰오빠는 정말로 이렇게 말했다고 한다. 이혼의 상처가 채 아물지 않았던 엄마는 하마터면 심장이 목구멍 밖으로 튀어나올 뻔했다고 한다.

"그래, 알았다, 니 마음 잘 알았으니까 술주정 그만하고 얼른 자라, 이놈아."

더 놀라운 것은 그다음 날 큰오빠가 정말로 오만원을 부쳤다는 거였다. 설마 내가 어제 잠결에 잘못 들었겠지 하고 스스로를 위로하고 있었던 엄마는 오만원이 입금된 통장을 마주하고 빼도 박도 못하게 된 현실을 인정해야만 했다. 그후로도 큰오빠는 두 번쯤 더 오만원을 입금했다고 한다.

"너는 애가 없어서 몰라. 애들 키우는 데 돈이 얼마나 많이 드는지 아냐? 애들은 애들대로 사업은 사업대로…… 다 돈이야, 돈……"

나의 침묵에서 경멸을 감지한 큰오빠가 시키지도 않은 변명을 덧붙였다. 딱한 일이었다. 그는 돈을 벌기 위해 사업을 하고 기쁨을 얻기 위해 아이를 낳았지만, 어찌된 일인지 그 둘은 거꾸로 아가리를 벌리고 큰오빠의 꽁무니를 뒤쫓았다. 키우려면 돈이 들고, 키워놓아도 돈이 드는 게 사업과 자식이었다. 돈을 벌어서 아이를 틀어막고, 돈을 벌어서 사업을 틀어막는 요상한 구조였다.

"혜나 너라도 어머니한테 바른말을 해. 다들 미친 것 같아. 돈 버는 사람은 나밖에 없는데 돈 쓰는 일에만 다들 귀신이 들린 것 같다니까. 나 혼자 힘으로는 우리 식구들을 도무지 감당할 수가 없다고. 나도 이제 질렸어. 더이상 견딜 수가 없어."

나는 발끈했다. 누가 들으면 오빠가 우리를 부양하느라 꽤나 애쓰는 줄로 착각하겠다. 하다못해 어쩌다 온 식구가 외식을 하게 되어도 돈을 내는 건 엄마 아니면 진즉에 망해버린 작은오빠였다. 오늘 파스타라도 샀다면 모르겠지만, 나도 순순히 듣고만 있을 수는 없었다.

"엄마가 오빠 돈으로 가사도우미 쓰는 거 아니잖아? 돈 대주는 것도 아니면서 뭘 그래?"

"그러면 어머니가 아껴 쓰셔야 한다는 게 틀린 말이야? 어머니 지금 고정 수입이 얼마 되지도 않잖아! 너도 철이 들어야지! 성민이가 버는 돈이 꽤 되는데 너는 왜 매일 그 꼴이야? 한 푼 모으기는커녕 늘 마이너스잖아? 너 같은 인간을 된장녀라고 부르는 거야! 너 솔직히 말해봐. 어머니가 양평 땅 판 돈으로 니 카드빚도 갚아줬지? 그렇지?"

나는 말문이 막혔다. 나에게 카드빚 따위는 없었다. 아빠의 요술 방망이 카드가 있었기 때문이다. 물론 그 카드는 다음달이면 사용 기한이 만료되어 이젠 없는 거나 마찬가지지만.

사실 대기업 과장인 성민의 급여는 우리 둘이 쓰기엔 부족하지 않았다. 그런데도 우리가 언제나 돈에 쪼들리는 건 작은오빠 때문이었다. 툭하면 사고를 치고 죽네 사네 하니까 급한 불을 꺼주지 않을 수 없었다. 작은오빠가 울며불며 전화하면 나는 항상 통장에 있는 모든 돈을 마이너스 한도까지 박박 긁어서 꺼내주었다. 성민이 버는 돈은 작은오빠 밑으로 다 들어가고, 우리는 아빠 카드로 살아온 것이나 다름없었다. 성민에겐 면목 없지만 어쩔 수 없었다. 성민이 돈 문제에 맹탕 관심이 없어서 다행이었다. 물가가 너무 비싸다고 하면 성민은 그냥 믿었다. 알면서도 모르는 척해주었는지도 모른다.

"카드빚 없거든? 이거 왜 이러셔? 엄마나 나나 오빠한테 손 벌리지 않을 테니까 훈계하지 마! 잔소리를 하려거든 용돈이나 한 푼 주면서 하시든가."

큰오빠가 그 준수한 인물을 해칠 위험을 무릅쓰고 사납게 나를 째려보았다. 어릴 때 사시수술을 받았던 큰오빠는 지금도 흥분하면 사팔눈이 되기 때문에 화를 내면 굉장히 웃겼다. 본인도 그런 약점을 잘 알고 있어서 웬만하면 흥분하지 않으려고 죽도록 노력했지만, 우리 식구들이 어디 보통 강적들인가. 우리랑 이야기하고 나서 큰오빠가 똑바른 시선을 유지하기란, 유감스럽게도 내가 한 달 카드값을 삼백만원 아래로 낮추는 것만큼, 혹은 엄마가 가사도우미 아줌마 끊는 것만큼, 혹은 작은오빠가 금융사고 안 치는 것만큼이나 어려운 것이었다.

"너 아버지 믿고 큰소리치지? 니가 아무리 깽판 쳐도 아버지가 너한테만은 오냐오냐하실 거라고 믿고 그러지? 꿈 깨. 새어머니가 보통 사람이 아니거든? 이번만은 국물도 없어. 벌써 이 년이 넘었어. 그동안 너한테 한 번도 연락 안 하신 걸 보면 아직도 모르겠어? 이제 아버지도 변하셨다고. 너는 이제 관심 밖이라고."

나는 배에 힘을 주었다.

"누가 아빠 믿고 큰소리를 친다고 그래? 오히려 아빠한테 잘 보여서 돈 뜯어내려는 건 오빠잖아? 이 사무실도 아빠한테 돈 얻어서 차린 거 아니야? 안 그래?"

결국 큰오빠의 두 눈이 각기 다른 방향을 바라보기 시작했다.

"누가 사무실을 얻어줘? 이거 다 내가 한 거거든? 난 아버지한테 한 푼도 받은 것 없거든?"

"흥! 누가 모를 줄 알아? 일단 빚으로 차려놓고 한 푼도 없다고 죽는소리하면 아빠가 결국 돈 내놓을 거라고 믿는 거잖아! 오빠가 벌어서 이만큼 사업을 키워? 어림도 없지! 말아먹지나 않으면 다행이지!"

우리는 대놓고 고래고래 소리를 질러댔다.

"너야말로 뻔하지! 성민이가 버는 돈으로는 너 한 달 미용실 값도 안 나올걸? 어머니나 아버지가 막아줬겠지! 이 거머리 식충이야! 너희들은 어머니 곁에 안 붙어 있는 게 훨씬 도움되거든? 이제 어머니 좀 그만 뜯어먹고 네 앞가림이나 하면서 살지그래?"

"이 배신자 자린고비야! 그 여자한테 아부하니까 좋아하든? 유산 주겠다든? 꿈 깨시지? 어림 택도 없거든?"

"아버지가 옳았어! 단칼에 끊어버리는 게 옳았어! 나도 아버지처럼 너희들한테서 헤어나와야 하는 건데!"

"오빠가 우리한테 오만원이라도 줘봤어? 헤어나긴 뭘 헤어난다고 그래?"

다행인지 불행인지, 오빠는 차마 "그래 줘봤다, 오만원!"이라고 대답하지는 않았다. 오빠가 치미는 성질을 가라앉히기 위해 나름의 참을성을 발휘하는 동안, 나는 오빠의 사팔눈을 보면서 웃지 않기 위해 극한의 인내를 쥐어짜냈다.

"왜 불렀어? 무엇 때문에 나를 여기까지 오라고 했냐고? 김밥 먹이러? 응?"

큰오빠가 찬바람을 일으키면서 자리에서 일어났다. 두툼한 입술이 한일자로 굳게 다물어져 있었다. 큰오빠는 책상에서 종이 한 장을 집어들고 훑어보더니 큰 결심이라도 한 것처럼 비장하게 내 앞에 내밀었다. 만일 큰오빠와 내가 부부 사이였다면 이혼서류인가 생각할 만큼 대단한 기세였다.

그러나 큰오빠가 내민 종이는 그 기세에 비해서 너무나 시시하게 생긴, 낡은 등산복을 입은 아줌마들이 길거리에서 들이미는 흔한 광고 전단지였다. 컴퓨터 수리기사 1급, 2급 자격증을 준비하는 학원 광고지였다.

"너도 이제 사람답게 좀 살아봐. 내가 알아봤는데 이게 좋을 것 같더라. 여기 등록해서 자격증을 딴 다음에 생계에 도움되는 일을 해봐. 단돈 한 푼이라도 네 손으로 벌어봐야 철이 들지."

큰오빠가 실수로 애먼 종이를 내민 줄 알았더니, 그게 아닌 모양이었다.

"나이도 그렇고 경력도 없고, 지금 네 상태로 어디 취직을 할 수도 없어. 자격증을 따는 수밖에 없다. 요새 할머니 할아버지 들도 다 집에 컴퓨터 있잖니. 그런 사람들은 고장이라도 나면 손도 못 대거든. 그러니까 출장 다니면서 고쳐주고 그러는 거야. 매장이 필요 없으니까 초기비용도 안 들고. 컴퓨터 수리업체야 많지만 니 실력에 경쟁력을 가지려면 틈새시장을 노려야지. 수입이 월 백만원은 넘을걸. 당장 시작해라."

나는 노란색 테두리에 총천연색으로 인쇄된 컴퓨터 수리기사 1급, 2급 자격증 광고지를 노려보았다.

"너 지금 백만원이라니까 우스워서 그러지? 백만원 같잖다 이거지? 돈 쓰기는 쉽지만 한번 벌어봐라, 백만원 벌기가 얼마나 어려운지. 그리고 돈은 버는 것도 중요하지만 쓰지 않는 게 더 중요해. 니가 일이 생기고 바빠지면 돈 쓸 시간도 없어지거든. 그게 중요한 거지. 성민이가 그래도 직장에서 버는 돈이 얼마쯤 될 거고, 니가 거기다 백만원 보태면 너희 둘 충분히 산다. 저축이라는 것도 좀 해봐라. 부모님한테 더이상 손 벌리지 말고……"

우리는 서로 앙심으로 가득 차서 인사조차 제대로 나누지 않고 헤어졌다. 나는 전단지를 손에 들고 건물을 빠져나왔다. 아래층 카페와 레스토랑에서는 여전히 맛있는 파스타 냄새와 커피 향기가 풍기고 있었지만 김밥 때문에 더이상 배는 고프지 않았다.

나는 건물 앞에 서서 손목시계를 들여다보았다. 성민이 퇴근하려면 아직 한참이나 남았는데, 나에게는 지금 당장, 당장 누군가가 필요했다. 이럴 때 만만한 건 언제나 작은오빠였다. 머리 위에 언제나 수십억 단위의 빚을 얹고 다니는, 그러나 겉보기엔 헌칠한 사업가인 작은오빠. 작은오빠가 도대체 무슨 사업을 하는지는 친구들도 가족들도 아무도 몰랐다. 단지 우리가 알고 있는 것은, 그는 부르면 언제든 달려올 수 있다는 거였다. 한 가지 더 알고 있는 게 있다면,

뭘 하든 결국은 망한다는 거다.

통화연결음이 울리는 동안 나는 그의 휴대폰에서 울려퍼질 벨소리를 상상했다. 내가 전화를 걸면 작은오빠의 휴대폰은 공주님이다! 공주님이다! 하고 외쳤다. 작은올케가 전화를 걸면 여왕님이다! 여왕님이다! 하고 소리를 질렀다. 엄마가 전화를 걸면, 엄마는 작은오빠에게 거의 전화를 걸지 않지만 어쨌든 엄마의 전화가 걸려오면, 그의 전화기는 외계인이다! 외계인이다! 하고 외쳤다.

작은오빠는 잠시 뜸을 들인 후에 전화를 받았다. 공주님이다! 공주님이다! 하고 외치는 전화기를 주변 사람들에게 자랑하느라 시간이 걸렸을 거다.

"어! 혜나! 거기 어디야?"

작은오빠는 언제나 무슨 일이냐고 묻지 않고 거기 어디냐고 물었다. 단숨에 달려올 준비가 늘 되어 있다는 뜻이었다.

"음, 여기 큰오빠 사무실 앞."

"그래? 칠 분이면 되는데, 갈까?"

"응, 나 요 앞 공원에 있을게."

플라타너스가 개울까지 닿을 만큼 넓은 그늘을 드리우고 있었지만 그 아래는 이미 사람들로 들끓고 있었다. 나는 나무그늘에서 조금 떨어진 널찍한 바위 위에 앉았다. 큰오빠의 사무실에서 내려다보면 내가 보일지도 모른다. 도심 속을 흐르는 작은 콘크리트 시내는 시원한 사무실 안에서 내려다볼 때가 더 근사했다. 한낮의 땡볕에 몸을 노출시킨 채 아이들이 튕기는 물방울을 맞아가며 앉아 있으려니 그닥 정취라고 할 만한 것도 없었다.

작은오빠가 아이스커피 두 잔을 들고 나타났다. 공원에서 파는 커피는 맛이 없다고, 큰길 건너 카페까지 가서 사들고 온 아이스커피였다. 나는 작은오빠만큼 까다롭지는 않았다. 오히려 이런 날은 공원에서 파는 인스턴트 아이스커피가 더 어울린다고 생각하지만 별 불평 없이 오빠가 내미는 커피를 받아들었다. 작은오빠는 이탈리안 로스팅에 가까운 강렬한 맛을 좋아했다. 처음에는 혀가 떨떠름할 정도로 씁쓸한 이런 커피를 좋아하지 않았지만 작은오빠가 열심히 먹이는 바람에 한 번 두 번 먹다보니 어느덧 나도 은근히 이 맛을 즐기게 된 것 같다.

"오늘 형 만났어? 형이 뭐래?"

"거머리같이 살지 말고 취직하라 그러더라."

"형이 취직시켜준대?"

나는 작은오빠의 코앞에 종이를 흔들어 보였다. 작은오빠가 종이를 받아들었다. 나는 커피를 한 모금 삼키며 다리를 뻗어 시냇물에 발을 담갔다. 작은오빠는 총천연색 광고 전단지를 뚫어져라 들여다보았다.

"그러니까 형은 지금 너더러 출장 컴퓨터 수리기사가 되라는 말이야?"

"응."

큰오빠와 함께 점심으로 먹은 김밥 한 줄이 구렁이가 되었는지 뱃속이 거북했다. 단무지 냄새 섞인 지독한 트림을 몇 번이나 퍼올리다가, 나는 울컥 팔뚝에 얼굴을 파묻었다.

"정말 너무한 거 아니야? 내가 잘했다는 건 아니야. 이제 돈을 아껴 써야 한다는 거, 알겠다고. 취직을 하기 싫다는 것도 아니야. 나도 취직하고 싶어. 돈 벌고 싶다고. 그런데 어떻게 오빠가 나한테 이럴 수가 있어? 세상에, 나한테 세상에 출장 컴퓨터 수리기사가 되라니. 난 컴맹이거든? 내가 무슨 일을 하는 게 좋을지, 한번 생각이나 해보긴 한 거야? 도대체 그놈은 제정신이야 뭐야? 저는 아빠한테 아부해서 잘 먹고 잘사니까, 이제 동생들은 아무렇게나 막 무시해도 된다 이거야?"

말하다보니 새삼 설움에 겨웠다. 나는 눈물을 찍어냈다.

전단지 한 번 나 한 번 들여다보던 작은오빠가 킬킬거리고 웃기 시작했다.

"왜 웃어?"

나는 까칠하게 물었다.

"한번 생각해봐. 우리 집에 컴퓨터가 고장났는데 전화를 했더니 니가 고치러 온 거야. 고객님, 무엇을 고쳐드릴까요? 하면서. 으흐흐흐."

작은오빠의 입가에 퍼진 음흉한 미소를 보니, 나의 상심에 공감할 마음은 손톱만큼도 없는 것이 분명했다.

"그럼 내가 이렇게 말하는 거야. 놀랍습니다! 지금 기적이 일어났습니다. 당신은 컴퓨터뿐만 아니라 이전까지 그 누구도 고치지 못한 것까지 고쳤습니다. 저는 지금까지 한평생 불능이었습니다. 그런데 당신을 본 순간, 이걸 보세요! 섰습니다! 푸하하하하!"

이런 걸 오빠들이라고 둘씩이나 가지고 있다니, 더러운 팔자다.

"그러면 니가 그러는 거지. 어머, 이러시면 안 돼요. 저는 애도 못 낳는 여자예요. 저를 사랑하시면 안 돼요. 씨발, 평생 처음 하는데 지금 애 걱정하게 생겼냐? 이리 와! 안 돼요! 이러시면 안 돼요! 제발, 제발, 아아, 아아, 아아……"

가까이 앉아 있던 젊은 아기 엄마가 물장난하던 아기를 부르더니 수건과 슬리퍼를 착착 챙겼다. 귀엽게 생긴 아기와 젊은 엄마가 자리를 떠날 때까지 나는 팔꿈치에 얼굴을 깊이 파묻고 눈만 빼꼼 내놓고 있었다.

"형은 진짜 천재라니까. 너를 컴퓨터 수리기사로 만들 생각을 하다니. 넌 빌 게이츠나 워런 버핏보다 더 부자가 될 거야. 니가 몸이 좀 고생스럽더라도 참아라. 사업이 원래 힘든 거다. 사업자등록을 뭘로 하나? 컴퓨터와 기타 남근 수리업. 이렇게 해놓으면 세율도 괜찮을 거야. 너 돈 벌더라도 성민이한테는 잘해줘라. 젊을 때 고생을 함께한 본부인한테는 잘해줘야지. 혹시 헤어지더라도 돈은 듬뿍 쥐여줘. 아빠처럼 치사하게 돈 빼돌리면 안 된다고. 그리고 타이거 우즈를 첩으로 삼아."

작은오빠는 이제 전 세계에서 나의 첩이 될 남자들을 물색하느라 도끼자루 썩는 줄을 모르고 있다. 데이비드 베컴과 버락 오바마는 당연히 입궁했고 심지어 마이클 잭슨까지 무덤에서 불려나왔다. 젊은 엄마와 아기가 떠났으므로 나는 마음껏 깔깔대며 웃을 수 있었다. 나는 고개를 빳빳이 들고 요염하게 아이스커피를 쪽쪽거렸다.

"야, 씨발, 형 덕분에 우리 집안 살림 폈네. 지금 몇 시냐? 물 좋은 데 가서 한잔하자. 오빠가 사줄게."

작은오빠가 튕기듯 경쾌하게 일어섰다. 나도 작은오빠의 손을 붙잡고 따라 일어섰다. 다 마신 일회용컵을 쓰레기통에 던져넣고, 우리는 공원 입구를 향해 걷기 시작했다.

"어쨌거나 나 취직시켜줘."

작은오빠가 이상하다는 표정으로 나를 쳐다보았다.

"취직? 너 진짜로 취직하고 싶어?"

"응, 일할 자리 구해줘."

"갑자기 왜? 너 돈 쪼들려? 성민이가 사고쳤어? 내가 돈 줄까?"

나는 마음속으로만 한숨을 쉬었다. 우리 가족이 다 함께 빠져버린 경제적 절박의 수렁 중에서도 마리아나해구에 해당되는 가장 깊은 지점에 빠져 있으면서도, 속 좋게도 하루의 대부분은 그 사실을 잊고 사는 사람이 바로 나의 작은오빠였다. 재주 좋게 잊었으면 잊은 사람이라도 행복하게 놓아두는 것이 바로 나의 아량이었다.

"그냥, 심심해서. 집에만 있으니까 사람들이 나 무시하잖아. 직장 다니면 구박 안 하겠지."

"너 직장 별거 아니다. 그거 재미없어. 심심해서 굳이 직장 다닐 필요 없는데. 그냥 놀아. 그게 제일 좋은 거야. 용돈 줄까?"

"됐어, 나 용돈 많아. 그래도 어쨌거나, 주변에 취직자리 있거든 나 취직시켜달라고. 알았어?"

"그래, 알아볼게."

오빠와 나는 사이좋은 연인처럼 팔짱을 끼고 공원을 나섰다. 길 건너편 파스타 집에 눈길이 꽂히자 나도 모르게 오빠를 붙잡아 세웠다.

"나 파스타 사줘."

아무리 바쁜 사업중이더라도 파스타 먹는 일이라면 언제나 시간을 낼 수 있는 작은오빠가 물색없이 좋아했다.

"파스타? 그것도 좋지. 가자, 내가 근사한 데 알아."

"저기 가면 안 돼?"

나는 큰오빠의 회사 건물에 있는 이탈리안 레스토랑을 가리켰다.

"저기서 먹고 싶었는데 큰오빠가 억지로 김밥 먹였단 말이야."

어지간해서는 화를 내지 않는 작은오빠가 버럭 소리를 질렀다.

"저길 가자고? 야! 저런 데서 어떻게 밥을 먹니? 누가 사준다고 그래도 저런 데서는 먹지 마! 한 끼를 먹어도 제대로 된 데서 먹으라고! 알았어? 파스타는 꼭 메이페어호텔에 가서 먹어야 해. 알겠어?"

: 3 :

아직도 윤과장이라는 말을 들으면 그가 나보다 스무 살 연상의 중년 아저씨일 거라는 느낌이 든다. 국군 장병 아저씨께, 라는 위문편지를 쓰던 어린 시절의 내가 아직도 내 몸뚱이 어느 한구석에 살아 있는 모양이다. 하지만 오늘날 대한민국을 지키는 국군 장병 아저씨들이 대개 내가 중학생이던 시절에 태어난 조카뻘인 것과 마찬가지로, 윤과장, 그것은 동갑내기 남편 윤성민의 공식 직함이었다. A엔지니어링 인사부 윤성민 과장.

어릴 때부터 나에게는 남자 복이 많을 거라는 확신이 있었다. 조각같이 준수한 두 오빠들에, 내 생일이면 회사에 휴가를 내고 한복을 차려입는 아빠가 항상 내 곁에 있었으니까. 하지만 자라고 보니 그때까지 내가 누려왔던 남자 복은 헛것이었다. 오빠들이 아무리 잘생긴들 그들이 내 차지가 될 수는 없는 일이었다. 어차피 다른 여자의 것이 될 운명인 오빠들을 대신해 나만의 남자를 찾아내야 할 순간은 필연적으로 찾아오고야 말았다.

집에서는 인기 폭발이었는데 어찌된 일인지 밖에서는 인기가 없었다. 천신만고 끝에 하나쯤 그럴듯한 놈을 꼬시는 데 성공하면 반미치광이 같은 우리 식구들이 놀래켜서 쫓아버렸다. 우리 식구들 딴에는 열렬히 환영한다는 뜻이었는데, 함께 저녁 한 끼 먹고 나면 남자애들이 반쯤 얼이 빠져서 뺑소니를 치고 그다음부터 내 전화도 피하고 학보를 보내도 답이 없는 거였다. 혹시 저녁 식탁의 저주를 무사히 넘기는 간 큰 남자가 있더라도 작은오빠가 차에 태워서 빛의 속도로 한번 달려주면 끝이었다.

그러므로 나는 성민을 만났을 때 작은오빠에게 직설적으로 말했다.

"성민이를 오빠 차에 태우는 순간 오빠 인생도 끝장인 줄 알아. 가만두지 않을 테야."

"어떻게 할 건데?"

"작은올케한테 찾아가서 오빠한테 상습적으로 성폭행당했다고 말할 거야. 여섯 살 때부터 당했다고 할 거야. 오빠 애를 세 번 낙태했다고 할 거야. 오빠가 결혼한 뒤에도 계속 당했다고 할 거야."

그러나 작은오빠는 눈 하나 깜짝하지 않았다.

"무슨 소리든지 다 해봐라. 수진이는 우리 식구 말이라면 이제 하나도 안 믿거든."

"하지 말라면 하지 마! 성민이를 차에 태우면 그날부터 오빠 전화 수신거부 해버릴 거야!"

이건 확실히 효과가 있었다. 작은오빠는 수신거부라는 말이 거세

형이라도 되는 것처럼 펄펄 뛰었다.

"야! 그 자식이 뭐 그리 대단하다고 그러니? 걔가 잘난 점이 뭐가 있다고 그래?"

그러나 아무리 작은오빠가 헐뜯어도, 키로 보나 인물로 보나 학벌로 보나 성민은 국내 최강, 내가 결코 놓쳐서는 안 될 칠십 센티미터 월척 붕어였다. 나는 성민을 놓치지 않았다.

성민과 나의 인연은 아주 오래전으로 거슬러올라간다. 어린 시절 성민은 우리 옆집에 살았다. 큰오빠가 중학교에 입학한 다음 학군의 중요성에 눈뜬 엄마가 강남으로 이사를 추진하기 전까지, 우리는 아빠가 사업의 첫 삽을 떴던 그 허름한 서울 외곽 동네에 아직 머물고 있었다. 나는 돈 좀 만지는 졸부 집안의 철없는 막내딸이었고, 성민은 어린 시절부터 파릇한 싹수가 눈에 확 띄었던 미용실집의 똘똘한 외아들이었다.

두 오빠들 밑에서 자란 나는 남자아이들과 노는 일에 스스럼이 없었다. 특히 가까운 성민이네 집은 아주 자유롭게 드나들면서 놀았던 것 같다. 성민이네 조그만 미용실 구석에서 식은 밥과 김치찌개로 점심을 먹었던 일이 한 이천 번쯤 될까? 나는 입이 짧고 김치를 싫어했는데 이상하게 성민이네 김치찌개만은 환장하게 맛있었다. 나는 점심때마다 당연하다는 듯이 백조미용실의 유리문을 밀고 들어가는 뻔뻔하고 버릇없는 꼬마였다. 초등학교 입학을 앞두고 우리 집이 강남으로 이사를 간 뒤로 성민과 나는 다시 만날 일이 없었다.

내가 성민을 다시 만난 것은 대학교 사학년 여름이었다. 졸업연주회를 함께 준비했던 선배언니가 자기 남동생이 서울대 공대에 다

닌다고 자랑하면서 학창 시절의 마지막 미팅을 주선했다. 우리는 법대생을 더 선호했지만 어쨌든 미팅에 나갔다.

여섯 명의 공대생 중에 눈에 확 띄게 키 크고 잘생긴 아이가 계속 나만 쳐다보아서 분위기는 내내 이상했다. 그가 윤성민이라고 자기 이름을 밝힌 뒤에도 나는 그를 알아보지 못하고 좀 이상한 애라고만 생각했다.

"어릴 때도 머리가 나쁘더라니. 김혜나, 너 나 기억 안 나? 백조 미용실!"

결국 성민이 버럭 소리를 질렀다.

"우리 옆집에 살았잖아! 너희 아빠가 트럭으로 초콜릿 배달했잖아. 그래서 너희 집에 맨날 초콜릿이 쌓여 있었잖아. 내가 그 초콜릿 얻어먹는 재미에 너랑 놀아줬는데."

난데없는 트럭 이야기에 곱게 차려입은 내 친구들의 귀가 위성 안테나만큼 커졌다. 나는 성민에게 우리 아빠가 강남의 내과병원 원장님이라고 힘주어 말했다. 성민은 눈썹을 치켜올렸다.

"너희 아빠가 의사 선생님이라고? 분명히 트럭 운전 하셨는데? 내가 분명히 기억나는데? 너희 집 가면 어떨 때는 운동화가 잔뜩 있고 어떨 때는 청바지가 잔뜩 있고 그랬잖아! 너희 아빠가 창고에 넣는 물건 중에 한두 박스씩 빼돌려서 너희 집은 맨날 가겟집처럼 물건이 많았다고. 그리고 네가 좋아한다고 너희 아빠가 초콜릿은 종류별로 다 갖다놓으셔서 초콜릿은 진짜 많았다고. 그런데 너희 아빠가 의사 선생님이라니, 도대체 무슨 소리야? 그럼 나중에 다시 의대에 가셨단 말이야?"

일류대학을 갔다더니 과연 머리가 어찌나 좋은지, 성민의 기억력은 막힘이 없었다. 나조차도 잊고 있었던 내 어린 시절의 일들을 거침없이 줄줄 읊어댔다. 내가 아무리 병원을 강조해도 귀담아듣지 않았다.

"넌 어릴 때부터 거짓말 킹이었어. 너랑 너희 형이랑, 둘 다 완전 새빨간 거짓말쟁이들이었어. 내가 네 말을 믿을 줄 아니?"

오랫동안 감쪽같이 병원장 가족 행세를 하느라 우리 스스로도 거의 까먹고 있던 우리 가족의 평민스러운 과거가 성민의 특출한 기억력에 의해 낱낱이 까발려지는 것에, 큰오빠를 제외한 우리 가족들은 무어라 설명하기 힘든 쾌감을 느꼈다.

"그놈 어릴 때부터 똑똑하긴 했다. 내가 그놈 공부 잘할 줄 알았다. 하지만 그런 놈들이 돈벌이는 신통치 않아."

트럭을 몰던 과거를 들추어낸 것에 대해 전혀 분개하지 않고, 아빠는 성민에게 특유의 편애를 아끼지 않았다. 이제 우리 남매는 지겨워서 아무도 듣기 싫어하는 아빠의 영웅전설에 성민처럼 기억력 좋은 증인이 나타나주었으니 아빠는 사실 얼마나 즐거워했는지 모른다.

성민의 기억대로, 아빠는 의대는커녕 고등학교 졸업장의 진위조차 의심스러운 저학력 육체노동자로 그 경력을 시작했다. 아빠는 가진 것은 하나도 없는 주제에 늘 이화여대 나온 여자와 결혼할 거라고 큰소리를 치고 다녔는데, 진짜로 이화여대에 다니던 예쁜 임현명 아가씨를 꼬드기는 데 성공했다. 결혼운뿐만 아니라 사업운도 따라줘서, 트럭 운전으로 시작한 사업이 금세 물류업으로 확장되더니 창고부지, 차고부지로 부동산 대박을 몇 번 터뜨리고 나니까 사십대 후반부터는 준재벌 부럽지 않은 돈을 만지고 있었다.

준재벌에서 재벌로 넘어가지는 못했다. 그러기엔 아빠는 씀씀이가 너무 헤펐다. 웬만큼 돈을 벌고 난 뒤에는 명예에 관심을 보이기 시작했다. 정치나 관직 쪽에는 관심이 없고, 이상하게 선생님이라는 호칭에 집착했다. 엄마보다 한참 모자라는 가방끈에 아무래도 콤플렉스가 좀 있었던 모양이었다. 아빠는 선생님이라는 소리를 듣고 싶어서 운전학원도 차려보고 골프학원도 차려보더니 결국 병원장이 되기로 결심했다. 아빠에겐 뭐든지 쉬웠다. 자금력이 부족한 의사와 몇 번 술을 마시고 개업자금을 대기만 하면 되는 거였다. 아빠는 병원 건물에서 제일 좋은 방을 차지하고는 병원장이라는 직함이 쓰인 멋진 명패를 자기 방문 앞에 붙였다. 아빠는 병원 원장실에서 의사 가운을 입고 주식 시황을 확인하고 가끔씩 물류센터에 전화를 걸면서 소일했다.

그러니 우리 아빠가 트럭운전사였다는 것도, 병원장이었다는 것도 모두 거짓말은 아니었다. 그게 우리 아빠였다. 우리는 모두 아빠의 이런 양면성에 수십 년간 너무 익숙해져서 누구 하나 그게 이상하다거나 특이하다고 생각조차 하지 않았다.

성민은 나를 만나자마자 힘들이지 않고 나와 연애를 했다. 원래 좀 둔해서 나의 미친 부분을 못 알아차리는 것 같았다. 중식 레스토랑에서 일곱 가지 음식이 나오는 코스요리를 먹다가 말고 느끼하다고 난리를 치면서 통영에 있다는 유명한 김치칼국숫집을 향해 출발하는 그런 생활이 이상하다는 생각도 못 하는 것 같았다. 그저 배가 덜 찼나보다 하고, 그는 뭐든지 무심하게 받아들였다.

작은오빠에 대해서만은 경계심을 보였다.

"작은형은 초딩 때랑 똑같네."

작은오빠 역시 성민을 헐뜯기에 여념이 없었다. 작은오빠는 질투심에 불타올라서 성민이 아빠의 재산을 노리고 나와 결혼하는 거라고 악담을 아끼지 않았다. 굳이 확인해볼 필요는 없었는데, 아빠가 집을 나가자 자연스럽게 성민의 진심을 확인해볼 기회가 되었다.

아빠가 가출해버리고 우리 가족이 빈털터리가 되었을 때 성민이, 내가 장인어른 돈 하나 바라보고 결혼했는데 이렇게 될 줄은 몰랐다, 당장 이혼하자고 날뛰었다면 차라리 그에게 불같은 매력을 느꼈을 것이다. 성민의 반응은 뜨뜻미지근했다. 설마 빈털터리가 되기야 하겠느냐, 혹시 그리 되더라도 하는 수 없지 않느냐 하는 식이었다. 나는 그런 유순함이 못마땅했다. 요즘 세상에서 유순하다는 것은 일종의 미친 증세와 일맥상통하는 면이 있었다.

그래서 그런지 평생 과분하다 생각하며 살아왔던 잘생긴 하이스펙 내 남편 성민에게, 요즘은 사뭇 심드렁했다. 오늘이 결혼 십 주년 기념일이라는 것도 아침에 성민에게 듣고서야 깨달았다. 기념일 저녁 외식을 어디서 할까 하고 묻는 말에도 그냥 니네 회사 근처 아무 데서나 먹자고 성의 없이 대답해버렸다. 성민은 잠시 생각하더니 가까운 고층빌딩의 스카이라운지에서 만나자고 쉽게 결정했다.

나는 약속장소에 가기 전에 먼저 엄마네 집에 들러 반찬을 좀 얻어올 생각이었는데 엄마의 한숨과 푸념에 그만 붙잡히고 말았다. 엄마는 이십 년간 함께 여행을 다녔던 친목계에서 얼마 전에 빠졌다. 월 삼십만원의 회비가 버겁게 느껴졌기 때문이었다. 추동시즌 신상품으로 나온 초경량 파카도 만지작거리다 내려놓고 말았다. 그런 엄마를 두고 결혼기념일이니까 얼른 나가야 한다는 말을 할 수는 없었다. 내가 친정집에서 나섰을 때는 약속시간도 이미 지난 시각이었다. 허겁지겁 택시를 붙잡아서 탔지만 역시나 왕창 늦고 말았다.

약속시간에 사십 분이나 늦었지만 성민에게 미안해하거나 변명할 필요는 하나도 없었다. 성민은 나보다 사십 분이나 더 늦게 도착했다. 덕분에 우리가 예약했던 창가 자리는 날아가버렸다. 우리는 그리 밝지 않은 표정으로, 홀 한가운데 있는 가장 번잡한 자리에서 십 주년을 축하하게 되었다.

성민은 회사에서 하루 종일 넥타이로 목이라도 졸리고 있었던 것이 분명해 보였다. 콕 찌르면 울음이라도 터뜨릴 것 같은 얼굴이었다. 아침에 분명히 멀쩡한 얼굴로 출근했는데, 나는 차마 무슨 일이 있느냐고 물어볼 엄두조차 나지 않았다. 그래서 우리는 '늦었네?' '오래 기다렸어?' '아니, 뭐 먹을래?' 같은 의례적인 말만 나누고 주로 침묵을 지켰다. 나는 성민과 눈을 마주치지 않기 위해 연거푸 와인만 들이켰고 성민은 주로 자기 구두를 내려다보고 있었다. 성민의 파스타와 내 스테이크 접시가 깨끗이 비워지도록, 우리는 별다른 말을 하지 않았다.

"디저트 먹을까?"

"그래, 먹자."

나는 달콤한 커스터드 위에 설탕을 뿌린 다음 토치로 구워 아작아작한 커버가 생기도록 하는 크렘 브륄레를 주문했다. 크렘 브륄레는 언제나 내가 제일 좋아하는 디저트였다. 성민은 생뚱맞게 와플을 주문했다. 평소 과식하지 않는 성민이 파스타를 잔뜩 먹고 난 다음 와플까지 먹는 건 결혼한 지 십 년이 흐르도록 처음 있는 일이었다. 내가 주문한 크렘 브륄레는 만들어놓은 지 오래되었는지 설탕커버가 다 물렁하게 녹아 있었다. 성민은 먹어보라는 말도 하지 않고 와플을 우걱우걱 입에 쑤셔넣더니 과식으로 인해 더욱 고통스러운 얼굴이 되었다. 나는 원래 과식으로 웬만한 불행을 다 덮어버리는 인간이지만 오늘은 그마저도 잘되지 않았다. 현실에서 도피하기엔, 설탕커버가 너무 물렁했다.

"혜나야."

성민이 풀죽은 목소리로 내 이름을 불렀다.

"왜."

"나 오창으로 발령났다."

나는 잠시 성민이 무슨 말을 하는 건지 잘 알아듣지 못했다. 고유명사가 너무 낯설었다. 오창이 직급인지 회사인지 아니면 성민이 맡아야 할 골때리는 업무의 이름인지도 오리무중이었다. 나는 아무 말도 하지 않고 내가 들은 문장의 의미를 해석하려 애썼다. 성민이 피식 웃었다.

"너 지금 오창이 어딘지 모르는구나?"

그제야 나는 오창이 지명이라는 사실을 인지했다. 한반도의 남쪽 어딘가에 그런 이름의 도시가 있는 것 같기도 하다는 생각이 들었지만, 어쩌면 수도권에 우후죽순처럼 들어선 낯선 이름의 신도시들 중 하나일지도 모른다.

"그게 어딘데?"

"충청북도. 오창 산업과학단지. 정밀시스템 개발사업부."

나는 도대체 무슨 일이 일어난 건지 감이 오지 않았다.

"오상무는? 오상무는 어떻게 됐는데?"

"이번에 오전무 됐더라."

이게 핵심이었다. 몇 가닥 되지 않았던 우리 집의 중요한 연줄이 끊어진 것이었다. 머리가 떵하니 아파왔다. 성민은 그동안 그를 받쳐주고 있던 연줄에서 튕겨나와 진짜 맨땅에 내동댕이쳐진 것이었다.

우리 집은 돈은 좀 있었지만 연줄이라 할 만한 배경이 그리 튼튼하지 않았다. 아빠가 돈을 좀 벌긴 했지만 학벌이나 집안이 받쳐주지 않다보니 상류사회와의 연결고리까지 만들지는 못했기 때문이었다. 차라리 고급 네트워킹에는 엄마가 강했다. 엄마는 본인의 훌륭한 학벌과 우리들의 사립학교 인맥을 활용해서 괜찮은 인맥을 몇 개 만들었다.

오상무는 내 고등학교 동창의 아버지였다. 예술계 사립 고등학교에서 바이올린을 함께 전공한 나와 그 친구는 별로 친하지 않았지만 엄마와 오상무 부인은 매달 친목회에서 만나고 일 년에 한 번씩 동남아로 골프여행을 같이 가던 사이였다. 똑똑하고 싹싹한 성민은 오상무에게 귀여움을 받았다. 성민은 그동안 승진도 빨랐고 보직도 늘 좋은 곳으로 받았다. 하지만 엄마가 이혼소동을 겪으며 체면을 왕창 깎이고, 곧 경제적인 형편마저 눈에 띄게 기울었다는 소문이 돌자 친목회의 분위기는 눈에 띄게 싸늘해졌다. 그리고 그 한파가 지금 이곳, 우리의 결혼 십 주년 기념 외식자리에까지 밀려오게 된 것이었다. 오상무는 전무로 승진했는데 그의 귀염둥이 윤과장은 본사 인사부에서 지방 연구소 정밀시스템 개발사업부로 날아간다. 이게 아빠가 떠난 뒤 우리에게 찾아온 뜨악한 현실이었다.

"그럼 어떻게 되는 건데?"

"일번, 오창으로 이사를 가든지, 이번, 주말부부가 되든지, 아니면 삼번, 회사를 때려치우든지."

이런 식의 선택형 문제엔 이제 넌더리가 난다. 아, 언제부터 내 인생엔 이렇게 마음에 드는 선택이 한 개도 없어진 걸까. 성민은 지나가는 웨이터를 불러서 스카치위스키를 주문했고 나는 마르가리타를 주문했다. 주문한 술이 나올 때까지 나는 심사숙고했다.

"이렇게 마음에 드는 게 하나도 없을 땐, 가장 하기 싫은 것부터 하나씩 빼버리면 돼. 마지막까지 남는 걸 고르는 거지."

나는 잘난 척하면서 말했다. 가끔은 나도 머리가 잘 돌아갈 때가 있다.

"좋아, 그럼 뭐부터 뺄래?"

"일번. 오창으로 이사를 간다."

"오창은 왜 안 되는데? 거기도 살기 좋대. 물가도 서울보다 훨씬 싸고."

"미쳤어? 내가 왜 그런 데 가서 살아야 해? 난 거기가 어딘지도 몰라. 그런 데 가서 살진 않을 거야."

나는 단호하게 말했다. 성민이 낮게 투덜거렸다.

"젠장, 서울만 사람 사는 덴 줄 알아?"

하지만 성민 역시 오창에서 살고 싶은 생각은 눈곱만큼도 없다는 걸 나는 잘 알기 때문에 성민의 불평을 깨끗이 묵살했다.

"시끄러워. 가만있어봐. 그다음에 뭘 뺄지 생각중이란 말이야."

얼음이 다 녹아서 밍밍해진 마르가리타를 한 모금 마시고 나는 얼굴을 찡그렸다. 작은오빠의 말이 맞았다. 뭐든 제대로 하는 집에서 먹고 마셔야 했다. 이런 뜨내기 음식점에서 뭔가를 먹고 마신다는 건 죄악이었다. 나는 웨이터를 불렀다.

"테킬라를 더블샷으로 넣어주시고요, 레몬이 없으면 레몬주스 가루라도 듬뿍 넣어주세요. 너무 밍밍해서 먹을 수가 없어요."

웨이터는 내 잔을 들고 사라졌다. 나는 두번째 결단을 내렸다.

"그다음으로 뺄 건 삼번이야."

넥타이를 느슨하게 하고 스카치를 마시고 있는 성민은, 섹시했다. 인물과 학벌과 키는 십 년 전과 똑같은데, 오늘 지방 발령 소식을 전하는 윤성민은 십 년 전 내 눈을 확 뒤집었던 그 칠십 센티미터 붕어가 아닌 것이 이상할 뿐이었다. 무엇이 문제였을까? 나의 붕어는 왜 사이즈가 줄어들었을까?

"삼번이 뭐였지?"

"바보야, 니가 문제를 내고도 모르니? 회사를 때려치운다며! 그건 안 된다고, 알았어?"

성민이 한숨을 쉬었다.

"그럼 이번이 정답이야? 그건 또 뭐였지?"

유감스럽게도 거기까지가 내 한계였다. 우리는 이번 보기가 뭐였는지 생각해내느라 한동안 머리를 쥐어짰다. 웨이터가 좀더 진해진 마르가리타를 들고 다시 나타났다. 성민이 작은 소리로 외쳤다.

"아, 맞다, 주말부부."

도무지 흥이 나지 않아서 우리는 말없이 각자 술만 홀짝홀짝 마셨다. 성민이 우울한 목소리로 말했다.

"왜 너만 정해? 내가 정하면 안 돼?"

"그럼 넌 어떻게 하고 싶은데?"

"오창에 가는 건 나도 싫어. 그냥 회사 그만두면 안 될까?"

나는 얼굴을 찡그렸다.

"야, 서울이 뭐 대단한 데라고, 회사에서 가라고 하면 가면 될 일이지, 오창에 가기 싫어서 회사를 그만두겠다는 게 말이나 돼? 잔소리 말고 가."

"너는 절대로 오창엔 안 간다면서! 너야말로 하는 일도 없는 주제에 죽어도 서울에 붙어 있겠다고 우기면서 왜 나한테만 가라고 해?"

"너 바보 아니니? 나는 오창에 가나 안 가나 똑같잖아! 하지만 너는 싫어도 오창에 가서 돈을 벌어야지! 월급 또박또박 벌고 있는 건 온 집안에 너뿐인데 너까지도 직장을 팽개치고 백수가 돼버리면 우리는 정말로 뭘 먹고 살자는 말이니?"

성민이 눈썹을 치켜올렸다. 하지만 그는 워낙 물렁하기 때문에 험악한 표정을 지어봤자 나는 하나도 무서울 게 없었다. 나는 성민과 싸워서 져본 일이 한 번도 없었다.

"그럼 나만 오창에 가라고? 넌 서울에서 놀고?"

"내가 서울에 있든 오창에 있든 뭐가 중요하다고 그래? 물귀신

작전이야? 왜 나까지 꼭 오창에 가야 한다는 거야?"

"넌 그럼 오창에 안 가면 뭐할 건데?"

"나 취직했어. 곧 출근할 거야. 오늘 그 이야기 하려고 했는데 니가 오창 이야기 꺼내는 바람에."

궁지에 몰리면 자동으로 거짓말이 술술 나오는 게 평생 고질병이었다. 이 병 때문에 몇 번이나 경을 쳤지만 아마 죽을 때까지 고쳐지지 않을 것 같다.

그러나 그새 몇 년 같이 살았다고 나에 대해 조금 아는 것이 생긴 성민은 코웃음을 쳤다.

"웃기시네. 니가 무슨 취직이 되냐? 거짓말 마."

"왜 이러셔? 진짜 취직됐거든?"

"야! 요새 일류대 졸업한 어린 애들도 취직 못 해서 난리가 났거든? 경력도 없고 나이도 많은 애가 갑자기 무슨 취직이 되니?"

이럴 때 나에게는 언제나 비빌 언덕이 있었다. 나는 휴대폰을 꺼냈다.

"작은오빠가 취직자리 구했다고 아까 그랬어. 물어볼까?"

나는 자신만만하게 휴대폰의 단축번호를 눌렀다. 성민은 다시 스카치를 주문했고 나는 다시 테킬라를 주문했다. 작은오빠는 어쩐 일로 일찍 잠자리에 들었는지 졸린 목소리로 전화를 받았다.

"오빠, 아까 오빠가 그 취직 이야기 했던 거 말이야……"

성민이 내 전화기를 채뜨려갔다.

"형, 형이 혜나 취직시켜줬다는 거, 거짓말이지?"

작은오빠가 뭐라고 하는지는 모르겠으나, 하여튼 성민은 꽤 오래

전화기를 붙들고 있었다. 거의 말을 하지 않고 작은오빠의 이야기를 듣기만 하는 걸 보니 작은오빠가 꽤 그럴듯한 이야기를 꾸며대는 것 같았다. 나는 테킬라를 홀짝거리며 창밖을 내다보았다. 시간이 꽤 늦었는지, 강변의 대로는 정체가 완전히 풀려 차들이 쌩쌩 달리기 좋아 보였다. 작은오빠와 광속 심야 드라이브를 하지 않은 지도 한참 된 것 같았다. 불현듯 어디론가 내달리고 싶었다. 오창만 아니라면 어디라도 괜찮았다. 내 갑갑한 삶이 곤두박질치는 구렁텅이하고는 정반대 방향으로, 운명도 따라오지 못할 만큼 빠른 속도로.

나는 웨이터에게 빈 잔을 내밀고 아예 테킬라를 병째 갖다달라고 말했다. 성민이 뭐 씹은 표정으로 전화를 끊었다.

"거봐, 맞지?"

"하여튼 작은형은! 시키지도 않은 일을 하고 그래!"

성민과 작은오빠는 해묵은 앙숙관계였다. 작은오빠는 성민을 질투했고 성민은 작은오빠를 경멸했다. 아웅다웅하는 두 남자 때문에 피곤하기도 했지만 두 남자의 알력을 잘 활용하면 최대한 나에게 유리한 결과가 나오기도 했다. 나는 이런 유의 줄다리기에 대단히 능숙했다.

"너 진짜로 그 일 할 수 있겠어? 작은형이 소개해주는 일자리, 그거 뻔해. 틀림없이 어처구니없는 자리일 거야."

성민이 우리 식구에게 완전히 적응하려면 아직도 멀고멀었다. 나는 천연덕스럽게 말했다.

"우리가 지금 찬밥 더운밥 가리게 생겼니? 뭐라도 해야지. 그러니까 너는 오창에서 돈 벌고, 나는 서울에서 돈 버는 거야. 알겠어?

우리도 이제 불개미처럼 아득바득 살아야 해."

"너 출근해봤자 한 달 다니면 오래 다니는 거겠지……"

"나 이번엔 열심히 할 거야. 나하고도 잘 맞을 것 같고. 나 이렇게 사는 거 너무 지긋지긋해. 이제 지겨워서 미칠 것 같아. 돈도 없이 노는 거 정말 비참해. 차라리 돈을 좀 벌어서 모아놓고 그다음에 다시 놀든지 해야겠어."

오히려 거짓말을 할 때는 더 청산유수로 말이 술술 잘 나오는 이유가 뭘까. 아빠에게 허풍이 유일한 사업밑천이었다는 소리는 귀가 닳도록 들었다. 술, 거짓말, 오입질, 노름, 허영, 아빠는 못 하는 것도 안 하는 것도 없었다. 아빠에게는 그 모든 악덕을 뭉뚱그려 돈으로 수렴할 수 있는 귀신같은 능력이 있었지만, 우리 삼남매는 제일 중요한 그것 하나만 빼고 나머지 쓸데없는 것들만 골고루 물려받았다. 안 되는 집구석이었다.

"너 애들 잘 볼 수 있어? 어떤 병원인지 정말 안됐다."

나는 동물적인 본능으로 그것이 나의 취직자리에 관한 이야기임을 알아차렸다. 아이들? 병원? 모두 다 나의 적성이나 경력과는 아무 상관이 없었지만 오창인지 고창인지에 따라가지 않기 위해서라면 무슨 짓이라도 해야만 했다.

"나 애들 좋아해. 내가 왜 못 해?"

"김혜나, 너 잘 생각해봐라. 걔네들이 무슨 죄가 있나?"

병원, 아이들. 술기운이 올라 빙빙 도는 머리로, 나는 어렵사리 내 미래의 직업을 유추해보려 노력했다. 방문 컴퓨터 수리기사보다는 무자격 소아과 간호사가 나은 직업인가? 나는 고개를 휘휘 저었다. 그냥 모르겠다. 나는 내가 살아가는 방식을 잘 모르겠다.

"그냥 이사가면 안 돼? 주말부부라니, 우리가 키워야 할 애가 있는 것도 아니고 모셔야 할 부모님이 계신 것도 아니고, 우리가 주말부부가 된다니 너무 우습지 않아? 그냥 오창에서 조용히 살면 안 돼? 직원아파트도 준다는데."

성민이 풀죽은 목소리로 물었다. 나는 조금 감동했다. 나처럼 부실한 인간도 마누라로서 아쉬워해주다니. 내가 성민에게 해주는 일은 그가 아침에 먹을 식빵을 사다놓는 것뿐이었다. 청소는 도우미 아주머니가 해주고 밥은 엄마가 해준 반찬을 먹거나 거의 대부분 사먹었다. 십 년의 결혼생활 중 구 년 구 개월은 섹스리스로 살았다. 우리는 그 일을 딱 한 번 해보자마자 세상에서 제일 힘들고 재미없는 게 그 일이라는 걸 재깍 알았다. 우리는 훨씬 쉽고 편한 하이파이브로 그 일을 대신했다. 주말부부가 되면 하이파이브는 할 수 없겠지만, 정 그리운 밤에는 벽을 치면 될 것이다.

나는 이미 술냄새가 진하게 섞이기 시작한 내 숨결을 의식했다. 이런 재미없는 이야기는 길게 할 필요가 없었다.

"잘될지 모르겠지만, 일단 한번 나가보긴 할래. 내가 처음으로 구한 직장인데. 요새처럼 취업난이 심한 세상에 작은오빠가 어렵게 구한 일자리인데. 하다 어려우면 그때 내려가도 되잖아."

언제나 그렇듯이 성민은 쉽게 설득되었다. 너무 쉬워서 시시한 상대였다. 그는 총명했지만 세상은 그를 만만하고 시시하게 대했다. 어릴 땐 죽도록 공부만 하고, 그렇게 죽도록 공부해서 일류대에 갔지만 나 같은 마누라나 만나고, 얌전하게 취직해서 회사에서 시키는 일이나 죽도록 하고, 그러다가 사십대 중반을 넘기면 직장에서 주는 사소하고도 집요한 눈흘김에 쉽게 설득되어 순순히 회사를 떠날 것이 분명했다. 순하고 불쌍한 윤과장. 오창인지 고창인지로 홀로 떠나게 된 만만한 나의 남편.

　돈을 벌어야 한다.

　나는 거울을 노려보며 힘주어 이렇게 말했다. 돈을 벌어야 한다.
거울 속의 내가 심각한 표정으로 이렇게 말했다. 돈을 벌어야 한다.
돈이라는 발음을 하느라 입술을 뾰족하게 내밀면 거울 속의 내 입
가에 주름이 잡혔다. 세월이 무서운 속도로 흐르고 있었다. 나는 철
딱서니 없는 백수로 엄마의 노후자금을 축내며 늙어가고 있었다.
엄마보다 빨리 늙어 죽을 수만 있다면 그렇게 하고 싶었다.

　아빠는 한반도 남쪽 소도시 도시빈민의 둘째아들로 태어났다. 고
등학교 졸업장도 없었다. 그런데 〈스타워즈〉 제작비도 댈 수 있을
만큼 돈을 벌었다. 우리는 아빠의 대단했던 파이팅을 본받을 필요
가 있었다. 하지만 아빠를 본받기는커녕, 아빠를 생각하기만 해도
견디기 힘든 피로감을 느꼈다. 아빠의 파렴치한 두뇌와 에너지는
돈을 벌기에도 적합했지만 주변 사람들을 괴롭히는 데에도 진가를

발휘했다.

아빠는 편애의 대왕이었다. 아빠의 머릿속에는 황금으로 만든 김혜나의 동상이 들어 있었다. 내 말이라면 틀린 것이 없었고 오빠들이 하는 일은 마음에 드는 것이 없었다. 그러더니 칠순을 앞둔 어느 날, 큰오빠보다 두 살 어린 새 여자를 얻어서 달아나버렸다. 아빠는 엄마와 이혼한 게 아니라 나와 헤어진 거였다. 나는 팬클럽 회장에게 배신당한 아이돌이었다. 나는 아빠를 결코 용서하지 않겠다고 다짐했다. 나는 아빠를 용서하지 않을 것이다. 무슨 일이 있어도. 사용한도 없는 신용카드의 유효기한 만료가 군병같이 다가온다 하더라도.

그러므로 돈을 벌어야 한다. 더러워도, 아빠처럼.

이것이 나의 결론이었다. 마침 성민도 지방 발령을 받은 참이라서 돈을 벌겠다는 핑계라도 대지 않으면 꼼짝없이 사고무친 낯선 동네로 끌려갈 판이었다. 강북만 가도 다른 나라 같은데 지방이라니, 상상불가였다. 이래저래 생업전선에 나서기에 좋은 타이밍인 것 같았다. 그렇다고 해서 작은오빠처럼 무턱대고 사업을 벌일 수도 없으니 일단은 아담하나마 남의 밑에서 일하며 월급을 받는 것도 좋을 것 같았다. 큰오빠 말마따나 돈을 많이 버는 것보다, 돈 쓸 시간이 없도록 바쁘게 사는 것이 더 중요한지도 몰랐다. 적은 월급이라도 또박또박 받으면서 열심히 일을 하다보면 나도 생애 처음으로 저축이라는 걸 하게 될지도 모르고 그러다보면 아빠처럼 부자가 될지도 모르는 일이었다.

우유를 팔아 계란을 사고, 병아리를 키워 닭을 만들고, 계란을 팔아 드레스를 사서 댄스파티에 가는 상상을 하는 처녀처럼 나는 긍정적인 방향으로 생각을 키워나갔다. 나에게도 좋은 일이 생기지 말란 법은 없다. 내 몸에도 돈을 벌 줄 아는 유전자가 잠재되어 있을지도 모른다. 그동안은 유복한 생활환경 덕분에 돈을 벌 필요가 없었을 뿐이다. 이제 아무도 몰랐던 나의 잠재력이 폭발적으로 개발될 것이다. 나는 작은오빠의 빚을 다 갚아주고 엄마에게 세 명의 입주 가사도우미를 구해주고 큰오빠와 아빠에게는 쓰라린 배아픔만을 한 아름 안겨줄 것이다.

"김혜나, 너 왜 전화 안 받아!"

힘센 주먹이 현관문을 쾅쾅 두드렸다. 나는 백일몽에서 어렵사리 깨어나 현실로 돌아왔다. 현관문을 열자 작은오빠가 야생 당나귀처럼 펄쩍 뛰어들어왔다.

"야, 너 벌써 술 마셨어? 미쳤니? 어휴, 내가 못 살아, 못 살아."

"웬 잔소리? 그냥 딱 한 잔 마셨거든?"

나는 새침하게 대꾸했다. 사실은 테킬라 한 병이었다. 되도록 위엄을 유지하려 했지만 오전 열한시밖에 안 된 시각이라서 말발이 잘 서지 않았다. 원래부터 해파리처럼 무절제했던 내 생활은 성민이 오창으로 내려간 뒤로 밤과 낮의 구별도 없어졌다.

"전화는 왜 안 받았어? 내가 얼마나 전화했는지 알아?"

작은오빠는 여기저기 나뒹구는 쿠션과 잡지 들을 거칠게 들쑤셔댔다. 아침 햇살에 비친 먼지가 버섯구름처럼 뿌옇게 피어올랐다. 휴대폰은 어찌된 일인지 이불 밑에서 브래지어와 뒤엉킨 채 발견되었다. 배터리 막대기는 딱 한 칸 남아 있었다.

"어휴, 너 이럴 거면 성민이 따라서 내려가. 이게 뭐니? 면접보는 날 아침부터 테킬라나 처먹고. 이래서 무슨 직장생활을 하겠냐고. 나 원 참, 지금이라도 없던 일로 하자. 아무래도 안 되겠다. 널 취직 시켰다가는 나 욱연이 형한테 욕만 잔뜩 먹겠다. 어휴, 너 이 지경 인 줄은 정말 몰랐어."

"아휴, 노인네처럼 웬 잔소리가 이렇게 많아? 오늘은 열두시까지 가서 점심만 같이 먹으면 되는 거라면서! 첫 출근에 늦은 것도 아닌 데 뭘 그래? 쫀쫀하게스리. 나 샤워할 테니까 저리 가!"

나는 도리어 큰소리를 빵 쳤다. 코너에 몰렸을 땐 오히려 허세를 부리는 거라고, 아빠에게서 물려받은 핏줄이 귓속말을 했다. 허세 전술은 작은오빠에게 잘 먹혔다. 약속시간에 늦겠다고 다소 안달을 부리기는 했지만 작은오빠는 얌전히 스마트폰으로 게임을 하며 기 다렸다. 나는 샤워기의 물만 틀어놓고 벽에 기대서 있었다. 어지러 워서 중심을 잡을 수가 없었다. 겨우겨우 양치질만 했는데 계속 위 장이 뒤틀려서 죽을 것 같았다. 냉장고에 늘 상비해놓는 숙취해소 음료 두 병을 벌컥벌컥 들이켜고 나는 씩씩하게 집을 나섰다. 속이 울렁거렸지만 견딜 만했다.

"걱정하지 마. 욱연이 형이 설마 면접에서 떨어뜨리기야 하겠니. 아무 말 하지 말고 그냥 얌전히 있기만 해. 그럼 된 거나 다름없어. 형이 그냥 용돈 줄 수는 없으니까 핑계삼아 일거리를 만든 거야. 그 냥 애들이랑 좀 놀아주면 되는 거더라고. 그림이나 좀 그리든지 악 기를 가르쳐주든지. 거저먹기더라고."

운전대를 잡은 작은오빠의 말만 들으면 세상 모든 일이 쉬워 보였다. 오늘은 어쩐지 그의 말에 맞장구치고 싶은 기분이 아니라서 나는 묵묵히 자동차 바닥의 티끌 한 점 없는 매트만 바라보았다. 뱃속의 테킬라가 지랄 아우성을 쳤지만 작은오빠의 비단결 같은 운전 덕분에 멀미는 나지 않았다. 작은오빠가 자랑스럽게 컨버터블의 지붕을 열었다. 언젠가 확인했듯이, 고속주행중에도 톱커버가 열리는 사랑스러운 차였다. 하지만 불어오는 바람 때문에 눈꺼풀이 뒤집히고 더 정신이 없었다. 내가 욕설을 퍼붓자 작은오빠는 순순히 톱커버를 닫았다.

"수진이가 너 정 산부인과에 취직했다고 하니까 엄청 좋아하더라. 수진이도 욱연이 형 광팬이거든. 하긴 안 그런 여자가 없지만."

결혼하고 오 년 동안이나 아이가 생기지 않았던 작은오빠는 정 산부인과에서 불임치료를 받고 태욱이를 낳는 데 성공했다. 우리한테도 이 영험한 병원에 다니라고 호들갑이 여간 아니었지만 정 산부인과는 다른 병원들보다 훨씬 비쌌고 우리는 이미 아이를 낳을 생각이 없어진 지 한참이었다.

"욱연이 형도 되게 좋은 사람이긴 한데 별로 만날 일도 없을 거야. 눈코 뜰 새도 없이 바쁘거든. 요새는 방송에도 많이 나가더라고. 형이 완전 똑똑해. 지금은 강남에서 최고 대박 병원이다, 거기가. 거기서 애 낳으려면 웬만한 사회적 지위가 없으면 안 돼. 요새 한다 하는 연예인들, 재벌들 다 거기서 낳아. 욱연이 형한테 줄 대서 애 낳으려면 백이 어지간해야 한다구. 그 형이 그렇게 뜰 줄은 몰랐지. 형이 개업할 때 지분을 잡았어야 하는 건데. 그 형이 진짜 가난한 집 막내아들이거든. 욱연이 형 대학 다닐 때 그 집 아빠랑 형들이 모두 사기, 폭력으로 감옥에 있다고 그랬었어. 네 형제 중에 막내인데 위의 형들은 다 개건달이라고 그랬거든. 진짜 개천에서 용났어. 뭐 지금이야 거의 재벌이지."

아무렴, 똑똑한 인간들은 뭘 해도 잘하지. 가난하게 태어나도 재벌이 되고, 폭력범의 아들도 슈퍼스타가 되지. 얼씨구절씨구.

"산부인과 병원이긴 한데 경산부들이 많다고 하더라고. 너 부유층은 최소 애 셋은 되는 거 알지. 그런 집안에서는 인맥이 힘이기 때문에 많이 낳는다고 하더라고. 그래서 엄마들이 진료받는 동안 큰 애들 봐줄 사람이 필요하대. 물론 내가 너 취직시켜달라고 하니까 형이 겨우겨우 만들어낸 자리지. 진짜 사람이 필요한 거면 보육교사 자격증 있는 사람을 쓰지 널 쓰겠니? 애들 서넛 데리고 그림 그리고 노래 부르면서 빈둥거리면 욱연이 형이 너한테 월급을 주는 거야. 완전 거저먹는 거 아니냐. 그리고 술냄새 나니까 껌 좀 씹어. 술 좀 줄이고."

작은오빠가 녹차껌을 내밀었다. 나는 껌을 뒷좌석으로 집어던졌다. 오빠는 한숨을 쉬었다.

"혜나야, 나도 너 마음껏 술 처먹게 놔두고 싶어. 그까짓 인생 얼마나 된다고 하고 싶은 일 못 하면서 살겠니. 난 하고 싶은 거 하다가 죽는 게 제일 행복하다고 생각해. 하루에 담배 한 보루씩 피우고 밸런타인 한 병씩 비우고 숯불갈비 팍팍 태워서 먹고 화끈하게 살다 죽으면 되지, 유기농에 채식주의에 스님같이 살 거면 뭐하러 오래 사니. 난 니가 술 처먹다 죽더라도 그게 너의 행복이라면 밀어주고 싶거든."

"그런데? 그런데 왜 잔소리야?"

"지난번에 TV에서 봤는데, 너무 끔찍하더라고."

작은오빠가 풀죽은 목소리로 대답했다.

"똑같이 마셔도 여자들은 남자들보다 간경화가 더 빨리 온대. 술 마시다 복수 차고 황달 걸린 여자들이 TV에 나왔는데, 한번 그렇게 되면 다시는 회복이 안 된대. 나 너무 무섭더라고. 형이야 술 먹다가 복수 차서 죽어도 하는 수 없지만, 니가 그렇게 된다고 생각하니까 너무 무섭고 눈물이 나는 거야."

나는 코웃음을 쳤다. 여기서 그가 말하는 형이란 술버릇이 나와 매우 유사한 큰오빠를 말한다. 우리는 아빠에게서 비슷한 주량을 이어받았다. 작은오빠는 온갖 악덕 중에서도 폭음만은 살짝 피해갔다. 엄마를 닮은 공덕이었다.

"그러니까 술 좀 작작 마셔, 이 계집애야. 무슨 애가 아침부터 테킬라를 처먹니. 너 그거 중증이다. 기분전환 삼아서 하루에 맥주 한두 캔 정도면 괜찮지만……"

여기까지 말하고 작은오빠는 사이드브레이크를 올렸다. 빨간 자동차는 약속장소인 카페 앞에 도달해 있었다.

"바로 저기가 병원이야. 형이 바빠서 멀리 못 나온대. 그냥 이 근처에서 점심 먹기로 했어."

작은오빠가 손가락질하는 방향을 향해 고개를 돌려보니 카페처럼 말끔한 쌍둥이 건물 두 채가 나란히 서 있었다. 내가 앞으로 근무하게 될 정 산부인과와 부설 산후조리원이었다. 나는 작은오빠의 팔에 매달려서 건들건들 걸었다. 우리는 먼저 카페에 들어가서 병원이 잘 보이는 창가의 동그란 테이블에 자리를 잡았다.

"야, 너 술주정하지 말고 그냥 얌전히 있어. 묻는 말에 대답만 짧게 하고 그냥 가만히 있어. 내가 다 알아서 할 테니까."

나는 내가 취하지 않았다는 것을 보여주기 위해 질문을 던졌다.

"저 병원이 자기 건물이야? 아니면 임대?"

"돈도 많이 버는데 뭐하러 임대하겠냐? 자기 거겠지."

"돈이 그렇게 많아?"

돈 이야기라면 흥이 나는 작은오빠가 눈을 반짝이며 의자를 당겨 앉았다.

"너 그거 알지? 의사들 개업해봤자 별로 돈 못 버는 거. 의사들, 즈네들이 꽤 돈 잘 버는 줄 알지만 보통은 잘해봤자 월 이삼천밖에 안 되거든. 야, 그걸 벌자고 맨날 곪고 썩고 진물난 거 들여다보면서 사냐. 참 한심하다니까."

우리 가족의 특징은 한 푼도 벌 줄은 모르면서 돈 단위만 대책없이 크다는 거였다.

"근데 욱연이 형은 좀 달라. 원래 산부인과가 큰돈 만지는 데가 아니거든. 요즘은 애 많이 낳는 시절도 아니잖아. 그런데 형은 사람들의 지갑을 여는 법을 안다니까. 너 이 병원에 다녀보면 곧 알겠지만, 여기 다니는 환자들이랑 이야기해보면 되게 웃기다. 욱연이 형은 거의 사이비종교 교주야. 모든 환자들이 제각각, 자기들이 형한테 가장 특별하고 소중한 환자라고 확신하는 거야. 그리고 욱연이 형을 만난 게 자기들 인생에 굉장히 특별한 일이라고 생각해. 참 신기하다니까."

그러면 나도 정욱연을 만난 것을 내 인생의 특별한 일로 기억하게 될까?

"형은 돈 있는 사람들한테서 병원 발전기금 같은 것도 잘 뜯어내. 야, 생각해봐라. 아무리 부자라고 해도 말이야, 무슨 대학병원도 아니고 개인병원에 발전기금 낼 사람이 있을 것 같니? 어떤 사람이 불임 때문에 고생을 하다가 형 덕분에 애를 낳았다고 쳐. 그래도 사람이 화장실 들어갈 때랑 나올 때랑 마음이 다르잖아. 애 못 낳아서 고생할 때는 천만금도 아깝지 않을 것 같지만, 일단 애 낳고 나면 지금까지 불임치료에 쓴 돈만 해도 얼만데 연구기금까지 또 내고 싶겠니? 근데 신기하게도 형은 그런 영업을 아주 기막히게 잘한다니까. 내가 형한테서 그 비법을 좀 알아내려고 아무리 눈에 불을 켜고 봐도 말이야, 잘 모르겠어. 하긴 그런 일급 사업기밀을 쉽게 노출하겠냐. 니가 시간 되거든 그 비법을 좀 알아내보든지. 저기 온다. 저 사람이야."

작은오빠가 병원 입구를 가리켰다. 푸른 셔츠를 입은 마른 남자가 나타났다. 수줍음을 타는 내성적인 성격이 드러나는 얼굴이었지만 엷은 미소를 머금어서 전체적으로 부드러워 보였다. 그는 몇 발짝 오지도 못하고 아마도 환자인 듯한 젊은 여자에게 붙잡혔다. 그는 활짝 웃고 고개를 끄덕이면서 여자와의 대화에 성의 있게 임했다. 웃으니까 아주 사람이 편안하고 좋아 보였다. 여자는 키도 큰데다 높은 구두까지 신어서 정욱연은 시선을 약간 위쪽으로 향해야 했다. 은테 안경을 써서 총명해 보이기는 했지만 아무리 보아도 사이비종교 교주 같은 카리스마는 찾을 길이 없었다.

"귀여운데. 취직을 하느니 그냥 첩이 되어버릴까?"

"첩 아니라 정부인도 가능해. 오래전부터 기러기가 되었다고 들었거든. 형수가 엄청 부잣집 딸인데 철이 없었어. 아마 사이가 드럽게 나빴을 거야. 지금쯤 이혼했을걸."

여자와 대화를 끝낸 정욱연은 수줍어 보이는 조용한 얼굴로 금세 돌아가서 다시 카페를 향해 종종걸음을 했다. 카페로 들어서는 정욱연은 돈이 얼마나 많은지는 모르겠지만 일단 키는 성민보다 십 센티미터쯤 작았다. 몸무게는 나보다 적게 나갈 것이 분명했다. 우리와 눈이 마주치자 다시 활짝 웃었다.

"학원아, 많이 기다렸니? 늦어서 미안. 혜나씨, 반가워요. 만나고 싶었어요. 혜나씨 되게 귀엽게 생겼구나."

고향이 대구라고 들었는데 완벽한 서울 말씨였다. 경기도 경계선 바깥으로는 발가락 한 개도 디뎌본 적이 없다는 것처럼 깜찍하게, 서울 남자치고도 유난히 부드러운 말투로 그는 첫인사를 건넸다. 여린 탁음이 섞인 부드러운 목소리였다.

"학원이가 혜나씨를 엄청 자랑하고 다니거든. 지갑에 자기 여동생 사진 넣어가지고 다니는 사람은 별로 없잖아요?"

사람들에게 내 사진을 보여주다니 김학원은 역시 멍청이다. 나는 실물로 보면 죽음의 매력덩어리지만 사진으로 보면 그냥 뚱하고 멍한 삼십대 여자일 뿐이었다.

"혜나씨 어릴 때랑 하나도 안 달라졌다. 어릴 때랑 똑같이 귀여운 걸. 그 사진이 혜나씨 몇 살 때라고 했지? 다섯 살? 여섯 살?"

어릴 때 사진이라면 조금 낫다. 잘했다, 작은오빠.

"혜나씨, 무슨 말 좀 해봐요. 나만 혼자 떠드니까 이상하네. 그냥 편하게 생각하세요."

나는 살짝 눈을 들었다가 정욱연과 눈이 마주쳤다. 우리는 어색하게 웃었다. 그는 80년대 일본 애니메이션에 등장하는 착한 대학생처럼 살짝 흐트러진 머리칼에 잘 어울리는 은테 안경을 쓰고 있었다.

우리는 카페의 간소한 메뉴판을 뒤져 점심을 주문했다. 몸매관리에 열심인 작은오빠는 닭가슴살 샐러드, 그는 가벼운 샌드위치를 주문했고 나는 알코올 분해에 조금이라도 보탬을 줄 것 같아서 토마토소스 파스타를 주문했다. 주문한 음식이 나올 때까지 나는 계속 입을 다물고 있었고 작은오빠와 그가 주로 이야기를 했다.

"태욱이는 잘 크지? 정기 체크업 끝난 뒤로는 수진씨를 한 번도 못 봤네. 다들 건강하지? 둘째는 아직 없니?"

정욱연이 작은올케와 태욱이의 안부를 물었다. 작은올케가 정 산부인과에 다녔던 것이 어언 오륙 년 전의 일인데 산모와 아이의 이름까지 단번에 착착 나오는 기억력이 놀라웠다. 하지만 작은오빠는 정욱연의 사근사근한 안부인사에 형식적인 대답조차 여의치 않을 만큼, 이미 정신이 먼 곳에 날아가 있었다.

"형, 지난번에 게임회사 지분 육십 퍼센트 사났던 거, 그게 대박이 났거든. 지금 통신사업자 면허증 있는 데다 넘기려고 하는데 그거 요새 시세로 넘기면 수익률이 이백팔십 퍼센트야. 진짜 장난 아니야. 그 게임 개발한 애가 대학도 안 나온 애거든요. 애는 진짜 어수룩하고 게임밖에 몰라요. 사업을 할 줄 몰라. 그래서 내가 귀여워서 앞으로도 잘 챙겨주려고 해요. 학교도 안 다니고 게임만 해서 속 썩이던 애가 사업을 개발했네, 지분을 매입했네 하니까 걔네 아빠 가 얼마나 신나겠어. 그러니까 영감님이 맨날 돈을 싸들고 와서 받 아달래. 이 영감님이 여주랑 장호원에 땅이 에버랜드만큼 있대. 나 영감님 덕분에 여름 내내 옥수수랑 복숭아 질리도록 먹었다니까!"

그러니까 작은오빠는 요즘 그의 한살이 중에 상당히 적은 부분을 차지하는 반짝 호황기를 구가하는 중이었다. 지방 토호의 게임중독 아들 하나를 구워삶아서 뭔가 사업 비슷한 흉내를 내고 있는 모양 이었다. 그의 이마 위에서 항상 은행 대기순번표처럼 반짝이는 붉 은 부채현황표는 최근 50 정도에 머물고 있었는데, 더 놀라운 것은 괜찮은 투자자 하나를 찾아낸 것만으로도 오십억원이라는 기존 부 채는 아무런 의미가 없다고 생각하는 작은오빠의 사업관이었다. 사 업가에게 이십억 혹은 오십억이라는 숫자는 오로지 장부상의 숫자 로만 존재할 뿐이지, 그 돈은 만원권 혹은 오만원권으로 현금화된 적도 없고 그럴 이유도 없고, 그까짓 숫자 때문에 겁먹거나 기죽을 이유는 하나도 없고, 그저 언젠가 어디선가 제대로 대박 한 번만 터 져주면 끝이었다.

내가 아빠에게 용돈을 받아 쓰던 좋은 시절에 한두 번 카드값이 이천만원을 돌파한 적이 있었는데, 그때 나는 너무 힘들어서 살이 다 빠질 지경이었다. 돈을 쓰는 것도 쉬운 일이 아니었다. 그저 먹 고 놀기만 해서 한 달에 이천만원을 쓰려면 대단히 부지런해야 했 다. 정말 미친 듯이 놀고 미친 듯이 사대야 했다. 돈을 벌어본 경험 은 전혀 없었지만 소비해본 경험만으로도 나는 이천만원이 얼마나 큰돈인지를 알고 있었다. 오십억원이라는 돈은, 벌어서 갚아야 한다는 개념이 아니라 저걸 다 놀고먹고 써버려야 한다는 개념으로 접근하더라도 눈알이 튀어나올 것 같은, 빌어먹게 큰 돈이었다. 그러나 나의 작은오빠는 전혀 그런 감각을 느끼지 못했다. 그는 애초에 그 방면의 촉각이 만들어지지도 않은 희귀한 종류의 유전적 돌연변이였다.

정욱연은 작은오빠의 유쾌하고 낙관적인 사업현황을 고개를 끄덕이며 들었다. 자기 앞에 놓인 샌드위치는 절반쯤 먹다 남길 모양이었다. 나는 파스타를 먹으며 그를 곁눈질했다. 볼에는 그나마 살이 붙었지만, 잘 보면 타고난 골격이 섬세하고 마른 남자였다. 총명해 보였다 어수룩해 보였다 하는 얼굴이나 살짝 들뜬 머리칼이, 깡마른 중년의 해리 포터 같았다. 사기꾼 아버지와 건달 형들이 감옥을 들락거리며 억센 대구 사투리로 세상을 욕하고 있는 동안 혼자 공부를 하고 의대를 졸업하고 병원을 개업한 남자치고는 너무 선이 고왔다.

나는 자수성가라는 단어를 파스타 면발과 함께 입안에서 굴려보았다. 혀가 둔감해져서 아무 맛도 느낄 수 없었다.

"형, 메디블루오션이라는 회사 들어봤어요? 몰라? 형, 이거 내가 형한테만 말하는 건데, 이거 정말 금시대박이야. 얘네들도 아직 다 어려. 하나는 병원 레지던트고 둘은 이제 막 군대 갔다 온 애들인데 얘네들이 콘셉트를 제대로 잡았거든. 전국에 아픈 사람들이 얼마나 많아요. 그런데 아프면 자기들이 무슨 병인지 무슨 병원에 가야 하는지 어떤 의사를 찾아가야 하는지도 모르거든. 그러니까 그런 환자들하고 의사들을 연결시켜주는 거야. 일종의 의료 에이전시라고 할까, 적당히 상담도 해주면서 의료 수요자와 공급자를 연결시켜주면서……"

"어, 나는 잘 모르겠지만 의료법에 저촉될 것 같은데. 일종의 의료 브로커인 셈이잖아. 영리 목적으로 환자를 의료기관에 소개하면 불법이거든."

"브로커가 아니라 상담이라니까! 그리고 환자들이 병원 사용 경험을 점수화해서 각 병원과 진료과별 레이팅을 하는 거예요. 그리고 병원 쪽에서도 자기들의 진료 경험을 공유하는 거야. 그럼 각 병원의 경쟁력이나 누적된 경험이 객관화, 수치화될 수 있잖아. 이건 정말 잠재수요가 폭발적이야."

"의료정보와 경험은 기본적으로 공유하기가 어려워. 환자 입장에서는 의료 경험 자체가 심각한 프라이버시라서 공개하기 힘들고, 혹시 공개하더라도 정확한 의료 지식이 뒷받침되지 않으니까 부정확한 정보가 될 확률이 높아. 의료인 쪽에서는 진료나 상담 내용을 공개하는 게 금지되어 있어. 당연히 그렇지 않겠니? 자기 환자에 대한 중요한 정보를, 더구나 온라인에 오픈해버리면 안 되잖아. 결국 구체적인 사례가 빠진 단순 의학정보의 나열식밖에는 되지 않는다고. 그 정도로는 경쟁력이 없거든. 그런 사이트는 이미 여러 개 있고."

"형, 순진하기는. 형도 사업 해봤으면서 왜 그래? 형 인구 아나? 최인구 몰라요? 내 친구 최인구라고 있거든. 인구네 삼촌이 복지부 실세 국장인데 현재 최고로 유력한 차관 후보거든? 그러니까 내가 인구 통해서 그쪽은 확실히 잡아놨지. 공무원들은 위에서 내리누르면 꼼짝도 못 하거든요. 아니, 백도 없이 사업 시작하는 사람도 있나? 이건 확실히 되는 건이야. 아직 아무도 못 할 때 시장을 확 잡아야 하는데 내가 지금 딴 데 벌여놓은 일이 많아서 얘네들이 아깝게 자꾸 밀리네. 그냥 돈이 보이는데 아까워 죽겠어. 형, 돈 좀 벌어볼래요? 형 지금 얼마 동원할 수 있어?"

정욱연은 남기려던 샌드위치를 다시 입에 넣으며 김학원의 불같은 눈빛을 회피했다. 그런다고 그만둘 작은오빠가 아니었다.

"형, 지금 돈 있죠? 벌써 얘네들이 데이터베이스는 다 만들어놨거든요? 지금 홍보비 이억만 확 때려서 트래픽만 확보하면 바로 터지는데, 형 지금 돌릴 돈 없어요? 이건 오래 걸리지도 않아요. 연말이면 곧바로 회수되거든. 형, 왜 그래, 형 현금 깔고 앉아 있는 거다 아는데. 이억이 안 되면 일단 일억 먼저 넣고 일 되는 거 봐서 다시 가든지. 에이, 형 쫀쫀하게 왜 그래. 사실 이런 건 초장에 팍 밀어줘야 되거든. 뜸들이면 안 되는 건데. 근데 형수는 잘 있대요? 애들이랑 연락은 해요?"

주여, 제발 스톱. 나는 내가 대한민국 국민인 것을 증오했다. 내가 피치 못하게 김학원의 혈육으로 한세상을 살아가야만 하는 운명이라면, 나는 저기 서아시아나 북아프리카 어디쯤, 명예살인이 허용되는 땅에서 태어났어야 했다. 허리띠에서 신월도를 꺼내 그의 목을 베고 "나와 내 가족의 명예를 더럽힌 자를 처단하는 것은 알라의 뜻이요, 알라 외에 신은 없다!"라고 외칠 수 있는 화끈한 모래땅에서 태어났어야만 했다.

그러나 갑갑한 우리나라에서 명예살인은 명백히 불법이었다. 작은오빠에게는 명예가 없어도 제 수명대로 살 권리가 보장되어 있었다. 나는 절망했다. 이 세상이 온통 깜깜 절망이었다. 재산을 챙겨 도망간 아빠나, 나를 팔아먹어 사업자금을 갈취하려는 작은오빠나, 이제 남은 것은 이보다 더하면 더했지 나아질 리 없는 수치와 몰락뿐인 내 인생이나. 모두 암흑 절망이었다.

나는 면이 둘둘 말린 포크를 내려놓았다. 포크는 접시 위에서 균형을 잃고 댕그랑 소리를 내며 바닥으로 떨어졌다. 붉은 토마토소스가 정욱연의 푸른 셔츠 소매에 지저분한 자국을 남겼다. 두 남자가 말을 멈추고 나를 쳐다보았다.

"죄송해요 원장님, 저 취직 안 할래요. 저 사실은 알코올중독이에요. 지금도 술냄새 나죠? 머리도 나빠요. 분명히 병원 일도 망쳐놓을 거예요. 원장님은 안 그래도 힘드실 텐데, 저까지 감당하실 필요는 없어요. 제 인생은 제가 책임져야죠. 남을 괴롭히면 안 되죠. 김학원이 분명히 저를 취직시켜달라고 엄청 못살게 굴었죠? 제가 다 알아요. 정말 거머리 같은 인간이에요. 사실은 원장님한테서 돈을 뜯어내려는 수작이에요. 죄송해요. 저도 정말 죽이고 싶지만 어쩔 수가 없어요. 제가 대신 사과할게요. 원장님은 너무 물러서 큰일이네요. 남의 사정 봐주다가 원장님까지 망하면 어떻게 해요. 우리 같은 인간쓰레기들은 그냥 단호하게 잘라버리세요. 우리 아빠처럼요. 아빠도 내버린 자식들을 원장님이 왜 챙겨줘요. 죽든 살든 나 몰라라 하세요. 그래야 우리도 정신을 차리지 않겠어요? 운이 좋으면 여든 살쯤엔 기초생활수급자가 될 수도 있겠죠."

좋게 말하고 쿨하게 일어설 생각이었는데, 넋두리 끝에 어느새 눈물과 콧물이 줄줄 흘러내렸다. 옆 테이블에서 햄치즈 파니니를 주문해놓고 느긋하게 신문을 펼치려던 중년 남자의 어깨가 뻣뻣하게 굳어졌다. 정욱연이 벌떡 일어나서 후닥닥 달려가기에 나는 그가 과감하게 탈출한 줄 알았다. 가라, 빨리 가라. 너의 번성하는 분만실에 콕 틀어박혀서 아흔 살까지 나오지 마라. 나는 지부티나 파푸아뉴기니로 떠나는 배편이나 알아봐야겠다.

그러나 그는 카운터에서 한 뭉치의 냅킨을 집어들고 다시 돌아왔다. 우는 여자에게는 휴지나 손수건이 필요하다는 걸 아는 남자였다. 나는 아이고 아이고, 본격적으로 통곡하기 시작했다. 카페 안은 물을 끼얹은 듯 조용해졌다.

"얘가 맨날 이러는 건 아니고요, 처음 취직이란 걸 하려다보니까 긴장해서…… 좀 마셨나봐요…… 제가 아무리 직장생활 별거 아니라고 말해도…… 애가 소심해서……"

작은오빠의 목소리가 모깃소리만하게 줄어든 것이 이 명예자폭 테러의 최대 성과였다. 제발 이제 그만하고 싶은데 테킬라 한 병은 광란의 축제를 멈추지 않았다. 이전까지 분출구를 찾지 못했던 분노와 설움이 너무 많았다. 눈물 콧물 흘리다 못해 딸꾹질까지 나왔다. 손님들은 먹는 것을 잊고, 웨이터들은 서빙하는 것을 잊고, 모두 나만 쳐다보고 있었다. 나는 그냥 테이블에 팍 엎어져서 엉엉 울어버렸다. 나를 신물나게 잘 알고 있는 작은오빠가 아슬아슬하게 파스타 접시를 치워줘서 그나마 다행이었다. 토마토소스까지 깔고 엎어졌으면 나는 정욱연 원장에게 나이프를 내밀고 그냥 간단한 불임수술을 하듯이 경동맥을 묶어달라고 했을 것이다.

두 주먹을 꼭 쥐고 제발 지금 핵전쟁이 일어나게 해달라고 간절하게 빌고 있는 내 등짝에 따뜻한 손이 얹혔다. 그 손은 다 이해한다는 듯이 내 머리칼을 쓰다듬고 자못 다정하게 내 등을 토닥였다. 시나브로 사그라들던 테킬라의 불길이 다시 폭발했다. 나는 테이블을 내리쳤다.

"손 치워, 이 미친놈아! 이게 다 누구 때문인데!"

그러나 빛보다 빠르게 도망간 왼손의 임자는 정욱연이었다. 혼자만의 느긋한 브런치를 즐길 계획이었던 옆 테이블의 중년 남자는 한입 베어문 파니니를 손에 든 채로 아까부터 얼어붙어 있었다. 핵탄두로는 부족했다. 신이여, 소행성을 보내주소서. 크기는 달의 사분의 일, 인류를 멸망시키고 오늘의 우주 대 쪽팔림을 은하계 밖으로 날려버릴 소행성 딱 한 개. 그러나 창밖에는 비둘기 한 마리 날아다니지 않았고 하늘은 짜증나게 시퍼렇기만 했다. 징그럽게 맑은 가을날, 미칠 것 같은 목요일 오후였다.

정욱연 원장이 엉거주춤 엉덩이를 들어올리며 험험 목청을 다듬었다.

"그럼 저는 먼저 들어가볼게요, 혜나씨. 다음주 월요일부터 출근하시면 되고요, 급여나 근무조건 같은 건 원무과장님이 알려주실 거예요. 너무 걱정하지 마세요. 괜찮아요. 나는 학원이 같은 형이 셋이거든요. 그럼 다음에 봐요."

그는 계산서 쪽으로 손을 내밀다 물컵을 쓰러뜨리고 물컵을 잡으려다 의자를 자빠뜨렸다. 정욱연은 주변 사람들에게 굽실굽실 인사를 하면서 계산을 마치고 카페를 빠져나갔다. 이제 한 여자의 고약한 술주정에 어느 정도 익숙해진 카페는 먹고 마시고 서빙하는 일상으로 돌아갔다. 여자는 여전히 울고불고 발을 구르는 가운데 그 여자의 오빠가 그녀를 질질 끌어서 뚜껑 없는 빨간 차에 던져넣었고, 드디어 유체이탈에 성공한 그 여자의 영혼은 온갖 망신살이 다 뻗친 육신을 떠나 맑은 하늘로 상큼하게 떠올랐다. 따가운 가을 햇빛은 은행나무 위에서 부서지고, 토마토소스가 묻은 푸른 셔츠를 팔꿈치까지 걷어올린 야윈 어깨는 병원 입구로 막 사라지고 있었다.

5

드디어 새 달이 밝았다. 아직은 포근한 10월의 첫 아침이었다.

그날은 오고야 말았다.

아빠가 준 신용카드의 유효기한은 9월까지였다.

부끄럽지만 9월 한 달 내내 나는 하루에도 열 번씩 우편함을 뒤지고 성민에게 히스테리를 부리고 틈만 나면 소주를 물컵 가득 따라서 타는 속에 들이부었다. 고백건대 나는 9월 중에 새로운 신용카드가 날아오지 않을까 하는 헛된 희망을 버리지 않고 핏발 선 눈으로 우편함을 뒤지며 살았다. 요즘 카드 업계의 경쟁이 얼마나 치열한데 월 삼백은 또박또박 그어대는 이 우량 고객을 카드회사에서 놓칠 리 있겠느냐는 식으로, 우주 삼라만상이 나를 도와 어떻게든 기한 갱신된 신용카드가 내 손에 다시 쥐어질 것이라고 나는 믿고 또 믿었다.

그러나 카드는 날아오지 않았다.

나는 그 사실을 받아들여야만 했다.

'이제 어떻게 살지?'

10월의 첫 아침을 맞이해 절망적으로 눈을 뜨면서 나는 이렇게 생각했다.

'다행히 취직도 했으니까. 큰오빠 말대로 회사에 다니다보면 돈을 쓸 시간도 없을 거야.'

어젯밤까지만 해도 심장이 벌렁거리고 손이 떨려서 아무것도 할 수가 없을 지경이었는데 아침이 되니까 차라리 불안이 가라앉고 침착해졌다. 식탁 위에는 먹다 남은 소주와 와인이 여러 병 나뒹굴고 있었다. 한 병을 다 비우지도 않고 새 병을 따다니, 나는 지난밤까지 무슨 정신으로 살았던 걸까. 새 술보다 먹다 남은 술이 백만 배나 더 유혹적이라는 사실은 세상의 모든 알코올중독자들이 다 알고 있는 사실이었다. 나는 눈을 질끈 감고 남은 술들을 싱크대에 쏟아버렸다.

세수를 하고 외출 준비를 했다. 본격적으로 출근하기 전에 친정으로 김치를 가지러 가는 날이었다. 밖으로 나가기 전에 나는 지갑을 열고 유효기한이 지나버린 신용카드를 꺼냈다. 솔직하게 말하자면 카드를 꺾기 전에 조금 울었다. 눈물이 나올 줄은 몰랐다. 카드의 유효기한이 완전히 지나버리고 나서야 나는 카드가 아닌 아빠를 떠올릴 수 있었다. 어쨌든 많이 울지는 않았고, V자로 분지른 카드를 쓰레기통에 처넣은 다음 나는 아직 포근한 가을 공기 속으로 걸어나왔다. 훨씬 씩씩하고 담담해진 기분이었다.

우리 집보다 더 익숙한 비밀번호를 누르고 친정집의 현관을 열었을 때 두 올케들은 나보다 먼저 도착해 있었다. 큰올케는 전화기를 붙들고 열변을 토하느라 까닥 눈인사조차 난망했고, 작은올케는 엄마를 돕느라 김치통과 된장통에 코를 처박고 있었다. 임현명 여사는 백칠십 센티미터의 후리후리한 키에 군살이라곤 없었다. 곧 칠순이 다가오는 연세에도 피부가 곱고 소녀처럼 천진하게 웃었다.

아빠와 갈라선 이후 엄마는 갑자기 건강전통음식의 열렬 신봉자가 되었다. 메주콩을 띄워 집에서 된장을 담그고 시골에서 밭뙈기로 계약한 생고추를 아파트 옥상에서 말려 마른 수건으로 하나하나 닦아서 고춧가루를 빻는 식이었다. 이전까지 우리가 먹었던 것은 음식이 아니라 독약이나 다름없었다고, 어찌 그런 것을 음식이라고 끼니마다 먹었을꼬 하면서 엄마는 혀를 끌끌 찼다. 나는 엄마의 견해에 전혀 동의하지 않았다. 엄마는 음식을 너무 못했다. 조미료라도 들어가지 않으면 도무지 먹을 수가 없었다.

엄마가 만들어내는 건강음식들 중에 그나마 성공률이 높은 것이 파프리카로 붉은색을 낸 맵지 않은 김치였다. 갓 담갔을 때 칼국수나 보쌈과 함께 먹으면 맛있었다. 하지만 조금이라도 발효가 되면 굉장히 이상한 맛이 났기 때문에 만들자마자 먹어치우는 것이 중요했다. 엄마는 큰올케의 거침없는 전화통화의 그늘에서 조그만 목소리로 속삭였다.

"이번 김치 끝내준다. 황태가루를 넣었더니 김치가 완전 고소해."

다섯 개의 커다란 김치통을 가득 채운 김치는 어쩐지 탁해 보였다. 냄새도 고소하기는커녕 비릿했다. 망할 놈의 황태가루가 무언가 부정적인 기능을 한 모양이었다. 분명히 무슨 TV 프로그램에서 황태와 김치가 궁합이 맞다느니 어쩌니 했을 것이다.

엄마가 담근 김치라면 두말없이 받아가는 두 올케들 때문에 엄마는 자기가 꽤 손맛 있는 여인네인 것 같은 착각 속에 빠져서 살았다. 두 올케들이 엄마의 맛없는 반찬들을 쌍수 들어 환영하는 이유는 판이하게 달랐다. 큰올케는 경제적인 관점에서 접근했다. 엄마가 해주는 반찬들을 먹으면 식비가 절감된다는 거였다. 작은올케는 타협을 모르는 건강식이의 탈레반으로, 오개닉이 곧 오르가슴이었다. 천연 유기농이라면 양잿물도 항아리째 들이켤 여자였다.

작은올케가 엽렵하게 반찬을 분배하는 동안 큰올케는 창가에 서서 우렁차게 전화통화에 열중했다.

"아니, 황옥세트 루비세트 그건 그냥 내다버려. 그런 건 돈으로 안 쳐줘. 차라리 은수저가 낫지. 썩어도 준치야. 너 내 말 허투루 듣지 마라. 금과 은이 최고야. 18K만 되어도 무게대로 제값을 쳐서 받을 수 있다니까? 다이아는 열한 개 분명히 있지? 확인했지? 딱 열한 개야. 캐럿 넘는 게 네 개, 부스러기 일곱 개. 너 잘 지켜야 한다? 야, 너 내 말 허투루 들으면 죽는다. 내 말 틀리는 거 봤어? 작은올케 그년이 가만있을 것 같아? 넌 하여튼 자리를 비우지 마. 내가 다섯시까지는 갈 수 있으니까 교대해줄게. 이제부터는 아주 막장이야. 마지막까지 지키는 년이 이기는 거야. 시끄러워. 다섯시까지는 주저앉아 있으라니까, 이년아. 내 말 틀리는 법 없다. 저녁때는 해명이 애비도 갈 거고. 그 사람 힘 뒀다 어디에 쓰겠어? 이젠 진짜 막판이야. 총력전이라고. 너 내 말 허투루 들으면 죽는다, 알았지?"

큰올케의 목청은 거침이 없었다. 내가 문을 열고 들어온 지 십 분이 넘었는데도 계속 같은 이야기였다. 별다른 내용은 없었다. 이제 친정엄마의 죽음이 임박했다는 것, 친정엄마의 보석 컬렉션을 올케 '년'에게 빼앗기면 안 된다는 것, 자기 말은 틀리는 법이 없고 동생 '년'이 자기 말을 허투루 들어서는 안 된다는 것, 그 세 가지 내용의 다양한 변주였다. 여동생을 닦달하는 큰올케의 긴 통화 내내 친정엄마의 병세에 대한 궁금증이나 애처로움은 체면치레로도 없었다. 오로지 친정엄마가 남길 패물의 행방, 그것만이 화제요 초점이었다.

큰올케는 긴 통화를 마치는가 싶더니 어느새 새로운 통화를 시작했다.

"정하 엄마? 내가 뭐라 그랬어, 내가 뭐라 그랬어. 지훈이 엄마가 분명히 이촌동 선생 가만 놔두지 않을 거라고 그랬지? 내 말 허투루 듣지 말라고 그랬지? 이촌동 선생 이 인간이 어물어물 숨기려고 하는데, 분명해. 틀림없어. 지훈이 엄마가 새로 팀을 짜서 아홉시 타임에 들어갔다니까! 내가 그 집 앞에서 지켜볼까? 내 말 틀리는 법 없다니까! 내가 지난번에 지훈이 엄마 년이 자기 휴대폰 주물럭거릴 때 알아봤어. 그때 이촌동 전화번호 따냈다니까! 설마는! 당신은 아직도 그걸 몰라? 그때 자기가 애들 코코아 갖다준다고 일어섰을 때 지훈이 엄마 년이 자기 휴대폰에 손댔다니까! 그년 아주 흉악한 년이라니까! 이제 어떡할래? 당신 내 말 허투루 듣지 마. 당신 그렇게 칠칠맞게 굴면 팀에서 확 뽑아버린다! 개나 소나 다 이촌동 선생한테 배우면 지난 학기에 우리 애들 확 올려놓은 거 도루묵 되는 거 몰라? 내 말 틀리는 법이 없다? 애들 수업한 교재 밖으로 새게 만들고, 이제 전화번호까지 흘려서 지훈이네 팀 짜게 만들고. 당신 때문에 우리 팀 애들이 얼마나 손해본 건지 알긴 알아? 알긴 알지? 어휴 내가 정말 답답해서 미치겠다니까. 왜 다들 그렇게 멍청해. 이건 전쟁이야, 전쟁. 자식 놓고 총 쏴대는 전쟁이라구. 왜들 그렇게 아무 생각이 없어? 다들 미친 거 아니야? 내 말 허투루 듣지 말란 말이야!"

큰올케 앞에 서면 기관단총 앞에 서 있는 섬뜩한 기분이었다. 언제 어디서나 그녀는 살인적인 거염의 포스를 내뿜었다. 큰올케는 남이 잘되는 꼴을 보지 못했다. 손톱만큼이라도 손해보는 꼴을 참지도 못했다. 시기, 모함, 무례, 탐욕, 이간, 과시, 무시, 은폐, 파괴, 몰상식, 어떤 분야에도 탁월했다. 작은오빠의 의견으로는, 마음만 먹으면 강간도 잘할 것 같다고 했다.

겉보기에는 은근하고 무심해 보여도 속으로는 용심과 시샘이 많은 큰오빠에게 큰올케는 환상의 짝꿍이었을까, 최악의 파트너였을까. 교양인의 겉치레라도 유지하려고 노력하는 큰오빠보다 거침없이 탐욕스러운 큰올케가 차라리 속 시원하다고 말했을 때, 의외로 반박하는 사람이 별로 없어서 나도 살짝 놀랐던 적이 있다.

큰올케가 갈수록 목청을 높여가며 핏대를 세워서 나머지 세 여자는 오늘 하루 몸조심해야 하는 일진임을 분명히 알 수 있었다.

"아가씨, 축하해요. 정 산부인과에 취직했다면서요. 태욱이 아빠가 모처럼 참 좋은 일 했어요. 옥연 원장님 봤어요? 완전 멋있죠? 아가씨 좋겠다. 나도 거기 취직하고 싶다. 참 잘됐어요."

작은올케가 사춘기 소녀처럼 두 손을 앞으로 모아쥐고 발을 동동

거렸다. 그만한 작은 소음에도 큰올케가 신경 거슬린다는 몸짓을 해서 우리는 재빨리 입을 다물었다. 임현명 여사가 김치를 담글 때 조증의 꼭대기에 있었는지 황태가루를 넣었다는 김치 갈피갈피에는 생꼴뚜기도 다소곳이 누워 있었는데, 점점 더 거칠어져가는 큰올케의 으름장에 꼴뚜기도 하얗게 질려 기절한 것 같았다.

"한번 먹어봐. 가자미를 넣었더니 감칠맛이 난다. 강원도에서는 김치에 생가자미를 넣는대. 역시 시골 사람들이 먹는 음식은 다 보양식이라니까. 그래서 시골 사람들이 그렇게 체질이 강인한 거지."

황태가루와 꼴뚜기로도 부족해서 가자미까지. 악마의 트라이앵글이었다. 임현명 여사가 내 입에 김치 한 조각을 밀어넣으려고 했지만 나는 아슬아슬하게 피할 수 있었다. 엄마의 손끝이 코앞을 스친 것만으로도 비린내에 기절할 지경이었다. 대한민국의 어디엔가는 황태가루와 꼴뚜기와 가자미를 넣어서 기절하게 맛있는 김치를 담그는 솜씨 좋은 여인네가 존재하겠지만, 적어도 임현명 여사는 아니었다. 임현명 여사가 그나마 먹을 만한 음식을 만들어내려면 최대한 겸손하게, 보수적인 재료들을 사용해야 했다. 임현명 여사가 모험적인 재료로 도전정신을 불태울 때면 인생이 괴로워졌다. 음식물과 모친에 대한 최소한의 예의를 지키고 싶은 생각은 굴뚝같지만, 단 한입조차 먹기도 힘들 때가 많았다. 게다가 나는 원래 김치를 좋아하지도 않았다.

"어휴 비린내! 이게 무슨 김치야? 해물탕이지! 누가 김치에 이상한 거 넣으래!"

나는 엄마에게 신경질을 부렸다.

"애 좀 봐라. 이상한 거라니. 여기 이상한 게 어디 있다고 그러니? 간성에서 만든 황태가루랑, 수협에서 사온 생물 꼴뚜기랑 자연산 생가자미를 넣었다니까! 자연산이 얼마나 비싼지 아니? 비리긴 뭐가 비리니? 감칠맛이지. 이거 다 보약이야, 보약. 돈 주고도 못 구한다고."

"어휴, 보약은 한 그릇 따로 먹든지 하고 김치는 김치답게 좀 담그란 말이야! 김치는 배추랑 고춧가루로 담가! 생선 넣지 말고! 알았어? 엄마 내 말 허투루 듣지 마! 내 말 틀리는 법 없다? 이건 전쟁이야, 전쟁. 밥그릇 놓고 총 쏴대는 전쟁이라구. 다들 미친 거 아니야? 내 말 허투루 듣지 말란 말이야!"

그러나 아무도 웃지 않았다. 작은올케의 어깨가 더 굳어졌고 엄마가 황급히 냉장고에 코를 처박았고, 내 뒤에서 큰올케가 슥 나타났다. 나는 히브리어로 말하다가 히틀러에게 들킨 것처럼 기절하게 놀랐다. 하지만 다행히 큰올케는 자기 생각에 열중해서 내 말을 듣지 못한 것 같았다. 들었다면 그렇게 너그러웠을 리가 없다.

"아가씨, 요새 얼굴 좋아졌다? 몸무게 요새 좀 불었겠는데? 이 킬로? 그렇지? 맞지?"

스스로 늘 주장하는 바이지만, 그녀의 말은 틀리는 법이 없었다. 정확하게 이 킬로그램 불었다.

"아가씨, 바쁘더라도 주중에 한 번은 꼭 신랑한테 가야 한다, 알았지? 젊은 남자들은 그렇게 혼자 멀리 놔두면 큰일 나. 아가씨, 내 말 허투루 듣지 마. 내 말 틀리는 법 없다? 차비 아끼지 말고 주중에 최대한 가서 만나야 해. 주중엔 아가씨가 내려가고, 주말엔 신랑

더러 한두 번 올라오라고 해. 젊은 사람들이 그 정도도 못 하나? 그래야 아이도 빨리 생기고, 문제도 안 생겨."

큰오빠네 부부라면 그런 생활도 충분히 가능할지도 모른다. 큰올케는 체질적으로 강인한데다가 질투심과 욕심이라는 정신적 연료까지 공급되면 무슨 일이든 지치지 않고 해낼 수 있기 때문이다. 게다가 우리 가족 사이에서 큰오빠는 '오팔회'라는 은밀한 별명으로 불렸다. 큰올케가 부끄럼은커녕 상당한 자부심마저 내비치며 밝힌 정보에 따르면, 그들의 부부관계는 주 5~8회에 이른다는 것이었다.

체면도 쪽팔림도 모르는 우리 집안의 오랜 법도에 따라, 나는 우리가 섹스리스 부부임을 이미 여러 차례 밝힌 바 있었다. 하지만 상상력 없는 사람들의 문제는, 사람들이 자기와 다른 방식으로 살아갈 수 있다는 것을 조금도 이해하지 못한다는 점이었다. 아주 약간의 상상력만 발휘하면 될 일인데, 큰올케는 결혼한 남자와 여자가 그 일을 안 하고 살 수도 있다는 사실을 도무지 믿지 못했다. 나는 그녀에게 "우린 진짜로 안 해요. 안정환이 헤딩골 넣던 날 기념으로 한 번 하고 그담엔 한 번도 안 했는데"라고 말하기에도 지쳐서, 이제는 차라리 가끔 하는 척이라도 하는 편이었다. 하이파이브 이야기는 아예 꺼내지도 않았다.

"동서, 태욱이는?"

큰올케의 창끝이 나를 떠나 작은올케에게 향한 것은, 내가 특별히 이타적인 인간이어서가 아니라, 결코 다행스런 일이라고 할 수 없었다. 차라리 내가 주 5~8회, 월수 오백만원을 달성할 때까지—큰올케가 생각하는 인간의 조건—큰올케에게 때늦은 성교육과 경제교육의 십자포화를 맞는 것이 나왔다. 작은오빠 하나 감당하는 것만 으로도 이미 공화국 영웅이 되어 마땅한 작은올케에게 큰올케가 온 갖 시고 떫은 잔소리와 교훈을 퍼부을 때면 엄마와 나는 심장이 대추알만하게 오그라드는 느낌이었다.

작은올케는 무어라 웅얼거렸으나 누구더러 들으라는 소리라기엔 터무니없이 작아서 나와 엄마는 도무지 알아듣지 못했다. 그러나 큰올케에겐 매처럼 날카로운 청력까지 갖추어져 있었다. 도대체 못하는 게 없는 여자였다.

"동서, 결국 태욱이 거기 보낸 거야? 거기 영어놀이 영재학교지? 정말 대단하다, 대단해. 거기 한 달에 백이십, 맞지? 아니야, 태욱이처럼 어린 아이들은 더 받지 않아? 백삼십? 백사십? 도대체 얼마야?"

작은올케는 또다시 무어라 웅얼거렸다. 역시 나와 엄마는 못 알아들었지만 위치상 가장 멀리 서 있는 큰올케에게는 어렵지 않게 들린 모양이니, 자연과학의 온갖 법칙 따위는 쉽사리 어그러지기 일쑤인 우리 집안은 과연 음향현상마저도 신비로웠다.

"백오십? 동서, 정신이 있어, 없어? 서방님이야 정신 차리기 틀린 사람이지만 동서라도 판단을 똑바로 해야 하는 거 아니야? 지금 동서가 한 달에 백오십짜리 영어놀이 영재학교에 태욱이를 보낼 처지냐고? 동서까지 그러면 도대체 어떡해? 내 말 허투루 듣지 마. 내말 틀리는 거, 없다? 사람이 현실에 맞게 살아야지. 내가 만일 동서라면, 태욱이 어디 안 보내고 그냥 미술학원에 데리고 있을 거야. 영어 좋은 거, 영재교육 좋은 거 누가 모르나? 그렇다고 빚더미에 올라앉은 처지에도 영어놀이 영재학교 보내는 건 좀 심하지 않아? 아닌 말로, 태욱이 벌써부터 영어놀이 영재학교 보내기 시작하는 돈, 결국은 다 어머니 주머니에서 나오는 거 아니야? 내 말 틀려, 맞아?"

작은올케가 큰올케를 노려보았다. 힘준 목소리로 분명히 눌러박아서, 이제는 우리도 또렷이 알아들을 수 있었다.

"태욱이 아빠 사업도 요새는 웬만하고요, 제가 운영하는 미술학원에서 그 정도 수입은 나와요, 형님. 그런 말씀 하지 마세요."

웬만해서는 입을 열지 않는 작은올케가 그 정도 힘주어서 말한 것만으로도 엄마와 나는 심장이 발랑거렸지만 큰올케에게는 간지럽지도 않은 미미한 저항에 불과했다.

"동서, 이제 동서도 서방님이랑 슬슬 닮아간다? 동서까지 그럴 거야? 응? 서방님 사업이 요샌 웬만해? 아니, 어떻게 그런 말을 해? 서방님 때문에 우리 집안 전체가 다 같이 망해가고 있어. 어머니가 말씀은 안 하셔도 뻔할 뻔자야. 그동안 어머니가 틀어막아주시지 않았으면, 서방님은 경제사범으로는 최고형도 받았을걸? 내 말 맞지? 그런 처지에, 동서가 미술학원에서 번 돈으로 태욱이 영어놀이 영재학교 보낸다고? 서방님 사업이 웬만하다고? 어떻게 그런 말을 할 수가 있어? 동서 반듯한 사람인 줄 알았더니 양심이 똑바르지가 않네?"

"형님, 제가 교육열 때문에 태욱이 거기 보내는 거 아니에요. 태욱이 겨울만 되면 등에 온통 아토피 생기는 거 아시잖아요. 거기선 애들 먹이는 거 모두 국내산 유기농만 쓰니까 믿을 수 있잖아요. 저도 웬만하면 집 근처 구립 어린이집 보내고 싶어요. 하지만 도대체 먹거리를 믿을 수가 있어야 말이죠. 유전자변형 콩으로 만든 두부에 항생제 달걀, 애한테 그런 거 먹일 수는 없으니까 저도 비싼 거 알면서도 영어놀이 영재학교 보내는 거예요. 영재교육도 좋고 영어교육도 좋지만 일단 먹거리가 제일 중요한 거 아니겠어요? 전 크게 바라는 거 없어요. 그저 아이한테 따뜻하게 대해주고 자연식 해주는 거, 그런 기본적인 거에 신경쓰다보니까 거기에 보내게 된 것뿐이에요."

작은올케는 특유의 침착하고 신중한 어조로 또박또박 말했다. 작은올케는 하나부터 열까지 모범생이었다. 근본이 반듯하고 성실했다. 그녀만은 우리 가족 모두에게 결핍된 자제력과 배려심을 가졌고 우리가 공통적으로 가지고 있는 광기와 충동의 질풍노도에서는 한 걸음 비껴서 있었다. 게다가 세련되고 아름다웠다. 그 모든 훌륭한 품성에도 불구하고 우리 작은오빠랑 결혼한 것에서 알 수 있듯이, 판단력이 흐릿하다는 점만 빼고는 나무랄 데가 없는 여인이었다.

"동서, 동서도 알고 보면 참 은근짜다? 말은 참 점잖게 하는데, 알고 보면 꿍꿍이는 말이랑 영판 달라요. 유기농을 먹이고 싶으면 집에서 해먹일 것이지, 왜 말로는 유기농, 유기농 하면서 그 비싼 영어놀이 영재학교를 보낼까? 날마다 빚이 억억 하면서 늘어나고 있는데? 내 말 틀리는 거 없지? 어머니가 뒷돈 대주시는 거 끊기고 길바닥에 나앉아도 월 백오십짜리 영재학교 보낼래? 인간존중도 천연 먹거리도 좋지만 돈이 어지간해야지. 세상 어느 애엄마가 영어놀이 영재학교 좋은 거 몰라서 안 보내나? 다들 돈 때문에 못 보내는 거 아니야? 근데 동서는 무슨 통뼈라고 벌써부터 그렇게 애한테 돈을 처바르기 시작해?"

작은올케는 현명하게도 큰올케의 말에 더이상 말대꾸하지 않았다. 하지만 큰올케는 상대방의 추임새 없이도 얼마든지 혼자 전의를 불태울 수 있는 사람이었다.

"동서 그러는 거 아니다. 어머니 재산 그거 알량한 거, 그렇게 날로 먹는 거 아니다. 서방님 철없는 거야 이미 예전에 포기했지만, 동서 같은 사람이 더 나빠요. 착한 척하면서 실속 차리고 이문 남기는 사람이 제일 흉악한 거다? 내 말 허투루 듣지 마. 어머니는 그저 둘째며느리라면 세상에 둘도 없이 착한 줄 알지. 돌아앉으면 창자까지 다 빼먹는 줄은 모르시고."

큰오빠 부부는 작은오빠가 엄마에게 돈을 받아 쓰는 거 아니냐고 추궁하고 엄마와 작은올케는 늘 부인했지만, 정작 급한 불을 끄는 숨은 소방수가 나라는 건 아무도 몰랐다. 결국 작은올케가 폭발했다.

"형님, 저 어머니한테 손 안 벌리거든요? 저 그런 사람 아니거든요? 저 먹을 거 안 먹고 입을 거 안 입으면서 악착같이 살거든요? 형님도 자식이 있으면서 어떻게 그러세요? 부모 마음이 다 그런 거 아닌가요? 아무리 어려워도 자식한테만은 최고로 해주고 싶은 거 아닌가요? 태욱이는 제 마지막 남은 자존심이거든요? 제가 무슨 짓을 해서라도 우리 태욱이한테만은 최선을 다하겠다고 날마다 이 악물고 사는데, 형님 어쩌면 이러실 수가 있어요?"

언제나 침착한 작은올케가 결국 거품을 물고 악다구니를 해대는 모습을 보고 큰올케는 샤방샤방 기분이 좋아졌다. 큰올케는 언제나 사람이 가장 마지막까지 지키고 싶은 것을 내놓는 모습을 보아야 개운하게 직성이 풀리는 사람이었다.

"쯧쯧, 도무지 말이 안 통하네. 집안에 돈 쓰는 귀신이 붙었나봐. 어쩌면 다들 그렇게 하나같이 생각이 없는지. 김씨들이랑 살다보면 나도 미쳐버리는 것 같아. 하긴, 재산분할 청구소송도 안 하는 고고한 집안이니까."

큰올케의 총구가 서서히 엄마를 향했다. 엄마의 어깨가 움츠러들었다. 큰오빠 부부가 목이 터져라 외쳤던 재산분할 청구소송을 끝내 외면한 대가였다. 당당하게 엄마의 몫이 되어야 옳았던 재산을 아빠는 악착같이 숨겼고, 그 더러운 내막을 파헤치지 않았다는 이유로 엄마는 큰아들 내외에게 금치산자 취급을 받았다.

"지난 방학 때 해명이 교육비로 딱 천팔백 썼네. 근데 비싼 값을 하더라고. 영어연수 다녀오느라 시간이 부족했는데 특목고 대비반까지 철썩 붙는 거 봐. 동서도 내 말 고깝게 듣지 말고 미래를 생각해. 지금 태욱이한테 유기농이 어쩌네, 오감체험이 어쩌네 해봤자 그거 말짱 헛거야. 나중에 중고등학교 들어가서 꽉꽉 밀어주려면 뒷심 있어야 한다고. 다른 집들은 다 시부모님이 재력 있으니까 걱정이 없지만 우리는 다르잖아. 시부모님이 어디 땡전 한 푼 보태주시나? 요즘 애들 교육시키려면 조부모 재력이 필수라는데, 어휴, 이게 다 돈다발이면 얼마나 좋아. 이까짓 김치라도 얻어먹고 반찬값이라도 아끼는 수밖에."

나는 눈에 불똥이 튀고 주먹이 쥐어졌다. 끝내야 한다. 끝내야 한다. 이 어이없는 저질 가족드라마, 끝내야 한다. 돌파구를 찾아야 한다. 더이상 망설일 수 없다. 결단을 내려야 한다. 나는 숨을 크게 들이쉬었다.

올해로 69세가 되시는 임현명 여사는 여전히 어깨가 반듯하고 몸에 군살이 없었다. 눈가는 보톡스의 힘을 빌리지 않고도 우아한 곡선과 탄력을 유지했다. 머리채는 나보다 풍성하고 피부도 나보다 깨끗했다. 경제적 몰락이라는 이 헤어나기 힘든 수렁에서 우리 가족 모두의 뒷덜미를 움켜쥐고 하늘로 불끈 솟아오를 슈퍼맨 혹은 구세주가 있다면, 그건 엄마였다. 엄마의 여전한 미모는 우리에게 남은 마지막 희망, 마지막 기회였다. 거기까지는 나도 작은오빠의 의견에 군소리 없이 동의했다.

하지만 정말로 엄마가 재혼한다면, 엄마는 과연 행복할까?

바로 그게 내가 자신 없는 부분이었다.

박진석 회장은 과연 일찍 죽어줄까?

답도 없는 질문과 바닥 모를 죄책감에 사로잡혀, 나는 장아찌 통에 코를 박고 양파장아찌를 와삭와삭 계속 집어먹었다. 양파장아찌는 내가 징그럽게 싫어하는 반찬이었지만, 그거라도 집어먹어서 나를 벌주고 싶었다.

"아예 밥을 한 공기 주랴? 그 짠 걸 왜 자꾸 집어먹어?"

엄마가 기쁨을 감추지 못하며 물었다.

"내가 드디어 찾았거든. 딤섬집."

나는 다시 양파장아찌를 집어들며 덤덤하게 말했다.

"무슨 딤섬집?"

언제나 순진한 엄마가 혹하니 쉽게도 넘어왔다.

"우리 옛날에 홍콩에서 먹었던 그 딤섬, 궁극의 딤섬 말이야. 생각 안 나?"

"어머, 그 투명한 수정새우 말이니? 그걸 어디서 다시 찾았어?"

"청담동인지 논현동인지 잘 모르겠는데, 하여튼 싱크로율 99.9퍼센트였어. 한국에서 그 궁극의 딤섬을 다시 먹어보게 될 줄은 꿈에도 몰랐지. 어제 그걸 너무 먹었더니 느끼했나봐, 장아찌가 땡기네."

미리 해놓은 작정도 없이 거짓말이 청산유수로 술술 쏟아지는 거야말로 아빠에게서 물려받은 우리 가문의 주특기이자 모든 악행의 근본이었다. 십 년 전 엄마와 홍콩에 놀러 가서 먹었던 유명한 딤섬의 추억을 살짝 곁들여주자 말이 그냥 술술 풀려나갔다. 우리는 그때 둘이서 딤섬을 쉰 개도 넘게 먹었다. 그중에서도 속살이 비치는 투명한 새우 딤섬의 맛과 모양은 정말 잊을 수가 없었다.

"어머, 어머, 어머, 정말 그 맛이야? 한국엔 그런 탱글한 새우가 없던데, 정말 그렇게 탱탱해? 청담동? '해신' 말이야? 아니야? 그럼 어느 집인데? 우리 가보자. 오늘 갈까? 아니지, 오늘 오후에는 약속이 있고. 그럼 내일? 얘들아, 너희 시간 되니? 딤섬 먹으러 갈래? 혜나가 죽이는 딤섬집을 찾아냈대."

임현명 여사는 소녀처럼 들떠서 수선을 피웠다. 순진한 임현명 여사는 번번이 속으면서도 한 번도 의심해볼 줄을 몰랐다. 아빠한테도 맹탕 속고 그 많은 재산의 겨우 한 모퉁이 떼어 받고 이혼당한 비결이었다.

"그게 아무 때나 되는 게 아니야. 내 친구네 집에서 하는 음식점이거든. 그런 좋은 재료를 쓰면 수지를 맞출 수가 없잖아. 식구나 잘 아는 사람한테만 특별히 해주시는 거야."

"니 친구? 니 친구 누구? 누구네 집이 청담동에서 딤섬집을 해?"

의심이라기보다는 순수한 호기심에서 물어보는 거였지만 나는 잠시 위기를 맞이했다. 사립초등학교와 예술계 중고등, 대학교를 나온 나에게, 엄마가 모르는 친구란 존재하지 않았다. 웬만해서는 친구들의 가족관계와 부모님의 직업까지 다 꿰고 있었다. 사립학교 친구들이란 우리끼리의 우정보다 부모들의 친분이 더 끈끈한 관계였다.

"대학교 때 미팅했던 애. 엄만 몰라."

"얘, 내가 모르긴 왜 몰라. 찬수 말이구나?"

노인네 기억력이 얼마나 좋은지, 나도 잊고 있었던 이름까지 마구 튀어나왔다.

"내가 미팅을 한 번만 한 줄 알아? 엄만 모르는 애야."

"어머, 아가씨 요새 남자친구 만나요?"

작은올케가 토끼눈이 되었다. 작은올케의 윤리의식은 토마스 아퀴나스의 큰누나뻘이었다. 나는 한숨을 쉬었다.

"그까짓 딤섬 한번 얻어먹은 걸 가지고 뭘 그래요! 아무 일도 아니거든? 신경 좀 꺼줄래요?"

"아가씨, 고모부 오창 간 지 며칠 되지도 않았는데 벌써 그러면 안 된다아."

작은올케가 반신반의하는 표정으로 오금을 박았다. 저렇게 대책 없이 고지식하니까 우리 작은오빠 같은 인간을 꾹 참아내며 살고 있긴 하지만, 그래서 고맙긴 하지만, 나는 속으로 이를 갈았다. 작은올케의 한심한 남편이 자기 목숨이 걸린 일이라고 통사정하지만 않았다면, 나라고 우리 엄마를 팔십대의 사채업자 박진석 회장에게 재가시키지 못해 이 안달을 할 이유가 없는 것이다. 그동안 남몰래 작은오빠 밑을 틀어막은 헤아릴 수 없는 돈까지 합하면, 작은올케는 내 발에 향유를 붓고 머리칼로 닦아 마땅했다.

"내가 우리 엄마도 딤섬 되게 좋아한다고 그랬더니 다음엔 엄마랑 같이 오래. 엄마 오면 특별히 바닷가재 딤섬도 해주신다는데."

"우와, 바닷가재 딤섬!"

두 올케들이 모두 관심을 보였다.

"어머니, 우리도 같이 가요. 아가씨 덕분에 맛있는 거 얻어먹으려나봐요. 역시 사람은 보탬되는 친구를 사귀어야 한다니까."

공짜라면 남의 양잿물도 빼앗아 마실 큰올케가 눈을 희번덕거렸다. 큰며느리의 거지근성에 비위가 상한 임현명 여사는 새침하게 말했다.

"아유 얘는, 거지떼도 아니고 왜 남의 집에 공짜밥을 얻어먹으러 떼거리로 몰려간대니. 다 같이 갈 거면 돈을 내야지. 그래 모처럼 우리 여자들끼리 딤섬파티 한번 하자. 내가 사줄게."

언제나 돈 내는 일에는 앞장을 서라는 좌우명을 가지신 임현명 여사와, 엄마가 돈 낸다는 말에 쾌재를 부르며 목덜미의 쥐젖을 바르르 떠는 큰올케와, 손 안 대고 코 푸는 일이라면 굳이 마다하지 않는 작은올케. 아, 이 지긋지긋한 가족들. 누가 더 열등한지 한 치도 승부를 가르기 힘든 인간들. 족보에 빼도 박도 못하게 가족이라고 적혀 있지만 않다면 한평생 눈길조차 마주치고 싶지 않은, 이 징글징글 지긋지긋한 나의 가족들.

나는 냉정하게 제동을 걸었다.

"지금 누굴 뭘로 만들려고 그래? 넷이 몰려가서 먹어버리겠다고? 그분이 어떻게 우리한테 돈을 받겠어? 사람이 양심이 있어야지. 이번엔 엄마랑 나랑 일단 가서 얌전하게 먹고 오고, 그다음에 올케들 데리고 가서 한턱을 내든지 말든지 엄마 맘대로 해. 어쨌든 이번엔 엄마만 가야 해. 인간들이 양심들이 없어요."

큰올케는 눈에 띄게 아쉬워하고, 작은올케는 수굿하게 수긍하고, 가장 중요한 임현명 여사는 특유의 천진함으로 돌아갔다.

"그때 홍콩 갔을 때 정말 재미있었지. 그저 하루라도 젊을 때 놀아둬야 한다니까. 나이 들면 놀지도 못해요. 얘들아, 우리 다 같이 여행 한번 가자. 애들도 바깥 구경 한번 시켜줘야지. 코타키나발루 같은 데다 애들 풀어놓으면 다들 얼마나 좋아하겠니. 태욱이가 그 남색 바다를 보면 아주 까무러칠 텐데. 아니다, 그래도 기왕이면 좀 배울 게 있는 데 가는 게 좋겠지? 해명이, 해찬이는 벌써 다 컸는데 모처럼 여행 가서 물놀이나 하다 오는 건 아깝지? 안달루시아 같은 데가 정말 배울 것도 많고 좋더라. 아, 그 찬란한 아랍 문명, 지중해. 그 동네 사람들은 그저 무조건 올리브유야. 글쎄 내 옆에 앉아 있던 세비야 영감님은 파스타에다가 다시 올리브유를 한 컵 들이붓지 않겠니? 내가 깜짝 놀라니까 나한테 엄지손가락을 이렇게 들어 보이는 거야. 최상품 올리브유라서 그냥 마셔도 고소하다고. 그 동네 사람들은 그렇게 먹나봐. 그래도 살도 별로 안 찌는 걸 보면 올리브유가 정말 좋은 모양이지."

딤섬에서 코타키나발루를 잠시 들러 단숨에 안달루시아까지 질주하는 임현명 여사의 미친 상상력 앞에서 우리는 모두 침묵했다. 한때는 우리 모두의 미친 상상력이 큰 어려움 없이 실현되던 시절도 있었다. 마르지 않는 돈의 원천은 작은마누라를 얻어서 떠나버렸는데 우리의 미친 습관들은 도무지 고쳐지지 않는 것이 큰일이었다.

어쨌거나 엄마를 딤섬집으로 불러내는 데까지는 성공을 했다. 내가 할 임무는 이것으로 완수했다. 이제 청담동 근처에서 알맞은 딤섬집을 찾아내고 박진석 회장을 불러내는 건 모두 작은오빠가 할 일이었다. 미팅에서 만났던 옛 친구와, 친구의 아빠가 운영하는 딤섬집은 물론 모두 다 새빨간 거짓말이었다.

박진석 회장은 증권가에서 '만방'이라는 별칭으로 통하는 사채업계의 큰손이었다. 작은오빠의 최대 채권자로 그의 목줄을 틀어쥐고 있는 박진석 회장은 오래전부터 임현명 여사의 미모와 교양에 대한 고명을 듣고 흠모해왔다고 한다. 반농담 반진담으로 엄마에게 은근한 관심을 보이는 박진석 회장의 아량에 힘입어 작은오빠는 그동안 상당한 자금을 괜찮은 조건으로 끌어다 쓸 수 있었다. 이제는 박회장의 인내와 춘심도 막다른 골목에 달했는지 진짜 재혼까지는 아니더라도 딱 한 번 소개라도 시켜줘야 쇠고랑 차는 신세를 면할 수 있다는 게 작은오빠의 눈물 어린 호소였다.

내가 보아도 엄마는 우리 집안에 남은 유일한 보배였다. 엄마는 아빠처럼 가짜 병원장이 아니라 진짜 이화여대를 졸업한 인텔리였다. 서울대 법대, 연대 상대를 나온 기라성 같은 구혼자들을 다 내

팽개치고 사기꾼 기질 농후한 땅딸막한 트럭운전사와 결혼한 낭만주의자였다. 엄마는 몽상가였고 미술과 춤과 노래에 대단한 소질이 있었고 여전히 꿈을 먹고 살았다. 엄마는 미모는 아들들에게, 몽상벽과 기타 쓸데없는 것들은 딸에게 공평하게 분배했다.

거의 다 입에 들어왔던 바닷가재 딤섬을 빼앗긴 큰올케는 다시 심술궂은 표정으로 돌아가서 소중한 김치와 밑반찬을 챙겨들고 잘 먹겠다는 인사도 없이 횡하니 떠나버렸다. 작은올케는 김치통과 반찬통 들을 들어낸 김에 아예 냉장고 안에 윗몸을 집어넣고 청소를 하고 있었다. 생긴 것도 예쁜 여자가 살림꾼에 돈도 열심히 벌고 반듯하기까지 하니, 작은오빠의 처복이야말로 하늘을 찔렀다. 우리 가문을 통틀어 유일하게, 작은올케는 성실하고 부지런했다.

"얘, 얘, 그거 닦지 마. 아줌마더러 닦으라고 하면 되는데 너 왜 그러니."

엄마는 말은 그래도 흐뭇한 기색을 감추지 못했다. 그래도 작은올케는 김칫국물이 말라붙은 자국을 끝까지 박박 문질러 닦았다.

"너 고추장아찌 줄까? 아직 덜 삭았는데 미리 좀 가져갈래? 다음 달쯤에 먹으면 아삭아삭하고 맛있을 거야."

이혼 안 하고 버텨주는 것만으로도 그저 고마운 둘째며느리에게 엄마는 뭘 더 안겨주지 못해 안달이었다. 엄마가 꺼내주는 장아찌 단지까지 받아든 작은올케가 어렵사리 입을 열었다.

"저…… 어머니."

"왜? 뭐 더 필요한 거 있으면 말해라."

"어머니……"

엄마의 얼굴에 더럭 불안감이 엄습했다. 나도 가슴이 덜컹 내려 앉았다. 더이상 못 살겠다는 말일까. 작은올케가 더이상 일 분도 못 살겠다고 말하더라도 놀라운 일은 전혀 아니었다. 지금까지 작은오빠 같은 인간을 감당해낸 것도 작은올케 정도 되는 의지력의 소유자니까 가능했던 거였다. 작은올케가 훨훨 날아가버린 후 분명히 더 심각한 폐인이 되어버릴 작은오빠를 감당할 일이 대책 없을 뿐이었다. 이혼서류에 도장이라도 찍을 수 있는 작은올케가 차라리 부러웠다. 엄마나 나는 인생에서 김학원이라는 징그러운 애물단지를 파내버릴 도리가 애당초 없었다.

"어머니, 저희 받아주실 수 있으세요?"

"받아주다니, 뭘?"

"저희…… 어머니 댁으로 들어와야 할 것 같아요……"

엄마의 입술이 바르르 떨렸다.

"왜…… 왜…… 학원이가 또 사고쳤어?"

"몰라요…… 하여튼 이번 사람은 아주 고약해요…… 지난번에 투자 유치했다더니, 그게 벌써 어긋난 모양이에요…… 폭력배를 고용해서 자꾸 미술학원에 찾아와요…… 전셋돈이라도 빼서 주지 않으면 미술학원도 못 할 것 같아요…… 어머니…… 그것까지 넘길 수는 없잖아요…… 그것까지 닫아버리면 저흰 정말 먹고살 길이 없잖아요…… 어머니…… 제발 저희 좀 받아주세요…… 네?"

엄마는 가까스로 식탁 의자를 끌어당겨 털썩 주저앉았다. 박진석 회장에게 좋은 값에 넘기려면 육십대 후반에도 탱탱한 임현명 여사의 미모가 핵심적인데, 엄마는 눈앞에서 단숨에 팔십 노인네로 변신하고 있었다. 이 쳐죽일 놈아, 니 엄마를 팔아먹으려거든 최소한의 상품가치는 유지해줘야 할 것 아니냐, 나는 마음속으로 작은오빠에게 욕설을 퍼부었다.

"그 사람한테 얼마를 줘야 하는데?"

"내놓으라는 돈은 어마어마하죠…… 그 돈은 제 몸뚱이까지 다 팔아도 못 갚아요…… 전셋돈도 다 빼줬다고 성의표시라도 해야 조금이라도 참아주지 않겠어요……"

"집을 좀 줄여서 가는 방법도 있잖니? 꼭 합쳐야 해?"

사실 전셋돈이라고 말하니 우습게 들리지만 작은오빠가 살고 있는 강남 한복판 고급 주상복합의 전세보증금은 결코 적은 돈이 아니었다. 다른 지역의 웬만한 아파트를 사고도 남을 만한 돈이었다. 평수를 줄이고 조금 외곽으로 빠져 이사하면 굳이 살림을 합치지 않더라도 채권자에게 몇 억은 넉넉히 쥐여줄 수 있을 것이었다. 그러나 작은오빠 부부의 생각은 달랐다.

"저희가 정말 기울어진다는 인상을 주면 그동안 참아주던 채권자들도 가만있지 않을 거예요…… 그리고 애 아빠…… 성격…… 아시잖아요…… 남들 보기라도 번듯해야 사업을 하죠…… 그리고 우리 태욱이…… 예민해서…… 강북이나 신도시에서는 적응 못 해요…… 애가 금방 알더라고요…… 태욱이 정서를 생각하면 무엇보다도…… 교육 문제도 그렇고…… 어떻게 해서든 정든 이 동네 근처에 있으려면…… 어머니께 정말 염치없지만…… 저희가 어머니 모시고 사는 척이라도 해야…… 남들 보기에도 덜 부끄럽고…… 어머니, 제가 정말 열심히 할게요…… 어머니께 효도할게요……

제발 저희 받아주세요…… 저희 정말 다른 길이 없어요……"

임현명 여사는 아무 말도 하지 못했다. 쉽게 허락이 떨어지지 않자 작은올케가 왈칵 울음을 터뜨렸다.

"어머니…… 저…… 또 임신했어요…… 벌써 오 개월 넘었어요…… 저 어떻게 해요, 어머니……"

"아이고, 하느님. 이 철부지들을 어쩌면 좋니."

임현명 여사는 결국 항복했다. 이제 팔십은커녕 백 살도 넘어 보였다. 나는 박진석 회장에게 돼지발정제를 먹여서라도 엄마를 재가시켜야겠다고 결심했다. 엄마를 팔아먹는 게 아니라 구조하는 거라는 자부심마저 느껴졌다. 엄마는 바람나서 도망친 전남편과 못된 큰아들과 사고뭉치 둘째아들과 쓸모없는 막내딸, 그리고 갓난아기를 포함한 손자 손녀 들에게서 헤어날 동아줄이 필요했다. 다행히 박회장이 교회에 다닌다니, 아브라함과 사라의 이야기 정도는 알고 있지 않겠는가!

6

작은오빠는 무슨 사업이 어떻게 고약하게 꼬였는지, 내가 병원에
출근한 이후 무려 열흘이 넘도록 전화 한 통 없었다. 내 쪽에서 연
락을 해보아도 문자도 씹고 전화도 받지 않았다. 전원이 꺼져 있다
는 안내음이 나오다가, 컬러링이 울리기도 하다가, 얼마 뒤에는 지
금은 전화를 받을 수 없다는 안내음으로 바뀌는 걸 보면 때때로 휴
대폰 충전은 하는 것 같았다. 죽지는 않은 모양이라고 위안 삼는 수
밖에 없었다. 사고를 쳐도 고약하게 친 모양이라고 짐작은 했지만
이제 직장에 매인 몸이다보니 찾을 엄두조차 내지 못했다. 기껏 찾
아놓으면 승천하기 직전에 방해하는 바람에 이무기가 되었다는 식
으로 되레 생트집을 잡는 일도 그간 허다했다.

하는 일마다 각종 창의적인 방법으로 족족 망해먹을 수 있는 김
학원의 걸출한 능력은 더이상 놀랍지도 않았다. 내가 놀라다 못해
섬뜩한 공포마저 느끼는 것은, 지난 이십 년간 한결같이 온갖 말도

안 되는 다양한 방법으로 망하는 시범을 보여준 그 인간에게 여전히 끌어다 쓸 수 있는 돈줄이 존재하는 이 정신 나간 세상이었다. 김학원은 이 세상의 어디를 콕콕 찔러야 돈이 나오는지를 알고 있었다. 이 세상의 수많은 사람들이 단돈 이십만원이 없어서 쪽방에서 쫓겨나고 노숙자가 된다는데, 김학원은 여전히 어디에선가 큰돈을 끌어와서는 쉽사리 날려버렸다.

김학원이 가지고 노는 그런 돈은 내가 알고 있는 재래식 돈과는 다른 것이었다. 명색이 돈이라면서 종이 한 장짜리 얇고 너덜너덜한 몸을 입어본 일도 없었다. 누군가의 손에서 시금치 한 단, 금반지 반 돈과 교환되어본 일도 없었다. 증권사 전광판의 붉고 푸른 숫자로만, e-트레이딩시스템의 화면 위에서만 잠시 스쳐 지나가는 도깨비 불이었다. 그저 사람들의 머릿속에, 허깨비 같은 디지털 세상의 어디쯤, 사실을 말하자면 허공에 가까운 어딘가에서 꿈결같이 명멸하며 인간의 마음에 기괴한 자극을 주는 전기적 신호로만 존재했다.

그건 돈이 아니었다. 욕망의 올가미 혹은 정신의 바이러스, 궁극적으로는 경제의 가면을 쓴 흉기였다. 돈다발로 쌓여본 일도 없고 현물로 바뀌어본 일은 더더구나 없는 주제에 꽁무니에 0만 터무니없이 많이 붙이고 있는 그 독벌레 같은 숫자들 때문에 김학원은 쉽사리 사고를 쳤고 우리는 덩달아 미쳐갔다.

정말이지 이상한 일이었다. 아빠의 돈과 오빠들의 돈은 달라도 너무 달랐다. 아빠의 돈은 우리가 먹고 마시고 쓸 수 있었다. 아빠의 돈이 늘어갈수록 우리는 안심했고 사치스러워졌다. 하지만 오빠들의 돈은 달랐다. 오빠들의 돈은 늘어나건 줄어들건 똑같은 불안으로 우리를 얽어맸고 마셔도 마셔도 목마른 바닷물처럼 우리 숨통을 죄었다. 미칠 노릇이었다.

도깨비 돈과 미치광이 김학원의 악몽 같은 왈츠가 언제쯤 끝날지 아무도 알 수 없었다. 어쩌면 위태롭던 마룻장은 벌써 꺼져버리고 김학원은 허공의 올가미에 대롱대롱 매달려 있을지도 모른다. 제발 바라건대 머리에 도넛 모양 링을 얹고 작은 하프를 연주하며 하늘하늘 날아가버려주면 고맙겠다고 백만 번도 더 생각했지만, 막상 이런 식으로 기약 없는 실종이 닥쳐오면 어쩔 수 없이 피가 말랐다. 대답 없는 그의 휴대폰에서 흘러나오는 '나 이런 사람이야'라는 컬러링만 듣다가 하릴없이 수화기를 내려놓기를 벌써 백만스물한번째였다.

내가 일하는 곳은 병원 지하 일층 한가운데에 위치한 아담한 놀이방이었다. 엘리베이터 뒤편 담벼락에 기대서 삼면을 유리로 둘러싼 어항 같은 공간이었다. 유리벽에 코팅 스티커를 붙여서 약간은 이목이 차단되었다. 근무시간은 아침 아홉시부터 오후 여섯시까지였다. 내가 돌봐야 하는 아이들은 엄마가 진료나 검사를 받을 동안 병원에서 시간을 보내야 하는 아이들이었다. 이 아이들은 불규칙하게 드나들었고 나이도 성별도 취향도 들쑥날쑥이었다.

보육실은 우리 가족의 몰락을 전시한 쇼케이스나 다름없었다. 지나가는 모든 얼굴이 아는 얼굴 같아서 나는 하루에도 몇 번이나 얼어붙었다. 미치광이 집안에서 태어나 무절제하게 자란 나에게 인내심이나 책임감 같은 단어는 모두 금시초문이었다. 아이들을 달래고 엄마들의 비위를 맞추면서 과연 내가 버틸 수 있을지 수시로 눈앞이 캄캄했지만 나는 애써 힘을 냈다.

몇 가지 시행착오 끝에 나는 클래식과 율동을 접목한 음악놀이를 개발했고 전래동요와 사물놀이를 흉내내기도 했다. 만들기와 그리기 활동을 하면 엄마들에게 그럴싸한 결과물을 보여줄 수 있어서 좋았다. 나는 아이들이 좋아하는 활동을 찾아내기 위해서도 노력했지만 엄마들이 좋아하는 것을 알아내기 위해서 수시로 작은올케에게 자문을 구했다. 나는 엄마들에게 아이들의 컨디션과 활동을 꼼꼼하게 브리핑했고 아이들이 노는 모습을 폴라로이드 사진으로 찍어주거나 동영상으로 촬영해 엄마들의 휴대폰으로 전송했다. 몇 번 칭찬을 받고 흥분해서, 나는 지갑을 털어 값비싼 장난감과 고급 악기 들을 사들였다. 혼자 가지고 놀아도 재미있었다.

급조한 비정규직 일자리의 급여는 적었지만 내 일에는 돈으로는 환산할 수 없는 어마어마한 보상이 주어졌다. 나는 짐승 같은 육감으로 정욱연이 보육실 앞으로 지나가는 순간을 예감했다. 그가 지나갈 때면 나는 코팅 스티커 틈새에 코를 눌러박고 그의 옆모습을 탐욕스럽게 감상했다. 그는 보통 키에 몹시 말랐지만 각각의 신체 부위가 바람직한 비례를 유지했기 때문에 어떤 옷을 입어도 깔끔하고 맵시가 살았다. 그의 섬세한 골격과 또렷한 이목구비는 특히 TV 화면에서 더 빛을 발했다. 그는 소위 말하는 스타 의사였다.

그의 병원에서 일하다보면 "오늘은 ××가 온대" 하는 귓속말을 자주 듣게 되었다. 내로라하는 스타들과 유명인들이 모두 그의 고객이었다. 스타는 과연 스타였다. 백 미터 밖에서도 그들이 내뿜는 광채를 느낄 수 있었다. TV 화면 속에서나 보던 유명한 얼굴들을 실물로 보는 재미도 보통이 아니었지만, 정욱연이 그들을 다루는 기술이야말로 놀라웠다. 나뿐만 아니라 주변의 모든 사람들도, 정욱연이 그들을 대하는 경이로운 모습을 넋을 잃고 구경했다.

사실 그는 연예인들을 잘 몰랐다. 그의 살인적인 스케줄표에 TV 시청과 영화 관람까지 들어갈 겨를이 없었기 때문이다. 경호원을 대동한 대스타를 대할 때나 손녀를 돌보고 있는 할머니를 대할 때나, 정욱연의 태도에는 기본적으로 아무런 차이가 없었다. 한결같이 침착하고 친절했다. 상대방의 말을 귀 기울여 듣고 완전하게 집중했다. 질문에 꼼꼼히 대답하면서 짧은 농담과 미소를 효과적으로 활용했다. 원칙적으로 이게 전부였다. 그런데도 그 효과는 놀라웠다. 누구에게도 특별한 대우를 하지 않았지만, 누구나 자신이 가장 특별한 대우를 받고 있다고 느꼈다.

언제나 바람처럼 종종거리고 돌아다니는 정욱연이 보육실을 스쳐 지나가면서 유리벽에 짓눌려 납작해진 내 얼굴을 향해 싱긋 웃음을 던질 때면, 내 안구의 뒤쪽 뇌간과 척수의 경계선 부근 어딘가쯤에서 치사량의 도파민이 폭발적으로 분출하면서 나는 일시적으로 사지마비와 안면경련을 일으켰다. 마흔이 넘은 남자가 저렇게 싱그럽게 웃다니, 그건 기적이거나 환각이고 죄악이었다. 보육실이 위치한 지하 일층에 수정란 배양실도 함께 있었기 때문에 정욱연은 보육실 앞을 자주 지나다녔다. 나는 하루 종일 헤로인을 사발로 들이켠 것 같은 멍한 환각상태로 지냈다.

가만히 있어도 쉽사리 여성들의 마음을 사로잡는다던 정욱연의 매력은 헛소문이 아니었다. 정욱연이 장대비를 맞으며 우리 집 앞에서 나를 기다린 것도 아니었고 책갈피에 콘돔을 끼운 시집을 선물로 내민 것도 아니었다. 아무 일도 일어나지 않았다. 그는 명성에 걸맞게 미친 듯이 일만 했고 온 병원을 종종거리며 뛰어다녔다. 나혼자 사랑에 빠지고 만 것이었다. 나는 밤잠도 못 자고 밥맛도 잃고 심지어 술맛도 잃었다. 내 몸에서 모든 호르몬이 가장 왕성하게 분비되었던 십대에서 이십대 초반에 걸친 시기에도 이렇게 폭발적인 정열에 매몰된 적은 단 한 번도 없었다. 짝사랑도 해봤고 연애도 해봤고 결혼도 해봤지만 이전까지 내가 경험했던 것은 지금 내가 느끼는 감정의 백분의 일 희석 농도에도 미치지 못하는 것이었다.

나는 내림병인 망상벽으로 그가 내 남자인 것 같은 정신착란 상태에서 살았다. 정욱연 그 남자를 위해서라면 성민을 새우잡이 배에 태우거나 작은오빠를 호스트바에 팔아넘기는 일일지라도 못할게 없었다. 불행인지 다행인지 이런 정신병에 걸린 사람이 나 한 사람만은 아니었다. 정욱연이 넘쳐나는 병원발전기금에 빠져 익사 직전이라는 작은오빠의 말은 약간의 과장이 섞이긴 했으나 말짱 거짓말은 아니었다. 그에게는 연구기금이건 발전기금이건 무슨 명목을 붙여서건 거금을 쾌척하지 못해 안달이 난 부유한 환자들이 수두룩했다. 그들이 바라는 것은 오로지 정욱연 원장의 쑥스러워하는 미소, 그것 하나뿐이라고 나는 확신할 수 있었다. 그런 면에서 그의 병원은 일종의 원장숭배 컬트집단이었다.

안타깝게도 병원에서의 내 업무는 미미하고 가벼웠다. 정욱연이라는 남자 곁에 조금이라도 더 머물기 위해 병원에 좀더 오래 눌어붙어 있을 핑계가 전혀 없었다. 얼마 되지도 않는 일거리는 다섯시를 살짝 넘긴 시각이면 대부분 깔끔하게 끝났다. 오후 늦게 아이를 데리고 병원에 오는 환자들은 거의 없었다. 나는 몸살이 나도록 야근을 하고 싶었으나 도무지 방법을 찾지 못해서 날마다 울고 싶은 심정으로 퇴근했다.

텅 빈 집에서 혼자 술병을 기울이고 있으면 오창에서 분투중인 성민이 전화를 걸어오곤 했다. 사람들은 흔히 본사에 있을 땐 바쁘지 않았느냐, 연구소는 그보다 훨씬 한가하지 않겠느냐고 했지만 현실은 정반대였다. 본사 꽃보직과 지방 연구직의 업무 강도는 천지 차이였다. 같은 회사라고는 생각할 수 없을 지경이었다. 대기업의 서울 본사에 있었다는 게 얼마나 큰 특혜였는지 오창으로 떨려난 뒤에야 깨달았다. 지방 연구소로 발령나면 상당수가 기러기 가족이 되었기 때문에 사십대 후반을 넘긴 중간관리자들은 그 누구도 제시간에 퇴근하지 않았다. 총각이나 다름없는 무자식 주말부부인 성민에게는 공식적인 퇴근시간이라는 게 아예 존재하지 않게 되었다. 이제껏 뒤를 봐주던 오상무 연줄도 사라진 불쌍한 윤과장은 그 모든 것을 몸으로 때우는 수밖에 없었다.

"넌 오창에 한번 와보지도 않니? 너무한 거 아니야?"

성민은 늘 그 이야기뿐이었다. 원래 둔하기도 했지만, 그에게는 현재 나의 상태를 면밀히 살필 만한 여유가 전혀 없었다. 그 자신 폭주하는 업무와 살인적인 회식에 파묻혀 생매장당할 지경이었다. 마누라가 죽을 것 같은 사랑의 열병에 빠져 있는 줄은 꿈에도 몰랐다.

개똥도 약에 쓰려면 없다더니, 퇴근 후 정욱연과 가볍게 술 한잔

할 만한 자리를 주선할 수 있는 유일한 인물인 작은오빠는 이 주제
연락두절 상태였다. 평소엔 죽이고 싶어도 거머리처럼 달라붙더니,
너무나 절실하게 그를 필요로 하는 지금 안성맞춤으로 행방불명이
었다. 사랑의 뚜쟁이 노릇은 그만두고라도, 심야의 고속도로를 달리
며 이 화염방사기 같은 정열을 토로하기만 해도 숨통이 트일 것 같
은데, 어찌나 작은오빠다운지 욕설이 절로 쏟아져나왔다.

어느새 시계는 다섯시를 가리키고 있었다. 아이를 맡기러 오는
엄마들이 뜸해질 시간이었다. 나는 습관처럼 휴대폰을 들었다. 작은
오빠가 계속 전화를 받지 않으니 애가 닳고 약이 올라서 몇 분 간격
으로 계속 전화를 해대고 있던 참이었다. 갑자기 상대방이 덜컥 전
화를 받는 바람에 내 쪽에서 화들짝 놀랐다.

"어? 여보세요? 오빠야? 김학원씨 휴대폰 맞죠?"

"어, 혜나야, 무슨 일인데?"

작은오빠는 조심스러운 목소리로 전화를 받았다. 약을 먹거나 투
신하지는 않은 것 같았다. 나도 모르게 욕설이 왈칵 쏟아져나왔다.

"야 이 미친놈아, 그동안 뭘 했길래 전화도 안 받아? 지금 거기
어디야?"

"어, 미안. 그동안 내가 좀 바빴어. 너 별일 없지? 연락 못 해서
미안. 나중에 내가 다시 전화할게."

작은오빠는 서둘러 전화를 끊으려는 기색이었다.

"전화 끊지 마! 엄마가 박진석 회장이랑 소개팅하겠다고 했단 말
이야! 기껏 엄마 꼬셔놨는데 연락 끊어버리면 나더러 어쩌란 말이
야? 엄마가 마음 바꿔도 난 모른다!"

"정말이야? 엄마가 박회장 만난대? 야! 그럼 진작 말을 했어야지!"

작은오빠의 목소리가 즉시 한 옥타브 올라갔다.

"전화를 받아야 말을 하지!"

"문자를 보내지그랬어! 그럼 즉각 연락했을 텐데."

"야! 문자 백 번도 넘게 보냈거든? 그런데 니가 다 씹었거든? 너 받은 문자나 얼른 지워! 엄마가 봤다간 우린 끝장이야!"

"어쨌거나 하느님 감사합니다! 혜나야 넌 천재야! 넌 마타 하리야! 넌 유관순, 잔 다르크, 앤젤리나 졸리야!"

"흥분하지 말고 내 말 들어! 엄마는 자기가 박회장 만나는 줄도 몰라. 내 친구 아빠라고 해놨거든? 입 한 번만 잘못 뻥끗했다가는 단숨에 끝장이야. 청담동에 딤섬 잘하는 집 알아내서 박회장 보내. 그다음부터는 두 사람이 어떻게든 알아서 하겠지. 난 엄마를 박회장한테 소개시키는 것까지만이야. 엄마를 보쌈하든 덮치든 그건 박회장이 알아서 할 일이라고. 알았지?"

"당연하지! 당연하지! 엄마를 꼬시는 건 영감이 지가 알아서 할 일이지 그것까지 우리가 어떻게 해줄 수는 없지. 우린 박회장이랑 엄마를 만나게 해주기만 하면 되는 거야. 혜나야 넌 천재야! 내가 이 은혜 평생 잊지 않을게!"

"이 나쁜 놈아! 엄마를 팔아먹다니! 넌 지옥에 가서 똥물에 튀겨져 죽을 거야!"

"아니야, 아니야. 엄마는 행복하고 부유하게 살 자격이 있는 아름다운 여인이야. 아빠한테서 받은 상처는 이제 깨끗이 씻어낼 때가 되었어. 그래서 그런 거지, 사심은 전혀 없다. 가슴에 손을 얹고 말할 수 있어. 어쨌든 지금은 길게 통화할 수가 없어서 미안해. 내가 얼른 다시 전화할게. 내가 초특급으로 일을 빨리 진행할 테니까 아무 걱정하지 마. 너 별일 없지? 오빠가 화끈한 거 사줄 테니까 기대하고 조금만 기다려. 끊는다!"

저승사자가 이번에도 김학원 같은 인간을 안 데려갔다는 사실에 투덜거리면서도 왠지 안도하며 나는 휴대폰을 내려놓았다. 지난 이 주 동안 작은오빠가 약물을 과다복용하거나 투신한 게 아닌가 하고 마음을 졸였던 게 사실이었다. 아예 콱 죽어버리면 차라리 다행이겠는데 칠칠치 못하게 절반만 죽어서 나타날까봐 그게 제일 우려스러웠다. 또 무슨 사고를 치고 잠적했는지는 모르겠으나 어쨌든 신체는 멀쩡한 것 같았다.

"학원이랑 연락됐어요? 난 아무리 전화해도 안 받던데."

정욱연이 보육실 문 앞에 서 있었다. 나는 그대로 얼어붙었다. 언제부터 서 있었는지, 우리의 파렴치한 통화를 어디부터 어디까지 들었는지 알 수 없었다.

"저도 이 주 만에 통화한 거예요. 어디서 뭘 하는지 아직도 잘 모르겠어요."

온몸을 비틀어 가까스로 쥐어짜낸 대답이었다. 목구멍에 찰떡이 들러붙은 것처럼 숨이 막혔다.

"혜나씨랑 학원이랑 저녁 한번 먹어야 하는데, 자꾸 미뤄져서 큰일이네. 혜나씨 출근한 지도 벌써 보름이 다 되어가는데."

너무 눈이 부셔서 그를 똑바로 바라볼 수가 없었다. 원장님, 밥은 반드시 세 명이 먹어야 한다는 선입관을 버리세요. 우리 둘이서도 얼마든지 근사한 저녁을 보낼 수 있어요. 밥 먹다가 다급하게 호텔로 달려갈지도 모르잖아요.

"학원이 기다리지 말고 그냥 우리끼리 저녁 한번 같이할까요? 혜나씨 시간 언제 되나?"

일이 술술 풀려가고 있었다. 나는 마음이 급해졌다. 엄마의 소개팅 건으로 에너지가 솟구친 김학원이 언제라도 짜잔 하고 나타날지 몰랐다. 오늘 당장이라고 말하고 싶었지만 차마 입이 떨어지지 않아서 나는 손가락만 쥐어뜯었다. 다행히 정욱연은 상대방의 맞장구가 없어도 혼자 북 치고 장구 치고 잘하는 씩씩한 사나이였다.

"그냥 오늘 갈까요? 나 오늘 모처럼 일찍 끝나는데. 혜나씨 오늘 시간 괜찮아요? 아, 그럼 잘됐다. 오늘 저녁 같이 먹자. 일곱시 좀 넘으면 끝나니까 보육실 정리하고 조금만 기다려요. 기다리면서 뭐 먹고 싶은지 생각해놓고. 그럼 이따 내가 전화할게요."

정욱연은 내가 좋아라 하는 수줍은 미소를 던지고 돌아서서 엘리베이터를 향해 종종걸음쳤다. 그의 뒷모습이 사라진 뒤 나는 의자에 털썩 쓰러졌다. 극도의 긴장이 갑자기 풀리면서 온몸이 나른하고 눈물이 치솟을 것 같았다. 나는 하늘을 향해 두 팔을 올렸다. 앗살라무 알라이쿰. 신의 평화를 당신에게. 신의 모든 평화와 자비와 축복을 당신에게.

불시에 이런 행운이 다가올 것을 대비하여 매일매일 샤워를 하고 향수를 발바닥까지 반 통씩 쏟아붓고 다니기를 참 잘했다. 지독한 사랑의 힘으로 밥도 적당히 굶어서 내 얼굴 라인은 비인간적으로

턱을 깎아놓았던 결혼사진만큼이나 날렵해져 있었다. 알맞게 사라져준 작은오빠에게 가장 큰 감사. 우주의 모든 별자리가 바람직한 방향으로 운행하고 있었다. 나는 혹시 김학원이 덜컥 들이닥칠까봐 휴대폰 전원을 아예 꺼버렸다.

거의 여섯시가 다 되어가는 시각에 젊은 두 자매가 여섯 살 동갑내기 여자아이 한 명과 사내아이 한 명을 데리고 왔다. 정욱연과 첫 데이트를 할 생각에 들떠서 아이들과 열심히 놀아줄 마음이 나지 않았지만 어차피 그의 퇴근을 기다리려면 아직 여유가 있었다. 사촌지간인 아이들은 보드게임을 하겠다고 했다. 엄마들은 딱히 진료 스케줄이 있는 것은 아닌 듯 보육실 입구의 긴 의자에 앉았다. 두 자매 중 한 명은 배가 꽤 불룩했고 한 명은 날씬했다. 자매는 커다란 가방에서 보온병을 꺼내 따끈한 허브티를 나누어 마시면서 수다를 떨기 시작했다.

"아유, 나 오늘 속상해 죽겠어. 연말에 욱연 원장님 학회 가신대. 어떡해, 나 그때 분만인데. 혹시 모르니까 다른 선생님한테 말씀해놓으시겠다는데."

"어머, 어머, 어떡해. 욱연 원장님한테 분만할 거 아니면 뭐하러 이 병원에 다녀? 말도 안 돼. 학회 꼭 가셔야 하나? 대학병원도 아닌데."

"그러게. 나도 황당했는데, 근데 너도 알잖아. 나 욱연 원장님한테 화 못 내는 거."

"호호, 욱연씨 보면 다 용서가 되긴 하지. 원장님 완전 귀엽잖아. 그런데 분만 때 안 계신다니 그건 좀 심했다."

"원장님이 최대한 분만 스케줄 맞춰보자고, 자기도 워낙 공들인 아기라서 꼭 직접 받고 싶다고는 하니까. 차라리 아기가 좀 일찍 나와주면 좋겠는데. 난 민서 때도 조금 일찍 낳았으니까 이번에도 학회 스케줄 잘 피해갈 수 있을지도 몰라."

"근데, 나도 다른 사람한테 들었는데, 욱연 원장님 연말에 학회 가신다고 하는 거, 그거 사실은 학회가 아니라던데."

"그래? 학회가 아니면 뭔데?"

두 여인이 목소리를 갑자기 낮추는 바람에 나는 귀를 최대한 쫑긋 세워야 했다. 승부에 열이 오른 두 아이들이 계속 투닥투닥 말다툼을 해서 나는 신경이 잔뜩 곤두섰다.

"아, 그렇구나."

배부른 여인이 고개를 주억거렸다. 나는 하마터면 아이들의 뒤통수를 때릴 뻔했다. 날씬한 여인은 자신만만하게 말을 이었다.

"내 말이 맞지? 생각해봐. 무슨 학회를 연말에 하겠어."

"캐나다에 있다고 했나? 미국이야?"

"밴쿠버에 있다는 것 같던데."

"그럼 욱연 원장님은 혼자 사는 거야?"

"내 친구가 A아파트에 사는데 거기에 산대. 혼자 사는 것 같대. 벌써 이혼했다는 소문도 있고. 애들이 엄청 예쁘다고 하던데."

"이혼했대? 기러기 아니고?"

"나도 잘 몰라. 그런데 와이프랑 애들 이야기를 전혀 안 하는 걸 보면 진짜 헤어진 것 같지 않아?"

"어떤 여자인지 정말 궁금하다. 돈도 잘 벌어, 성격도 좋아, 완전 귀여워, 저런 완벽한 남자랑 왜 헤어졌지?"

"너무 바쁘잖아. 저렇게 일만 하다보니까 가정엔 소홀했나보지."

"우리 욱연씨 아무리 바빠도 가정에 소홀했을 것 같진 않아. 다른 집 아이들한테도 그렇게 잘해주는데 자기 가족들한테는 당연히 잘하지 않았겠니?"

"글쎄, 그건 살아본 사람만 알겠지."

"아무래도 우리 욱연씨 결혼을 잘못 하신 것 같아. 그 와이프 나 빴어. 웬만한 건 좀 참아주지. 저렇게 일만 하면서 살다니 너무 불쌍하다, 얘."

"아니야, 욱연 원장님 일만 하는 건 아니야. 사진 찍기 좋아하고 책 좋아하고 그런 모양이더라고. 자선기금 모아서 무료병원도 세운다던데. 그렇게 보람 있게 살면 되지 뭐."

나는 그녀들의 대화를 엿듣기에 너무 열중한 나머지 아이들의 게임이 끝난 것조차 깨닫지 못했다. 그녀들의 대화가 문득 멈추었기에 화들짝 정신을 차리고 보니 아이들과 엄마들이 모두 나만 쳐다보고 있었다.

그동안 이런 식으로 귀동냥한 정욱연에 대한 정보는 대략 이랬다.

그는 부촌으로 알려진 모 아파트에서 혼자 살고 있다.

그는 아내와 이혼했거나 별거중이다.

그의 아내는 아이들을 데리고 밴쿠버로 떠났다.

그는 연말이면 가족들을 만나러 출국한다.

그가 화를 내는 모습은 아무도 본 적이 없다.

그는 책과 사진을 좋아해서, 어느 날 불쑥 "이거 한번 보실래요?" 하고 카메라의 액정을 들이밀곤 한다.

그러나 운동은 전혀 하지 않는다.

그게 사람들에게 알려진 정욱연이었다.

나는 아이들이 온통 흩뜨려놓고 간 퍼즐 조각들을 챙기면서 그렇게 조각조각으로 전해지는 정욱연이라는 퍼즐을 골똘히 맞추어보았다. 어린 시절 불우한 환경에서 자라, 뛰어난 성적으로 일류대 의대에 진학하고, 비상한 실력과 사교력으로 젊은 나이에 이미 부와 명성을 거머쥐고, 좋은 집안에서 자란 아름다운 여인과 결혼하고, 예쁜 아이들도 낳고, 그러나 무슨 이유인지 그들과 헤어지고, 혼자 사진과 책을 벗삼아 적적하나 품격 있는 독신생활을 즐기는 이혼남혹은 기러기 아빠.

시곗바늘이 일곱시를 넘어 이십분을 향해 달리는 시각에 정욱연은 나에게 내선전화를 걸어왔고 병원 앞에서 보자고 했다. 그는 주차장에서 차를 몰고 나왔다. 나는 떨리는 마음으로 티끌 하나 없이 깨끗한 조수석에 몸을 실었다. 작은오빠 덕분에 세상에 존재한다는 모든 고급차의 조수석을 거의 다 경험해보았지만 이 차만큼 짜릿한 흥분을 안겨주는 차는 이전까지 없었다. 나는 부드러운 자동차 시트를 손바닥으로 살짝 쓰다듬어보았다.

어쩌면 여기서 카섹스를 하게 될지도 몰라.

나는 몰래 복식호흡을 하며 벌렁거리는 가슴을 가라앉히려 노력했다. 벌써 눈알이 뻑뻑하고 귀울음이 들리는 것이 심상치 않았다.

우리 집안 사람들은 들뜨면 갑자기 미치광이 짓을 해치우는 경향이 있기 때문에 침착을 유지하는 것이 무엇보다 중요했다.

"혜나씨는 생각보다 말이 없더라. 학원이는 혜나씨가 명랑하고 거침없는 성격이라고 했거든. 그런데 전혀 아니더라. 말수가 적고 내성적이더라."

나는 무언가 괜찮은 말을 해보려고 노력했지만 아무 말도 나오지 않았다. 입이 굳어버린 것이 차라리 다행이었다. 말을 할 수 있었으면 모두 당신 때문이라고, 당신이 그렇게 해리 포터같이 생긴 얼굴로 쳐다보면 머릿속이 하얘지고 아무 말도 나오지 않는 거라고 해버렸을 것이다.

"아마 학원이 때문일 거야."

정욱연이 길을 살피며 혼잣말처럼 중얼거렸다. 나는 깜짝 놀랐다. 학원이 때문이라는 말은 우리 식구만이 알고 있는 비밀 암호, 열려라 참깨였다.

"우리 서클에서도 혜나씨는 나름 유명했어. 학원이가 하도 동네방네 자랑하고 다녀서. 그런데 솔직하게 말하자면 혜나씨가 보육실에서 그렇게 일을 잘할 줄은 몰랐거든. 혜나씨는 학원이를 통해서 알 때보다 더 능력 있고 멋있는 사람이더라고요. 그 이야기를 해주고 싶었어."

제법인걸. 나는 가까스로 냉정을 유지했다. 예쁘장하게 생겨가지고 이렇게 사람 아픈 곳을 살살 쓸어주는 남자라니, 인기가 없으려야 없을 수가 없겠다. 나는 오히려 그가 조금 얄미워졌다. 사자는 토끼 한 마리를 사냥할 때도 최선을 다한다 이거지. 당신이 이러지 않아도 보육실의 김혜나는 자발적으로 당신의 하렘으로 입궁했다고. 늘 그렇게 최선을 다하지 않아도 된다고.

정욱연은 예민한 남자였다. 나를 한번 홀끗 곁눈질하는 것만으로도 그는 나에게 감도는 부정적인 기운을 감지했다. 자신의 진심이 잘못 전달되었다고 생각하는 것 같았다. 그는 조금 망설이다가 다시 입을 열었다.

"학원이한테 혹시 들었어요? 내 아버지랑 형들, 어떤 사람들인지 좀 알아요?"

"조금요."

그는 고개를 끄덕였다.

"조금만 알면 다 아는 거야. 혜나씨를 보면 옛날 생각이 나서요. 내가 처음 서울에 올라왔을 때, 나와 내 가족들이 완전히 분리되지 않았을 때. 여긴 고향하고는 다르더라고. 고향에서는 나를 아는 사람은 누구나 내 가족들을 알았어요. 내가 어떻게 살아도, 어떤 식으로든 내 가족과 내가 연결되어 있었지. 서울은 내 가족들에 대해서 아무도 모르는 땅이었어요. 그런 곳에서는 내가 어떻게 행동해야 하는지, 처음엔 잘 모르겠더라고. 요즘 병원에서 혜나씨 표정이, 그때 나하고 좀 비슷해 보여. 혜나씨가 가족을 대표해서 병원에 있는 것처럼 생각하지 말아요. 우리 눈에는 혜나씨만 보여."

나는 너무 심한 사자를 만난 것을 깨달았다.

"어, 혜나씨, 그렇게 심각하게 들으면 곤란한데. 그냥 가볍게 들으면 되는데. 나 원래 엉터리 소리 잘하거든요. 아무것도 모르면서 한 소리예요."

그가 뒤늦게 한발 빼려 했지만, 토끼는 이미 죽은 뒤였다. 벌써 뺨으로 눈물이 줄줄 흘러내렸다. 그는 당황해서 말을 더듬었다.

"아니 그냥…… 엉터리라니까…… 난 원래…… 여기 휴지…… 괜한 소리 해서 미안해요…… 그냥 해본 말이야…… 울지 마 혜나 씨……"

언제나 미치도록 바쁜 정욱연은 바람처럼 보육실을 스쳐 지나가면서 몰락의 전당에 전시된 나의 비참한 자의식을 눈치챘다. 수치심을 잊기 위한 내 처절한 몸부림도 알아차렸다. 그래도 괜찮다고, 내가 유능하고 멋져 보인다고, 우리는 닮았다고 말해주었다.

그렇다면 정욱연은 내가 오전에 테킬라 한 병을 비우는 것도 알까? 성민의 월급을 다 끌어모아서 작은오빠의 빚을 틀어막는 것도, 지방으로 발령난 성민을 따라가기 싫어서 무턱대고 취직해버린 것도, 아빠 없이는 살아도 아빠의 신용카드 없이는 어떻게 살아야 할지 몰라서 눈앞이 캄캄한 것도, 돈 때문에 누군지도 모르는 사채업자에게 엄마를 팔아먹기로 결심한 것도, 그는 모두 다 알고 있을까? 다 괜찮다고, 그래도 유능하고 멋져 보인다고, 모든 것이 자신을 닮았다고, 해리 포터를 닮은 이 예쁘장한 남자는 나에게 다시 한번 말해줄까?

그래서 나는 아빠가 미웠다. 한평생 어린아이로 키워줄 것처럼 굴다 갑자기 사라진 아빠가 미웠다. 아빠가 사라진 후 나는 이전까지 생각할 필요조차 없었던 나의 모든 악덕과 무능 들을 내 눈으로 하나하나 확인해야만 했다. 내 독립의 실체는 그런 거였다. 정욱연은 나의 좋은 점들을 보아줄 수 있을지 몰라도, 나는 그것이 불가능했다. 나 자신에게 환상을 가지기에는 나는 나를 너무 잘 알았다. 지구에서 김학원 다음으로 쓸모없는 쓰레기가 바로 나였다. 보육실에서 며칠 열심히 일했던 괜찮은 겉모양만으로는, 심연처럼 입을 벌린 나의 모든 악덕과 무능을 메꿀 길이 도저히 없었다.

그럼에도 불구하고, 그의 목소리가 나를 위로했다. 나는 괜찮은 사람일 거라고, 나의 내면에는 이전까지 살아온 김혜나와는 다른 무언가 괜찮은 것들이 들어 있을 거라고, 우리는 닮은 점이 있다고. 신뢰하기엔 너무나 빈약한 데이터와 분석이었는데, 그가 그렇게 한 번 말한 것만으로도 왠지 그것이 사실일 것 같았다. 희망이, 그가 말한 것처럼 괜찮게 살 수 있을 것만 같은 빌어먹을 희망이 걷잡을 수 없이 꾸역꾸역 치밀어올랐다. 희망을 가지기엔 너무 무능한 나 자신과, 그럼에도 불구하고 희망을 부여잡고 싶게 만드는 그의 목소리 사이의 거리가 남극과 북극처럼 너무 멀어서 나는 참을 수 없이 눈물이 났다.

만나기만 하면 우는 암소. 그게 바로 정욱연이 만난 나였다. 나에게 휴지를 건네주고, 정욱연은 운전대가 구명대인 것처럼 두 손으로 단단히 틀어쥐고 뚫어져라 앞만 바라보고 있었다. 차를 몰고 곧장 정신병원으로 간다 해도 그를 나무랄 수 없었다. 나는 원래 미쳤고 하필이면 정욱연 앞에서는 증세를 살짝이라도 감추는 것이 불가능했다. 그의 놀란 가슴을 진정시켜야 할 필요성을 느끼고 나는 끅끅거리며 가까스로 말했다.

"정말 죄송해요. 원장님 잘못이 아니에요. 위로해주셔서 고마워요. 아빠 생각이 나서 그랬어요. 원장님 말씀이 맞아요. 저는 제 가족들에게서 독립해서 저 자신을 보는 법을 배워야 해요. 그런데 지금까지는 그 결과가 별로였어요. 우리 아빠가 나를 너무 버려놓은 것 같아요."

"아."

"우리 아빠는 장사꾼이었는데, 아무리 사업이 바쁠 때라도 내 생일이면 항상 휴가를 냈어요. 집에서 한복을 입고 하루 종일 춤을 추었어요. 그래서 내 생일은 언제나 환갑잔치 같았어요. 아빠는 나만 예뻐했고 나하고만 이야기했어요. 용돈은 무제한이었어요. 작은오빠도 나를 좀 예뻐하는 편이긴 하지만 아빠에 비하면 아무것도 아니었어요."

그를 극단적으로 당황시키기는 했지만, 한바탕 울고 나니 좋은 점도 있었다. 좀 전까지 나를 달구던 흥분도 긴장도 흔적 없이 사라지고, 나는 담담하게 이야기를 할 수 있었다. 정욱연도 식겁한 마음을 가라앉힌 것 같았다.

"그랬구나. 아버님이 혜나씨를 그렇게 예뻐하셨구나. 그런데 왜 울었어요? 혜나씨는 아버지 생각만 나면 울더라. 아버님한테 무슨 일이 있었어요?"

또다시 왈칵 눈물이 솟구쳤다. 그의 목소리가 너무 부드러워서 그랬다. 마치 아빠가 그저께 달아나기라도 한 것처럼 모든 아픔과 충격이 생생하게 되살아났다. 그의 앞에서는 울어도 될 것 같았다. 그는 모든 걸 다 이해할 것 같았다. 하지만 아빠 이야기를 시작하면 작은오빠 이야기가 나올 것이고, 작은오빠 이야기를 하면 큰오빠 이야기도 해야 했다. 그러면 밤새 울어도 모자랄 것이다. 그러면 내

일 진짜로 사직서를 내야 할지도 모른다. 그러면 다시는 정욱연을 보지 못할 것이다. 나는 눈물을 싹싹 닦고 일부러 명랑하게 말했다.

"우리 아빠 죽지 않았으니까 걱정하지 마세요. 아빠는 엄청 행복해요. 큰오빠보다도 어린 여자랑 결혼해서 신나게 잘 살고 있거든요. 능력 좋아요. 둘이서 애도 얼마든지 낳을걸요. 아마 인공수정도 필요 없을 거예요. 나보다 훨씬 낫다니까요. 돈도 많으니까 어쩌면 원장님이 그 집 아이를 받아주게 될지도 모르죠."

아차 하고 입을 다물었다. 나는 이 선한 남자를 유혹하기엔 너무 엽기적으로 놀고 있었다. 다행히 그는 거북한 화제를 적절하게 돌릴 줄 아는 훌륭한 센스를 발휘했다.

"혜나씨, 인공수정 해봤어요? 언제?"

그는 전문가답게 자연스럽게 물었다. 역시나 외간남자와 대화하기에 적합한 이야기는 아니었지만 화제가 아빠에서 벗어난 것만 해도 무턱대고 기뻤다.

"삼 년 전에요. 네 번 했는데 안 됐어요."

"착상은 됐어요? 아이구, 미안. 이거 직업병이야."

"착상이요? 잘 모르겠어요. 근데 이제는 애 낳을 생각 없어요. 신경쓰지 마세요."

"혜나씨, 결혼한 지는 얼마나 됐지?"

"꼭 십 년 되었어요."

"시험관 아기는?"

"그건 안 해봤고요."

대화는 한층 부드럽게 풀렸고 활기를 띠었다. 그는 직업적인 관성으로 하마터면 부부관계는 얼마나 자주 하느냐고 물으려다가 아슬아슬하게 멈추는 것 같았다. 나는 아쉬웠다. 우리의 하이파이브 이야기를 꼭 해주고 싶었기 때문이다.

"혜나씨 아직 젊은데 다시 시도해보지그래요. 직원 할인 오십 퍼센트 해주는데."

우리는 유쾌하게 웃었다. 진짜 사랑하는 남자가 생긴 이 마당에 성민의 아이를 가지고 싶은 생각은 눈곱만큼도 안 들었지만, 그에게 벗은 하체를 당당하게 보여줄 수 있는 기회라면 구미가 당기기도 했다.

"에이, 싫어요. 안 해요. 정신이 이래가지고 애를 어떻게 키워요. 보시다시피 저는 철이 없거든요. 능력도 없구요. 성민이도 한심해요. 우리는 아이를 낳으면 완전히 망쳐놓을 거예요. 안 낳는 게 더 나아요."

"왜. 혜나씨 보니까 아이들을 예뻐하던걸. 아이들도 혜나씨를 좋아하고. 한번 생각해봐요. 충분히 가능성이 있을 거야."

"아이를 낳아서 예뻐하기만 한다고 좋은 부모가 되나요. 우리 엄마 아빠도 우리를 엄청 예뻐하면서 키웠어요. 그런데 셋 다 실패작들이거든요. 삼대로 내려가도 마찬가지예요. 우리 오빠들도 벌써 아이들을 망쳐놓고 있어요. 부모가 되려면 능력이 있어야 해요. 돈도 웬만큼 있어야 하고, 분별력도 있어야 해요. 그런데 우리는 그런 능력이 전혀 없거든요. 돈도 없고 분별력도 없어요. 핏줄의 저주예요. 이런 가문은 얼른 문을 닫는 게 인류를 위한 거예요."

정욱연은 고개를 저었다.

"왜 혜나씨가 능력이 없다고 생각해? 아이를 키우는 데 꼭 큰돈이 필요하진 않잖아요. 게다가 혜나씨는 분별력도 있어. 기본적인 품성이 아주 훌륭해요. 혜나씨라면 능력 있고 사랑 많은 부모가 될 거야."

나는 꽤 놀랐다. 보육실의 통유리 너머로 몇 번 눈웃음을 교환한 것을 제외하면 우리는 이제 겨우 두 번 본 사이나 다름없었다. 게다가 그 첫번째 만남은 인류 역사에 남을 만한 대형 실패작이었다. 히틀러라면 나에게 강제 불임수술을 시켰을 것이다. 그런 상태의 여자에게서 훌륭한 부모의 자질을 찾아내기란, 룸살롱에서 성경책을 찾아내는 것만큼이나 어려운 일이었다. 그런데도 정욱연은 태연하게, 내가 훌륭한 부모가 될 거라고 말했다.

"저를 잘 알지도 못하시잖아요?"

"아, 나는 아이들이나 엄마들을 하도 많이 봐서, 이젠 딱 보면 좀 알 것 같아요."

절반쯤은 농담인 것 같기도 한데, 그의 입에서 나오는 말은 모두 흔들리지 않는 신뢰감을 주었다. 그게 정욱연의 특징이었다. 나는 갑자기 나에게 대단히 훌륭한 모성의 재능이 있을지도 모른다고 믿게 되었다.

"직업상 사람들을 많이 보게 되니까 본의 아니게 눈에 보여요. 딱 보면 훌륭한 부모가 될 자질을 가진 사람들이 있어요. 물론 그 반대도 있고. 훌륭한 부모가 될 만한 사람들이 아이를 낳지 않는 걸 보면 아까워서 한 번쯤 권해보는 편이에요. 그 반대로, 부모가 되기에 적합하지 않은 사람들이 아이를 많이 낳기도 하고. 그걸 가지고 내가 뭐라고 말은 못 하지. 자기가 낳고 싶으면 낳는 거지. 그런데 사실 나한테는 그쪽이 더 가슴 아파요."

그는 노란색으로 바뀐 신호등을 보고 정확하게 정지선에 멈추었다. 몸의 진동이 느껴지지도 않을 만큼 부드러운 정차였다.

"나는 어릴 때 꽃제비처럼 자랐거든."

신호등을 응시하는 그의 옆모습을 나는 한참 동안 바라보았다. 역에서 먹을 걸 구걸하고, 쓰레기통을 뒤져 찾아낸 걸 입에 쑤셔넣고, 들판에서 풀을 뜯어 먹다가 시퍼런 속엣것을 토하며 쓰러지는 아이들. 꽃제비. 자기 얼굴에 무지하게 잘 어울리는 은테 안경을 쓰고 고급 세단을 몰고 있는 이 남자의 섬세한 얼굴에서 꽃제비의 이미지를 추려내기란 도무지 쉽지 않았다.

"가난했던 건 이해하겠는데, 나한테 왜 그렇게 차가웠을까?"

여전히 담담한 어조였지만, 나는 그의 음성이 들릴 듯 말 듯 흔들리는 것을 감지했다. 그의 고달팠던 어린 시절이 지금 그에게 현재형의 아픔을 주고 있다는 사실을 나는 눈치챘다. 나는 본 적도 없는 그의 부모에게 불길 같은 증오심을 느꼈다. 어린 시절의 고통스러운 기억은 그의 잘못이 아니다. 그가 자학해서는 안 된다. 자학할 이유가 없다. 나는 주먹을 불끈 쥐고 목청을 높였다.

"바로 그게 핵심이에요! 원장님은 그런 어려움 속에서도 이렇게 성공했잖아요. 어릴 때 그렇게 힘든 환경에서 자랐다는 건, 말하자면 후광 같은 거예요. 원장님은 그렇게 깊은 구덩이에서 뛰쳐나와서 이만큼 높은 곳까지 날아오른 독수리 같은 사람이라고요. 원장님이 독수리라면 우린 멍게, 해삼, 개불이에요. 우리를 찾으려면 갯

벌을 뒤져야 해요. 무슨 수를 쓴다 해도 멍게나 해삼을 독수리로 키울 수는 없어요. 난 분명히 낙지, 문어, 개불을 낳을 거예요."

정욱연이 킥 하고 웃었다. 나는 내가 이 세상에 태어난 이유가 지금 그를 웃게 하기 위해서라고 생각했다.

"혜나씨."

"네?"

"혜나씨는 희한하게 사람을 감동시키더라."

우쭐할 만한 이야기였지만 나의 육감은 불길한 징조라고 속삭였다. 그는 즐거운 일을 회상하듯이 미소지었다.

"그 카페에서, 그날도 그랬어."

역시나 그날 이야기였다. 젠장. 출근길에 그 카페 앞을 지날 때마다 나는 수치심에 몸을 떨었다. 그 카페를 폭파하고 그날 우리 옆 테이블에 앉았던 중년 남자와 웨이터들을 한데 묶어 소말리아로 보내는 상상을 몇 번이나 했는지 모른다. 그날 그 장면을 목격한 사람들을 지구에서 깨끗이 말살하고 싶었다. 정욱연을 없애버릴 수 없다는 게 유일한 문제였다.

"원장님은 꿈을 꾸고 계신가봐요. 그날 아무 일도 없었거든요. 분명히."

"걱정하지 말아요. 기분 나쁘지는 않았어. 참 이상하지. 그날은 뭔가 후련한 것 같기도 하고, 반대로 가슴이 아프기도 하고. 글쎄 내가 그날 받았던 느낌을 설명하긴 좀…… 나중에 이야기할 기회가 있을까. 그날 나는 혜나씨한테 뭔가 중요한 위로를 받았던 것 같아."

위로.

내가 그에게 그것을 주었을까?

받은 적은 있었다. 분명히.

"아무튼 혜나씨한테 많은 걸 배웠어. 난 가족들이 서로 사랑하면서 산다는 게 어떤 건지도 몰랐거든."

"세상에, 제가 김학원을 사랑하는 걸로 보이시나요? 원수예요, 원수."

"물론 밉겠지. 그런데 혜나씨는 학원이나 아빠를 떠올리면 울기부터 하잖아. 생각하면 눈물이 나오는 거, 그게 사랑 아닐까. 난 누구를 생각해도 눈물이 안 나."

쪽팔려서 운 것도 사랑인가? 그가 더이상 말하지 않았기에 나도 더 묻지 않았다. 가족에 대한 이야기는 정욱연을 괴롭게 만드는 것 같았다. 나는 마음속으로만 중얼거렸다. 사랑은 개뿔. 우리 가족이 부럽다니, 당신이 우리처럼 한번 살아보시죠.

돈을 벌 수 있는 능력, 그게 아니라면 가난하게 살 수 있는 능력이라도. 그거야말로 우리 미친 가족들이 반드시 따야만 하는 이 시대의 1, 2종 생존면허증 같은 거였다. 안타깝게도 우리는 둘 중 하나도 갖지 못했다. 사라져야 마땅한 집구석이었다. 반면에 정욱연은 둘 다 유능하게 해낼 수 있었다. 그래서 나는 정욱연이 미치도록 부러울 뿐이었다.

돈도 없는 주제에 사랑이란 건 언어도단이었다. 사랑해도 도와줄 수 없고 몰락해도 구해줄 수 없었다. 우리 손에서 금모래처럼 돈이 새어나가고 있었다. 우리는 예전부터 우리가 쓰는 돈이 어디에서 나와서 어디로 가는지 알지도 못했다.

머지않아 우리는 빈 손바닥만 내려다보고 있게 될 것이다. 모래알이 다 새어나가고 난 다음엔 어떻게 사는 거지? 차를 팔고 인스턴트 커피를 마시는 건가? 그다음엔 뭐지? 무료급식소에서 점심을 먹고 지하도에 종이 박스를 까나? 대한민국에는 가난한 사람들이 모래알처럼 많다는데, 그들 중의 하나가 되기 위해 각자 전속력으로 질주하고 있는데, 우리는 정작 가난에 대해 아무것도 알지 못했다.

우리는 각자의 상념에 잠겨 침묵했다. 나는 손을 내밀어 자동차의 시트를 어루만졌다. 말랑하고 포근한 고급 가죽 시트였다. 창밖의 세상은 여전히 화려하고 도도했다. 우리 집이 망해가는 것하고는 아무 관계 없이, 세상은 여전히 혈색이 좋아 보였다. 한때 나도 그 속의 당당한 일원이라고 생각했던 적이 있었는데, 지금 나는 그 세상과 점점 멀어져가고 있었다.

"그런데 지금 우리 어디로 가는 거지? 우리 뭐 먹을지 정했던가? 혜나씨가 아까 멍게, 해삼 그러니까 회 생각나는데, 우리 회 먹으러 갈까?"

"좋아요!"

나는 뛸 듯이 기뻤다. 술을 팔지 않는 횟집은 대한민국에 없었다.

"그래, 우리 회 먹자. 우리 일식집 갈까? 아니면 이자카야? 회도 괜찮고 꼬치도 맛있게 하는 집 아는데."

얼씨구절씨구. 꼬치와 사케가 어우러진 이자카야라면 내가 제일 좋아하는 곳이었다. 은밀하고 어두컴컴한 방이라면 더 바랄 것이 없겠다.

"이자카야는 정말 천국이죠."

그래서 그의 은빛 세단은 강남에서 제일 훌륭하다는 이자카야로 향했다. 그의 차는 목적지가 정해지지 않은 채로 달리는 법이 없었다. 나는 특히 그 점이 마음에 들었다. 진짜 맛있는 꼬치와 사케를 앞에 놓고, 우리는 정자, 난자, 임신 같은 섹시한 단어들이 듬뿍 들어간 멋진 대화를 나누었다.

7

작은오빠가 드디어 나타나서 엄마와 박진석 회장의 미팅 주선에
열을 올렸다. 아빠가 집을 나간 거의 그다음 날부터 엄마를 박회장
에게 들이밀지 못해 안달을 떨었던 작은오빠는 마치 박회장의 전
재산을 벌써 상속받기라도 한 것처럼 자신만만이었다. 지난 몇 주
동안 빚쟁이에게 쫓겨 숨어 살았던 것은 굴욕이라고 생각하지도 않
았다. 특기인 아랫돌 뽑아 윗돌 괴기로 급한 불은 끈 모양이었다.

하지만 지금까지 진행된 일의 맥락상 엄마와 내가 청담동의 딤섬
집에 가서 친구 아버지인 박회장에게 딤섬을 얻어먹는 형식이 되어
야 하는데 내가 직장인이 되는 바람에 미팅 시간을 잡기가 도무지
여의치 않았다.

"얘, 그깟 딤섬 그렇게까지 꼭 먹어야 하니. 토요일 점심이면 제
일 복잡할 땐데."

그사이에 시들해진 엄마의 당연한 반응이었다.

"그럼 어쩌란 말이야? 난 점심때는 토요일밖에 시간이 안 되는 걸. 난 전복 딤섬, 바닷가재 딤섬 다 먹어야만 직성이 풀리겠어. 그러니까 엄마는 반드시 나랑 같이 가야만 해. 엄만 내가 요새 얼마나 힘들게 일하는지도 몰라? 매일 병원밥만 먹고 사는 딸이 불쌍하지도 않아? 같이 나가서 공짜 딤섬 한 끼 먹어주는 게 그렇게 힘들어? 딴소리하기 없기야! 내일 점심이야, 알았지?"

내가 짜증을 부리며 과로와 격무를 운운하고 나서야 엄마는 마지못해 오케이했다. 약속을 정하고 나니 오래 묵은 숙제를 해치운 것처럼 홀가분했다. 엄마가 박회장을 좋아하든 걷어차든 나야 알 바 없고, 이제 나는 딤섬 한 끼 잘 먹으면 끝인 거였다.

엄마를 윽박질러서 우격다짐으로 점심 약속을 정한 직후에 정욱연이 살그머니 보육실의 문을 열고 들어섰다.

"혜나씨, 혹시 시간 되면 내일 점심 같이 먹을래요?"

마른하늘에 날벼락이었다. 나는 신을 원망했다. 주여, 제가 아무리 엄마를 팔아먹기로서니, 이건 너무하신 거 아닌가요? 나는 눈물을 삼키며 선약이 있다고 말하는 수밖에 없었다.

"아, 그렇구나."

정욱연은 아쉬움을 담은 엷은 미소만 남기고, 다음 약속을 제안하지도 않고, 뒤돌아섰다. 최근에 매스컴을 한차례 크게 타는 바람에 그는 더 바빠졌다. 그는 자신에게 장학금을 지원해주었던 한 교회와 손잡고 인도에 불가촉천민들을 위한 무료병원을 세웠다. 콜카타의 변두리에 위치한 그 병원에서 그는 지난 주말 이틀 동안 열여섯 명의 아이를 받고 돌아왔다.

그는 그곳에서 청담동 며느리들을 감동시킨 그 유명한 안심분만 서비스를 선보일 생각이었으나 태어나서 한 번도 서비스라는 것을 경험해본 일이 없었던 천민 여인들은 그저 미친 듯이 서둘러 애를 낳고는 회복실도 들르지 않고 곧바로 귀가할 채비를 서둘렀다고 한다. 아이를 낳으면 하루이틀 쉬면서 회복해야 한다는 개념조차 없는 여인들이었다.

천민 여인들이 그랬듯이, 정욱연도 쉬어야 한다는 개념이 없었다. 불임치료나 부인과 진료는 언제나 장사진을 치고 있었지만 그 정도는 양반이었다. 새로 태어나는 아기들의 상당수가 새벽녘을 선호하기 때문에 어느 병원이나 당직을 정해서 야간분만을 책임지는 것이 상식이었다. 그러나 그는 자신이 진료해왔던 산모는 해외출장 같은 아주 특별한 사정이 없는 한 남에게 맡기지 않고 모두 직접 아기를 받아낸다는 미친 원칙을 고수했다. 그는 아예 원장실에 딸린 그의 작은 '은신처'에서 새우잠을 자는 일이 많았다.

그는 산모와 직원 들에게 피로한 모습을 노출하는 걸 금기로 여겼다. 그에게 익숙해진 간호사들은 모두가 잠든 한밤중에 그를 깨우는 것에 죄책감을 느끼지 않도록 쉽게 길들었다. 아무리 깊은 새벽이라도 분만 콜이 울리면 십 분 안에 완벽하게 말똥말똥한 모습으로 분만실에 나타나서 유능하고 활기차게 아기를 받았다. 결코 귀찮아하거나 힘든 기색을 보이지 않았다. 그는 막 태어난 신생아의 애비보다도 더 입이 찢어지게 웃는 얼굴로 가족들과 축하 사진을 찍고, 원장실에 딸린 작은 욕실에서 샤워를 한 다음 잠시 눈을 붙인 후 곧바로 아침 일과를 시작했다.

그의 야간분만 서비스가 유명해지자 산모들은 역술관에서 받아온 '새벽 세시' 따위의 미친 시간에 제왕절개를 예약하는 일조차 서슴지 않았다. 수술팀이 모두 동원되어야 하는 일이라 그런 특별분만에는 엄청난 특별비용을 부과했지만 그들은 비용 따위에 신경쓰는 사람들이 아니었다. 분만교의 광신도가 아니고서는 아무도 할리 없는 이런 미친 분만 서비스 덕분에 정욱연의 병원은 미친 듯이 번성했고 동종업계에서는 미친 듯이 욕을 먹었다. 처음에는 병원이 자리잡을 때까지 며칠 하다 말겠거니 했던 업계 의사들은 병원이 번성 일로를 걷기 시작한 이후로도 이어지는 이십사 시간 직접 분만 서비스에 치를 떨었다. 정욱연이 쓰러지든지 과로에 지쳐 심각한 의료사고를 내든지 둘 중 하나라고 악담을 퍼부었다. 그러나 그는 지금까지 십 년간 한결같이 버텨왔다.

정욱연의 초인적인 면모는 그것뿐이 아니었다. 어느덧 병원 인력 백 명, 하루 내원 환자 수백 명의 큰 조직으로 성장하다보니 크고 작은 마찰과 분쟁이 끊이지 않았다. 김학원처럼 돈을 뜯어내려는 똥파리들도 한둘이 아니었다. 그러나 그는 상상만 해도 끔찍한 그 모든 스트레스를 작은 몸뚱이 하나로 깨끗이 소화해냈다. 손톱만큼도 앙금을 배설하는 일이 없었다.

그 많은 환자와 가족 들을 대하다보면 별의별 일이 다 일어났다. 먹살을 잡혀서 절굿공이처럼 위아래로 오르내리는 소동도 연중행사처럼 발생했다. 말도 안 되는 생떼를 쓰는 강적을 만나 소송을 거네, 분신을 하네, 온갖 험악한 공갈협박을 만인 앞에서 다 당한 직후라도, 크게 숨 한번 들이마시면 끝이었다. 아무 일 없다는 듯이 할 일을 하고 묻는 말에 대답했다. 엷은 미소를 띤 표정이나 담담한 목소리나 한 끗도 변하지 않았다. 오히려 보는 사람이 내가 방금 백일몽을 꾸었는가, 어안이 벙벙했다.

그의 믿을 수 없는 일상을 잠깐이라도 지켜본 사람이라면 그가 왜 교주로 숭상받는지 쉽게 이해할 수 있었다. 그는 강남 한복판에서 꽤 비싼 영리병원을 운영한다뿐이지 실제 생활은 마더 테레사나 슈바이처 박사와 비교해 크게 다르지 않았다. 그의 헌신과 인내에 죽도록 감동하는 재산가가 주기적으로 한 명씩 등장했다. 그러면 그는 크게 사양하지 않고 이런저런 발전기금들을 제안했다. 그런 돈으로 저소득층을 위한 호스피스 병원이 서고 콜카타의 무료병원이 문을 열었다.

김학원이 부러워서 반쯤 죽을 지경인 정욱연의 '영업력'은 바로 그런 것이었다. 그의 돈과 인기에는 그의 피와 목숨이 묻어 있었다. 사흘이 멀다 하고 터지는 코피는 새빨간 경고장이었다. 콜카타의 천민 여인들은 정욱연의 목숨을 오이지처럼 무자비하게 쥐어짜낸 바로 그 건물에서 무료 분만 서비스를 받았다.

"저기요, 원장님."

나도 모르게 정욱연을 불러세웠다.

"내일도 출근하시게요? 원장님, 내일은 좀 쉬셔야 하는 거 아니에요?"

나는 그가 지난 주말 인도에 다녀와서 이틀 연속으로 야간분만을 했고 좀 전에야 진통을 시작한 초산모 때문에 오늘 새벽에도 그럴 확률이 높다는 사실을 알고 있었다.

"저런, 혜나씨가 보기에도 내가 걱정스러워? 내가 남들 보기에만 번잡스럽지 사실은 잘 챙겨서 쉬어요. 야간분만 한다고 밤새도록 서 있는 거 아니야. 아기 나올 때만 잠깐만 봐주고 나머지 시간은 다 자거든. 걱정 말아요."

"다른 병원 사람들이 다 원장님 미쳤다고 한대요. 원장님처럼 모든 분만을 직접 다 챙기는 사람 아무도 없대요. 다들 웬만큼 자리잡고 나면 불임만 본다든지 수술만 한다든지 그렇게 일을 줄이는데, 원장님은 도대체 왜 그러세요? 그러다가 분만실에서 태반에 코 박고 과로사하려고 그러세요?"

정욱연은 깜짝 놀라는 눈치였다. 환자라면 모를까, 몸이 열 개라도 모자라게 바쁜 그를 이렇게 대낮부터 붙잡고 잔소리를 해대는 비정규직 직원은 이제까지 없었을 테니까 말이다. 하지만 그는 단련된 인내심으로 진지하게 대답했다.

"다들 엄살떠는 거야. 실제로 해보면 그렇게 힘들지도 않거든. 내 생각엔 주말마다 골프 치는 게 훨씬 더 힘든 일인 것 같은데. 혜나씨가 몰라서 그렇지 막상 해보면 분만실 들어가는 거 별로 힘들지 않아요. 산모들이 낳지, 내가 낳나. 걱정 말아요."

마치 전 세계의 산부인과 의사들이 그들의 일이 하나도 고되지 않다는 사실을 그동안 철통같이 숨겨왔다는 듯이 대수롭지 않은 대답이었다.

"원장님, 내가 그런 거짓말에 속을 줄 아세요? 사람이 밤에 자다 깨다 하는 게 어떻게 힘들지 않을 수가 있겠어요? 이제 돈도 웬만큼 벌었으면 몸도 생각하셔야 하는 거 아니에요? 원장님은 일중독이에요. 인정하셔야 해요."

날아가도 시간이 모자랄 상황에서도 모든 무자격자의 모든 무가치한 질문에까지 성의껏 대답하는 것이 정욱연의 가장 심각한 직업병 증상이었다.

"혜나씨, 나도 가끔 생각을 하거든. 내가 일중독일까. 무언가를 회피하기 위해서 점점 일에 빠져드는 걸까. 하지만 아무리 생각해도 그건 아닌 것 같아. 나한테는 오히려 일이 휴식이야. 아니 좀더 정확하게 말하자면, 나는 특히 분만을 좋아해. 그게 내가 하는 모든 일 중에 최고의 클라이맥스야. 무사히 분만을 마치고 건강한 아기와 산모를 보는 그 순간이 지금도 가장 짜릿해. 내가 왜 산부인과를 택했는지 알아요? 병원 중에서 유일하게, 아픈 일로 끝나는 게 아니라 기쁜 일로 끝나잖아. 생명이 태어나고 사람들이 기뻐하는 모습을 보잖아. 그 순간의 행복감이 나의 피로회복제야. 그 힘으로 내가 다른 모든 일을 견디는 거야. 그래서 그러는 거야. 그러니까 너무 걱정하지 말아요. 내가 차라리 다른 일을 줄이도록 노력해볼게. 그래, 혜나씨의 의견을 받아들여서 그럼 내일 오전 진료는 다른 사람한테 부탁하고 쉴게. 잠만 잘게. 그럼 좀 괜찮겠어? 걱정해줘서 고마워요."

그는 미소로 마무리하고 총알같이 사라졌다. 내 말을 받아들여 내일 오전 근무를 쉬겠다는 말에 나는 어안이 벙벙했다. 하지만 타고난 거짓말쟁이의 본능으로, 나는 그가 거짓말을 했다는 사실을 간파했다. 과연 무엇이 어떻게 거짓인지는 알 수 없었다. 어쨌든 그의 말은 거짓말이 분명했다.

토요일 오전, 엄마는 약속한 시간에 정확하게 병원에 나타났다. 무릎을 살짝 스치는 검은색 니트 원피스에 별다른 장식 없이 단순한 부츠를 신고 굵은 뜨개 숄 카디건과 모자를 매치한 엄마의 감각은 더없이 만족스러웠다. 한 치의 오차도 없이 품위 있는 상류층 사모님이었다.

작은오빠는 청담동의 '칭'이라는 중식당을 예약했다. 식당 입구에서 김혜나라고 이름을 대기만 하면 종업원이 알아서 예약석으로 모시기로 약속돼 있었다. "청담동 칭"이라고 목적지를 밝히자마자 택시기사가 내비게이션을 두들기지 않고 곧바로 운전을 시작한 걸로 보아서 꽤 알려진 곳인 모양이었다.

"친구네 음식점이라는 데가 청담동 칭이야?"

엄마가 물었다.

"응, 엄마 거기 가봤어?"

엄마가 투덜거렸다.

"청담동 칭! 그러면 압구정 칭도 그 집 거겠네? 맙소사. 너 그런 떼부잣집 아들이랑 소개팅을 해놓고 성민이랑 결혼을 했단 말이야? 이런 맹한 계집애 같으니라고. 하여튼 너랑 학원이랑 실속 없는 건 알아줘야 해."

청담동 칭의 진짜 주인은 누구일까? 그는 어떻게 해서 이런 훌륭한 음식점을 소유하게 되었을까? 강남에서 잘나가는 음식점의 오너는 얼마 만큼의 돈을 벌까? 돈에 관한 모든 것이 나에게는 아리송했다. 창밖으로 흘러가는 다소 살풍경한 강남의 평범한 건물들이 알고 보면 하나하나 어마어마한 돈덩어리였다. 누군가는 그 건물들을 소유하고 누군가는 그 안에서 사업을 했다. 건물과 건물이 결혼을 하고 결혼과 결혼이 사업을 낳아서 점점 더 큰 건물, 점점 더 큰 사업이 되어갔다. 돈은 살아 있는 생물처럼 꿈틀거리며 우리 곁을 미끄러져 지나갔다.

우리는 그 미끈미끈하고 서늘한 감촉 속으로 다시 진입할 수 있을까? 모든 변덕과 호기심과 과시욕을 충족시키고도 카드한도를 신경쓰지 않을 수 있는 그 생활로 다시 돌아갈 수 있을까? 현재까지 전망은 암울했다. 성민의 급여가 입금되는 다음날로 카드결제대금을 메꾸고 나면 통장잔고는 곧바로 −19,900,000으로 돌아갔다. 몇 년째 지하세계에 머물고 있는 우리의 통장이 자연수의 세계로 돌아갈 날이 언제인지는 그 누구도 알 수 없었다. 작은오빠가 지구에서 사라진다면 모를까, 그것 말고는 개선될 여지가 없었다.

이 모든 갑갑한 상황의 돌파구가 될 만한 인물이 청담동 칭에서 우리를 기다리고 있었다. 어머니, 우리에게 실속을, 모범을 보여주셔요. 대한민국 증권가의 큰손, 만방 박진석 회장이 지금 청담동 칭에서 어머니를 기다리고 있어요. 아름다운 어머니가 고개만 까딱하시면 그 남자는 어머니 것이어요.

내가 박진석 회장에 대해 알고 있는 것은 그가 헤아릴 수 없이 많은 재산을 가지고 있다는 것뿐이었다. 작은오빠에게 박회장의 외모에 대해 캐물었더니 어쩐지 어물어물 넘어가려고 했다.

"그 나이치고는 키도 작지 않고…… 못생긴 얼굴은 아니야…… 사채업자같이 생기지 않았어…… 머리숱이 좀……"

성격은 이렇게 대답했다.

"아무래도 좀…… 독하지……"

나는 딤섬의 추억으로 기분이 좋아 보이는 임현명 여사를 곁눈질했다. 풍성한 반백의 머리칼을 염색하지 않고 다소 중성적으로 쇼트커트한 헤어스타일은 키가 큰 엄마를 세련된 전문직 여성처럼 돋보이게 했다. 세 아이를 낳고 칠순이 다가오는 오늘날까지 아름답고 순진무구한 우리 엄마. 이런 엄마를 표독한 팔십대 대머리 사채업자에게 팔아넘겨야 하는 우리의 치욕스러운 현실.

그래도, 가난해지는 것보다는 낫지 않을까?

그런데, 가난해진다는 건 도대체 뭘까?

젠장, 뭔지도 모르는 어떤 것을 피하기 위해 엄마를 팔아먹을 결심까지 하는 것은 꽤나 우습지 않은가?

내가 생각했던 것보다 병원과 식당은 무척 가까운 거리였던 모양이었다. 택시는 금세 목적지에 도착했다. 작은오빠와 약속한 대로 카운터에서 "김혜나예요"라고 말했을 뿐인데 근처에 어수선하게 서 있던 서너 명의 직원들이 일제히 구십 도 각도로 허리를 굽혔다. 칼로 썰어놓은 듯 깍듯한 그들의 어깨를 보면서 나는 두려움마저 느꼈다. 내 이름이 가진 마법적인 효과로 볼 때 오늘 엄마와 나는 홀에 앉아 있던 다른 잡다한 손님들과는 차원이 다른 VVIP인 것이 분명했다.

"여기 친절해졌다? 원래 친절하긴 했는데."

천진난만한 임현명 여사가 흐뭇해했다. 나는 엄마의 등뒤로 숨고 싶은 심정이었다.

우리는 널찍한 룸으로 안내를 받았다. 먼저 와서 앉아 있던 박진석 회장이 자리에서 일어섰다. 우리는 예의바르게 허리를 숙여 인사했다.

작은오빠의 말은 틀린 것이 없었다. 박진석은 키도 적당하고 마른 체격에 괜찮은 용모의 노인이었다. 팔십이 넘었다는데 골격이 짱짱해서 우리 아빠보다도 젊어 보였다. 문제는 볼품없는 머리였는데, 뭐라 형언하기 힘든 스타일이었다. 머리숱이 적다는 말로는 그 특이한 머리를 설명하기 힘들었다. 나는 그를 보고서 머리칼의 밀도가 높든 낮든 간에 머리칼이 일정한 방향을 향하는 것이 매우 중요하다는 사실을 처음으로 깨달았다. 그의 듬성듬성한 머리카락은 오리털파카에서 비어져나온 오리 가슴털처럼 하늘하늘하고 제각각 다 다른 방향으로 맥없이 늘어져 있었다.

두발이 그렇게 우스꽝스러운데도 전체적인 인상은 결코 우스꽝스럽지 않은 것이 바로 박회장이 가진 카리스마의 핵심이었다. 작은 얼굴에 뾰족한 매부리코와 낫처럼 휘어진 날카로운 눈매가 유난히 강렬했는데 오히려 힘없는 머리칼 덕분에 인상이 순화되는 경향이 있었다. 게다가 그는 기백이 있으면서도 카랑카랑하지 않은, 대단히 듣기 좋은 목소리의 소유자였다. 한마디로 외형적 조건만 보아서는 무난히 합격선 이상이었다.

"어서 오십시오. 저는 박진석이라고 합니다."

그가 대번에 본명을 밝혀서 나는 깜짝 놀랐다. 어느 정도 임현명 여사의 환심을 사기 전까지는 그가 신분을 숨길 거라고 생각했기 때문이었다. 작은오빠가 '박진석 박회장 대머리 개새끼'라고 늘상 노래를 부르기 때문에 우리 가족이라면 누구나 박진석이라는 이름을 알았다. 엄마도 흠칫 놀랐다. 우연의 일치인지 모종의 함정에 빠진 것인지 가늠하려 애쓰는 복잡한 얼굴이었다.

"편안하게 식사하십시오. 학원군에게서 모친 이야기를 여러 가지로 전해 듣다가 혜나양의 힘을 빌려서 점심 한번 대접하게 되었습니다."

"어이구, 이 일을 어쩐답니까. 자식이 아니라 웬수들입니다."

엄마가 장탄식을 뿜어냈지만 다행히 상을 뒤엎고 나갈 기세는 아니었다. 순순히 포기하고 교양 있게 식사를 하기로 마음먹은 것 같았다.

"학원군이 철이 좀 없기는 하지만 효자입니다. 모친을 위하는 마음이 극진합니다. 언제나 그 점을 기특하게 생각했습니다."

"학원이 그놈이 진짜 저를 생각한다면 그렇게 살아서는 안 되지요. 박회장님이 학원이를 모르시는 것도 아니니 제가 무얼 숨기겠습니까. 제가 살아도 사는 것이 아닙니다. 학원이가 재기할 길이 있어야 할 텐데, 제가 부모 노릇을 잘못했나봅니다."

박회장의 자비를 구하는 엄마의 목소리가 단박에 젖어들었다. 박회장은 느릿하게 고개를 저었다.

"아닙니다, 임여사님. 그렇게 생각하지 마십시오. 임여사님의 잘못도 아니고, 학원군이 가망이 없는 것도 아닙니다. 학원군에게는 희망이 있습니다. 그렇게 확신을 가지십시오."

박회장이 희망을 언급하는 이 대목에서 나는 김학원이 늘 지껄여왔던 '엄마가 한번 주는' 막장 드라마를 떠올리고 다소 굳어졌으나,

실상 박회장의 말에서 그런 저속한 낌새는 조금도 풍기지 않았다. 그를 항상 노년의 정욕에 들뜬 거부 사채업자로 묘사해왔던 김학원의 흑색선전보다, 실제의 박회장은 훨씬 더 품위 있는 인물이었다.

우리가 자리에 앉자 곧바로 품질 좋은 중국차가 들어왔고 곧 음식이 나오기 시작했다. 박회장은 향긋한 차로 입술을 축이며 담담하게 이야기를 시작했다.

"제 고향이 황해도와 경기도의 경계 근처에 있는 어촌입니다. 처자식을 북에 두고 빈 몸으로 월남해서 오늘날까지 돈이 되는 일이라면 안 해본 것이 없습니다. 젊은 날에는 돈이라면 혼백이라도 팔아먹을 기세로 살았습니다. 그것만이 사는 길인 줄 알았습니다. 일흔 줄을 넘기고 나니 세상을 보는 눈이 달라지고, 여든이 넘으니 내가 산 세월을 달리 보게 됩디다.

사실 인생이라는 게 알고 보면 우스운 것입니다. 멀리 있는 것을 구하느라 가까이 있는 것까지 놓칩니다. 학원군이 지금 젊다보니 재물욕에 눈이 어두워서 자꾸만 허방을 짚고 있는데, 그래도 제가 학원군에게 희망이 있다고 여기는 것은 학원군이 가족에게 큰 애정을 가지고 있기 때문입니다. 부모, 형제, 안사람, 자식에 대해 고르게 애정을 가지고 있습니다. 생각 외로 그런 사람이 흔하지 않습니다. 학원군의 가장 큰 재능은 떼돈을 버는 능력이 아니라 사랑을 베푸는 능력이라는 사실을 일깨워주고, 가족을 위해서 필요한 건 일확천금 떼돈이 아니라 안정적인 수입이고, 안정적인 수입은 정직해야만 얻을 수 있다는 사실을 깨닫게 해야 합니다. 아직은 젊은 혈기가 왕성하고 욕심도 많아서 노인의 이런 말이 귀에 들어오지 않을 것입니다만, 차차 세월이 가면 깨닫는 것이 있을 거라고 봅니다."

우리는 만방 박진석에게 만 방쯤 얻어맞은 것처럼 멍하고 떵했다. 박진석은 노욕의 사채업자가 아니라 추기경 같았다. 우리가 여기에 왜 오게 된 것인지, 과연 그가 엄마에게 관심이 있기는 했는지부터 의심스러웠다. 모든 것은 김학원의 음모이거나 착각이 아니었을까? 박회장의 담담한 몸가짐을 볼 때 정황은 충분히 의심스러웠다.

"음식이 입에 맞으십니까? 임여사께서 딤섬을 좋아하신다고 학원 군이 누누이 강조해서 제가 주방에 신경을 많이 쓰라고 이르기는 했습니다."

진실을 말하자면, 이날 청담동 칭의 딤섬은 우리가 홍콩에서 먹었던 투명한 수정새우의 약 육만 배쯤 맛있었다. 잔뜩 얼어서 입도 떼지 못하는 임현명 여사를 대신해서 내가 좀 대화의 물꼬를 터보기로 했다.

"회장님, 정말 맛있어요. 제가 특급호텔에서도 딤섬을 먹어봤는데, 아무리 한다 하는 곳이라도 홍콩 본토 맛하고는 조금 달랐거든요? 그런데 오늘 식사는 정말 제가 홍콩 시내의 침사추이에 앉아 있는 것 같아요."

"혜나양, 많이 들어요. 나는 사실 외국 음식 맛을 잘 몰라. 고급스러운 거, 정통스러운 거, 도무지 구별을 못 해요. 혜나양이 맛있다고 하니 주방장이 제값을 한 모양이지."

수시로 들락거리며 박회장의 심기를 극진하게 살피는 매니저의 이마에는 자잘한 땀방울마저 배어 있었다. 나는 용감하게 물었다.

"회장님, 여기 자주 오세요? 직원들이 모두 회장님을 아는 것 같아요."

"허허, 자주 오지는 않지만 나를 알겠지. 내가 연초에 이 음식점 인수했어요. 가끔 손님 접대하려면 이런 곳 하나쯤 있는 것도 나쁘지 않을 것 같아서. 임여사께서 딤섬을 좋아하신다고 하길래 주방에다 딤섬이란 걸 최고로 할 수 있느냐고 물었더니 솔직하게 자신이 없다고 하더라고. 그래서 제대로 하는 사람을 불러왔소. 그 친구도 앞으로 쭉 한국에서 일할 생각이 있는 모양이니까 청담동 청은 앞으로 딤섬으로 특화할까 생각도 해보고. 임여사를 초대하는 길에 이런저런 사업 생각도 해보고 그러는 거지. 허허."

침울한 표정으로 내내 말이 없던 임현명 여사가 드디어 입을 열었다.

"회장님, 아들놈은 회장님께 막대한 빚을 지고 있는데 어미라는 사람은 이렇게 정찬을 얻어먹고 있다니, 무슨 이런 경우가 다 있답니까. 저는 아까부터 정신이 없고 무얼 먹고 있는지도 모르겠어요. 아무래도 여기는 제가 있을 자리가 아닌 것 같습니다. 사람이 분별이 있어야 하지 않겠어요."

엄마는 아예 젓가락을 내려놓았다. 울먹한 얼굴이 더욱 소녀같이 예뻤다. 엄마의 여러 가지 다채로운 매력 중에서, 특유의 순진함이 으뜸이었다. 나는 속으로 쾌재를 불렀다.

"그런 생각 하실 필요가 없어요, 임여사님은 그저 맛있게 드시면 됩니다. 다른 뜻은 없습니다."

"아들놈의 명줄이 회장님 손에 있는데 제가 이 밥이 편안하게 넘어가겠습니까? 제가 이 밥을 왜 먹고 있는지나 알려주십시오. 그래야 제가 마음이 편하겠습니다."

임현명 여사가 예상보다 당찬 면모를 보이는 바람에 식사 분위기
는 갑자기 썰렁해졌다. 박회장은 애초부터 딤섬에는 별로 취미가
없는 듯, 바구니에 담긴 딤섬을 한 개씩만 맛보고 그냥 남겨두고 있
었다. 나도 문득 그가 왜 엄마를 만나고 싶어했는지 궁금해졌다. 우
리 엄마가 69세치고는 예쁘고 교양 있다고는 하지만 박진석쯤 되는
재력가라면 그만한 여자가 아쉬울 리 없었다. 마음만 먹으면 이십
대 아가씨 다섯 명도 화투장처럼 손안에 펼쳐놓고 살 수 있는 남자
였다. 박진석은 헛기침을 하고 여러 번 망설이다가 어렵사리 말문
을 열었다.

"아까 말씀드렸듯이 저는 고향이 이북입니다. 저희 집안은 말 그
대로 똥구멍이 찢어지게 가난한 집이었습니다. 저희 집은 사남매였
는데 그중 둘은 서너 살도 못 되어서 죽었습니다. 제 생각엔 못 먹
어서 일찍 갔지 싶습니다. 저는 스무 살에 이른 장가를 갔습니다.
제 처는 개화한 집안의 딸이었습니다. 어린 시절부터 알고 지냈는
데, 저는 그런 귀한 집의 딸이 저 같은 가난뱅이를 마음에 둘 줄은
꿈에도 몰랐습니다. 그런데 처는 당차고 주장이 있어서 일가에서
들이는 좋은 혼처를 모두 마다하고 저에게로 왔습니다. 집에서 쫓
겨나는 것은 개의하지 않았습니다."

박회장은 목이 메서 잠시 말을 멈추었다. 우리 앞에서 바닷가재
딤섬은 속절없이 식어갔다.

"전쟁이 났을 때 처는 만삭이라서 강을 건널 수가 없었습니다. 저
혼자 헤엄쳐서 강을 건너고 처는 북에 혼자 남아서 딸을 낳았습니

다. 저는 십여 년 전에 연길에서 마흔이 넘은 딸의 얼굴을 한번 보았습니다. 어릴 때 열병을 잘못 앓아서 머리가 모자라게 되었다고 들었습니다. 제가 일본에도 줄을 대고 중국에도 줄을 대고 백방으로 손을 써서 어떻게든 모녀에게 돈을 찔러주었습니다. 당 간부라는 놈들이 구할은 빨아먹었을 테지만 남은 부스러기라도 처와 딸의 입으로 들어갔겠지요. 원체 부실하던 딸은 병이 들어 제 어미보다 앞서 갔습니다. 그리고 오 년 전에 아내도 죽었다는 소식을 전해 들었습니다. 이제 북에도 남에도 저는 일가가 없습니다."

"남쪽에 오셔서는 결혼하지 않으셨어요?"

박회장의 이야기에 푹 빠진 나는 나도 모르게 이야기에 끼어들었다. 흥분하면 늘 그렇듯이, 내 두 손은 식탁 모서리를 꼭 쥐고 있었다.

"허허, 혜나양. 내가 평생 혼자 살았다고는 하지 않겠어요. 오가다 만난 여자들과 살림도 살아봤고 한 여자랑 꽤 오래 같이 살기도 했지. 하지만 남들처럼 옳은 가정은 만들지를 못했어요. 나는 같이 사는 여자에게 정을 주지도 않았고, 그렇다고 돈을 넉넉히 쥐여주지도 않았어요. 그러니 그런 남자에게 누가 남겠습니까?"

박회장이 물컵을 집어들고 입술을 축였다. 손이 벌벌 떨려서 물이 쏟아질 것 같았다.

"지주 집안의 딸이고 남편은 월남했으니 북에서 살기가 오죽했겠습니까. 이곳에 억만 재산을 쌓아두면 무얼 합니까. 고생하는 처와 아픈 딸에게 따뜻한 밥 한 그릇을 못 먹여주었습니다."

처자식을 굶긴 것은 박회장인데 흐느껴 우는 것은 우리 모녀였다. 이런 유의 슬픈 사랑이야기는 우리 모녀를 울리는 데 실패해본 일이 없었다.

"학원군이 종종 모친의 이야기를 하는데, 제가 그만 궁금했습니다. 임여사의 면면이 어쩐지 처를 닮은 듯도 하고…… 부친과 모친이 결혼한 사연을 이야기하는데 제가 허허, 그런 사람이 또 있었는고, 생각이 들고. 그래서 제가 실례인 줄을 알면서도 뵙기를 청했습니다. 임여사와 혜나양이 오늘 이렇게 식사하시는 모습을 보니 제 마음이…… 혜나양을 보니까 그만……"

박회장은 더이상 말을 잇지 못하고 급히 손수건을 꺼내 눈을 가렸다.

"그러니 많이 드세요. 두 분 많이 드세요. 제가 얼마든지…… 앞으로도……"

그러나 아무리 세계 최고의 딤섬이라 해도 소리내어 우는 입으로 먹기는 당최 쉽지가 않았다. 우리는 눈이 딤섬같이 퉁퉁 부어서 일어섰다. 손도 대지 않은 딤섬 바구니들 때문에 매니저는 얼굴이 새하얗게 질렸다.

"음식은 괜찮았다고 하는데, 오늘은 많이 못 드셨네. 고실장, 여기 임현명 여사님과 김혜나양을 잘 기억해두고, 앞으로 오시거든 나하고 똑같이 챙겨드리게. 돈을 꼭 받아야 하겠거든 내 앞으로 적어두든지 하고."

우리는 구십 도로 꺾어진 깍듯한 어깨들의 배웅을 받으며 청담동 칭을 나섰다. 칼칼한 11월의 찬바람이 부은 눈두덩을 때리자 불현듯 정신이 돌아왔다. 우리는 택시를 잡을 생각도 하지 않고 휘적휘

적 걸었다. 구름 위를 걷는 것 같았다.

"엄마, 박회장 죽도록 멋있다. 그렇지 않아?"

"그러게 말이다. 좀 제레미 아이언스 닮지 않았니?"

"제레미 아이언스? 하나도 안 비슷하네. 박회장은 훨씬 강렬하잖
아. 눈빛이 낫을 휘두르는 것 같아. 카리스마가 장난 아니던데?"

"어머, 그 영감님이 어디 낫을 휘두르든? 그렇게 외로워 보이는
눈빛은 키아누 리브스 이후로 처음이야."

키아누 리브스라는 말을 들으니까 반사적으로 정욱연이 생각났
다. 키가 좀 작기는 하지만 진짜 키아누 리브스 눈빛은 정욱연이지.
정욱연 이야기가 혀끝까지 튀어올라왔지만 간신히 참았다. 지금 엄
마는 정욱연 이야기를 들어도 아무 관심이 없을 것이 분명했다.

"김학원이 중매쟁이로 소질이 좀 있는 건 아닐까? 은근히 사람
보는 눈은 좀 있는 것 같아!"

"눈이 있기는. 제 욕심에 선불 맞은 돼지처럼 날뛸 줄이나 알지.
어쩌다보니 그런 거지."

엄마는 갑자기 큰길로 뛰어들어 택시를 잡았다.

"엄마, 어디 가게?"

"유기농 매장에 가서 돼지고기 좀 사게. 영감님한테 딤섬이 다 뭐
냐. 그저 이북 양반들은 왕만두가 최고야. 무항생제 돼지고기랑 김
치 팍팍 썰어넣어서 왕만두 좀 빚어야겠다. 너 내일 와서 반죽 좀
밀어라. 만두피 좀 하게."

: 8 :

 갑작스런 추위로 귀가 떨어져나갈 것 같던 12월의 세번째 금요일
이었다. 늦게 일어나서 서둘러 나오느라 일기예보를 놓쳤다. 손에
잡히는 대로 어제까지 입었던 얇은 패딩코트 차림으로 출근했는데
아파트 밖으로 한 발을 내딛는 순간 아차 했지만 갈아입고 나올 시
간도 없었다. 지하철역까지 가지도 못하고 택시를 잡아타고 말았다.
택시 안에서 내다보이는 사람들의 차림새가 다들 안나푸르나 원정
대 같았다.
 성민은 모처럼 일찍 근무를 마치고 서울로 오게 될 것 같다며 저
녁때 병원 앞으로 나를 데리러 오겠다고 했다. 내내 툭탁거리던 중
이었지만 추운 날씨에 데리러 와준다니 하염없이 고마웠다. 정욱연
이 나타나서 "혜나씨, 오늘 저녁?"이라고 묻기 전까지는 기분이 좋
았다.
 정욱연은 나에게 문자도 전화도 하지 않았다. 보육실 앞을 지나

가다가 내가 혼자 있으면 가끔 고개를 들이밀고 "혜나씨, 오늘 저녁?" 하고 묻는 것이 보통이었다. 그런 식으로 우리는 가끔 식사를 함께했다. 대단한 일은 없었다. 오로지 웃긴 것 하나로 용서받는 우리 미친 가족들의 이야기를 해주곤 했다.

예를 들자면 나는 정욱연에게 우리 집에 설치된 여덟 개의 모니터 이야기를 해주었다. 모니터가 인구의 네 배였다. 성민은 항상 뭔가를 설치하는 설치류 인간이었다. 연장통만 있으면 세상에 부러울 게 없었다. 우리 집에는 성민이 오창으로 떠난 뒤에도 아직 여덟 개의 모니터가 남아 있었다. 식탁 옆 눈길이 가기 제일 좋은 위치에 설치한 이십 인치 모니터는 터치스크린이었다. 주방에서 요리하는 동안 심심하지 말라고 설치해놓은 좀 작은 모니터, 침대에 누워 리모컨을 누르면 로봇 팔처럼 지잉 소리를 내면서 천장에서 내려오는 또하나의 모니터, 두 개의 화장실 벽에 각각 또 모니터, 고심 끝에 오창으로 챙겨들고 간 두 개를 제외하고도 아직도 책상 위에 남아 있는 두 개의 모니터, 거실의 가장 큰 벽을 차지한 TV 겸용 와이드 스크린 모니터.

각각의 모니터들은 집 안 여기저기 설치된 PC와 노트북, 프린터, 영상음향기기 들과 완벽하게 교차 공유되었고 제각각 스피커를 거느렸다. 세기의 음악가들은 민망하게도 우리 집 화장실로 빈번한 초대를 받았다. 내가 힘을 주는 순간 기돈 크레머는 격정적으로 현을 내리그었고 비엔나 필하모닉의 연주는 5.1채널 서라운드 음향으로 화장실을 채웠다. 우리 집은 케이프 커내버럴의 NASA 연구소나 지구 상공 사백 킬로미터 궤도를 돌고 있는 국제우주정거장을 점점 더 닮아갔다.

정욱연은 자기 가족 이야기를 하지 않았다. 그저 내 이야기를 들으며 알맞은 때 웃고 적절하게 맞장구쳤다. 그게 전부인, 진짜 '저녁식사'였다. 처음 만났던 날 카페에서 그가 내 머리칼을 쓰다듬고 등을 토닥였던 게 우리 사이에 일어난 스킨십의 전부였다. 그렇게 순백의 저녁식사를 몇 번 했을 뿐인데, 나는 병원에 퍼진 묘한 분위기를 감지했다. 업무상 지하에 내려올 일이 없는 간호사와 직원 들이 둘셋씩 짝을 지어 보육실 앞을 지나가며 나를 곁눈질했다. 나의 과민이나 김칫국이 아니었다. 병원 일층에는 환자와 산모 들이 쉴 수 있는 작은 무료 카페가 있었는데, 친하게 지내는 카페 아가씨를 통해서 나는 그 핑크빛 소문의 실체를 확인할 수 있었다. 원장님이 보육실 김혜나에게 관심이 있다는 소문이었다.

수천 명의 청담동 며느리들을 신도로 거느린 교주 정욱연의 실체는 그랬다. 원무과장이 관리하는 그의 스케줄표는 바늘 꽂을 틈도 없이 빽빽했다. 사생활이 전혀 없이 소처럼 일만 하고 살아서, 저녁 몇 번 먹었더니 곧장 스캔들이 되었다. 보육실에 다니기 시작한 첫날부터 내가 그의 연인이라는 망상에 빠져 살았지만, 남들이 그렇게 생각한다는 건 전혀 다른 이야기였다. 내가 제일 싫어하는 낙하산의 불명예를 감수하고, 나는 작은오빠와 정욱연이 서클 선후배라는 특수관계를 공개했다. 주말부부이긴 해도 남편도 있다, 원장님은 작은오빠의 낯을 보아서 챙겨주는 것뿐이라고 해명하면서 몹시 속이 상했다. 사귄다고 소문만 잔뜩 나고 실제로는 손 한 번 못 잡아본 실속 없는 사이였다.

금요일 저녁이면 성민이 올라온다는 사실을 알아서 보통 주말에는 말을 걸지 않는 편이었지만 이날은 너무 바쁘다 못해 그런 것조차 잊어버릴 만큼 정신이 없었던 모양이었다. 나는 죽고 싶은 심정으로 "성민이가 온대요"라고 대답했고 그는 잠시 성민이가 누구냐는 듯 멍한 표정이다가 아, 하고 짧은 감탄사를 내뱉었다.

"성민씨도 같이 저녁 먹자고 하면 싫어할까? 나는 괜찮은데. 간단하게 인사 한번 나누는 것도 괜찮지 않아요?"

정욱연과 윤성민을 나란히 놓고 밥을 먹다가 내가 성민의 목을 조르지나 않을까 우려스러웠으나, 어쨌든 정욱연과 함께 있을 수 있는 기회를 결코 놓칠 수 없다는 생각 하나로 나는 무조건 고개를 끄덕였다. 우리 세 사람은 병원 앞 곰탕집에 마주 앉았다.

"우리 처음 만났으니까, 소주 딱 한 병 시켜서 건배만 할까요? 나는 다시 들어가서 일해야 해서 마실 수는 없지만……"

"저도 차 가져왔어요. 운전해야 해요."

"그래도 밥만 먹긴 아쉬운데. 그냥 건배만 하고, 이 근처에 분위기 좋은 카페 많으니까 둘이서 차 한잔 마시고 술 깨면 들어가요. 그럼 모처럼 데이트도 되잖아."

소주를 시켜준 건 고마웠지만 성민과 나는 요새 데이트를 할 만한 사이가 아니었다. 나는 아직까지 한 번도 오창에 내려가지 않았고 성민의 불만은 하늘을 찔렀다. 내 쪽에서도 성민이 예쁘지 않았다. 그는 요즘 격무와 과로를 핑계삼아 부쩍 고압적이고 신경질적인 남편이 되어가고 있었다. 굳이 정욱연 때문이 아니더라도, 우리 사이는 요즘 최악이었다.

"혜나야, 너 내일도 근무할 거지?"

당연한 이야기를 갑자기 꺼내는 걸 보니까 그 이야기에 정욱연을 끌어들이고 싶은 모양이었다.

"원장님, 요새 토요일까지 정상근무 하는 직장이 어디 있습니까? 저희는 주말부부인데 토요일 오후근무까지 하니까 혜나가 아직 오창에 한 번도 못 내려왔어요. 이건 좀 너무한 거 아닌가요?"

"야, 너 왜 그래. 넌 내가 니네 사장님 앞에 가서 윤성민 정시에 퇴근 좀 시키라고 하면 좋겠어?"

시작부터 별로였다. 정욱연이 얼른 끼어들었다.

"이거 참 악덕 고용주로서 성민씨한테 할 말이 없네. 직장에 다니는 산모들은 토요일 진료가 꼭 필요하거든요. 직원들한테도 미안해서 토요일 진료를 어떻게든 단축해보려고 노력하는데, 환자들의 수요가 너무 많으니까 경영하는 입장에서 쉽게 결정할 수가 없네요."

나는 속으로 조금 놀랐다. 정욱연은 지금 성민에게 중요한 사실을 은폐 왜곡하고 있었다. 정욱연은 늘 토요일 근무를 했지만 다른 직원들은 2개 조로 나뉘어 격주로 쉬었다. 카페 아가씨도 격주로 쉼터 문을 닫았다. 나처럼 한미한 직원은 마음만 먹으면 토요일 근무를 아예 없앤다고 해도 누가 뭐라 하지 않았다. 내가 한 주도 빠지지 않고 토요일 근무를 하는 건 오로지 나의 자유의지였다. 덕분에 초과근무수당은 두둑하게 받았다. 보육실에서 이십사 시간 근무하고 수당으로 재벌이 되는 게 내 간절한 소원이었다.

정욱연은 나에게 토요일에 하루쯤 쉬고 오창에 다녀와야 하는 거 아니냐는 뻔한 말을 하는 대신 본인이 악덕 고용주가 되는 걸 감수

하는 중이었다. 문득, 카페 아가씨 말이 맞는 건가 하는 생각이 들었다.

"원장님이 먼저 일을 줄이셔야 해요. 윗사람이 일을 많이 하면 아랫사람들은 눈치 보느라 쉴 수가 없거든요. 그걸 아셔야 해요. 저희 부장님이 기러기 아빠거든요. 아이들이랑 부인이 뉴질랜드에 가 있어요."

나는 식탁 밑으로 성민에게 발길질을 했다.

"기러기 아빠가 직장 상사로 있으면 정말 끝장이더라고요. 퇴근을 안 해요. 눈치 없이 주말까지 일하러 나와요. 저는 아이도 없는 주말부부라서 부장님 밥이에요. 정말 미치겠어요. 자기가 기러기면 기러기지, 왜 부하 직원을 괴롭게 하는지 몰라요. 그러니까 기러기들이 욕을 먹죠."

모태 공대생 성민은 발로 차고 옆구리를 찌르는 걸로는 나의 절박한 텔레파시를 도무지 알아듣지 못했다. 내가 죽도록 찔러댄 옆구리만 문지르다가 오히려 버럭 화를 냈다.

"야, 김혜나, 너 왜 자꾸 때려?"

"야, 윤성민, 너 지금 나 엿먹으라고 일부러 이러는 거지?"

"뭘?"

생각해보니 성민은 정욱연이 기러기 아빠라는 걸 모르는 것 같았다. 성민 앞에서는 정욱연 이야기를 해본 일이 없었다. 이 천하의 둔탱이에게 도대체 무슨 말을 어떻게 해야 할지 대책이 안 섰다.

"둘이 동갑이에요?"

정욱연이 성민의 술잔을 채워주면서 물었다. 조금도 불쾌한 내색이 없었다. 오히려 아웅다웅하는 우리를 귀엽게 생각하는 것 같았다.

"네, 어릴 때 같은 동네 친구였어요. 혜나가 저를 좋아해서 맨날 우리 집에 놀러 왔어요."

"그렇구나. 둘이 여전히 소꿉친구 같네."

"내가 널 언제 좋아했다고 그래. 한 번도 그런 적 없거든?"

나는 정욱연 이전에 단 한 남자도 좋아해본 적이 없다는 걸 어떻게 해서든 강조하고 싶었다.

"우리 엄마가 미용실을 하셨어요. 엄마는 딸이 없어서 혜나를 귀여워하셨어요. 장모님이 혜나 앞머리 망쳐놓고 데려오시면 우리 엄마가 열심히 손질해서 겨우겨우 봐줄 만하게 만들어놓으셨어요. 혜나가 어릴 땐 되게 귀여웠거든요. 근데 결혼하니까 와이프로는 꽝이더라고요. 아직도 혜나는 집안일 하나도 못해요. 요리도 되게 못해요. 장모님도 그렇거든요. 지난번에 혜나가 만든 카레 먹고 너무 맛없어서 배탈났어요. 하는 수 없죠. 혜나는 아직도 귀여운 거 하나로 먹고살아요."

야, 인간아, 너랑 나랑 부부인 거 너무 티내지 말란 말이다. 이 남자 앞에서 너랑 나란히 앉아 있는 거, 난 아주 고역이란 말이다.

"아무튼 혜나는 너무 어린애 같아서 큰일이에요. 하나에 빠지면 다른 건 아무것도 눈에 들어오지 않거든요. 요즘은 직장생활에 푹 빠져 있는 것 같아요. 철이 드는 건 다행인데, 직장도 중요하지만 가정생활도 중요한 거잖아요? 제가 오창에 내려간 지 석 달이 넘었는데 아직도 오창에 한 번도 안 왔다는 건 좀 심한 거 아니에요? 원장님이 생각해도 그렇죠? 심하죠?"

정욱연은 난처한 웃음으로 얼버무렸다.

"혜나한테 토요일 하루 휴가 내고 오창에 좀 가라고 원장님이 말씀 좀 해주세요. 혜나가 제 말은 죽어도 안 들어요. 제가 주말마다 서울에 올라오긴 하지만, 가끔은 혜나가 오창에 올 때도 있어야죠. 우린 부부인데, 서로 챙겨줘야 하잖아요. 제가 원장님 뵙게 되면 이 이야기를 꼭 하려고 했거든요."

정욱연은 성민의 말이 백번 옳다는 듯 고개를 크게 끄덕였다. 나는 정욱연이 나더러 오창에 가라고 할까봐 겁에 질렸다.

"근데 성민씨, 오늘 만난 김에 내가 좀 물어보려고 했는데, 컴퓨터 좀 잘 다루지 않아? PC Fi 해봤어요? 그거 좀 궁금해서 물어보고 싶은데."

"네? 원장님, 음악 좋아하세요? PC Fi 하시려고요?"

성민의 눈에서 갑작스런 불꽃이 꽉 튀었다.

"CPU에 달려 있는 팬은 벌써 뗐는데, 아무래도 거슬리는 소리가 남더라고. 그래서 이번에 팬리스 파워를 사서 어제 달았거든. 그거 다는 데도 한 시간 걸리더라. 그거면 될 줄 알았는데 아직도 뭔가 거슬리네. 아무래도 SSD를 사야 하나? 그거 되게 비싸던데."

"어휴! 원장님! 뭐하러 SSD를 사요! 그건 용량이 작아서 아무 데도 못 써요. 차라리 그 돈으로 DAC를 하나 사는 게 나아요. 음질이 확 달라진다니까요. SSD는 필요 없고요, HDD의 소음을 낮추는 게 가격대비 훨씬 나아요."

"HDD를 바꾸지 않고도 소음을 낮출 수 있어요? 난 지금 자료가 너무 많아서 하드를 교체하기는 싫거든. 하드 소음을 어떻게 낮추지? PC 케이스를 바꾸나?"

성민은 몸을 앞으로 내밀다 못해 밥상을 뛰어넘어갈 지경이었다.

"제가 쓴 방법 알려드릴까요? 사실 흔한 방법은 아닌데요, 저는 꽤 효과 봤어요. HDD 속에 있는 플래터가 회전하면서 진동이 생기거든요. 그 진동 때문에 HDD가 케이스랑 부딪쳐서 소음이 생기는 건데, 저는 그냥 아주 단순하게 해결했어요. 굵은 실로 HDD를 묶어서 공중에 띄우는 거예요. 그러면 진동소음이 확 줄어들겠죠! 돈 한 푼 안 들이고 했다니까요! 그거 꼭 해보세요. 강추예요. 고정하기 어려우시면 저 부르시고요. 주말엔 별일 없거든요. 원장님, 이제 저한테 말씀 편하게 놓으세요. 성민아, 그렇게 부르시라니까요. 저도 앞으로 형이라고 부를게요!"

그렇게 두 남자는 감쪽같이 형제지간으로 변신했다. 불여우 같은 형에 미련곰퉁이 동생이었다. 오창은 한반도 지도에서 아예 사라졌다. 형제의 화제가 PC에서 스피커로, 모니터에서 카메라로 막힘없이 술술 넘어가는 동안 나는 아무도 신경쓰지 않는 소주병을 차지하고 나름대로 즐겼다. 성민은 오창으로 발령난 이후 최고로 즐거운 시간을 보내는 것 같았다.

그들은 곰탕 한 그릇과 소주 한 병을 비운 뒤로도 한참 동안이나 정답게 기계 이야기를 나누다가 국밥집을 나섰다. 성민은 정욱연과 헤어지는 것을 진심으로 아쉬워했다. 정욱연은 병원으로 종종걸음 쳐 돌아갔고 우리는 뒤에 남았다. 성민이 가볍게 마셔버린 한잔 소주가 분해될 때까지 우리는 근처의 카페에서 시간을 보냈다.

진한 커피가 뱃속에 들어가자 약간 아쉬운 듯했던 소주 반병의 훈기는 금세 사라졌다. 잔뜩 신이 났던 성민은 기계 이야기를 나눌 상대가 사라지자 곧 시무룩해졌다. 나는 망막에 남아 있는 정욱연의 잔상에 집중하느라 그에게 무관심했다. 나는 곰탕을 앞에 두고 함께한 시간 내내 정욱연의 웃는 얼굴 이면에 짙게 드리워졌던 외로움의 기색에 대해 생각했다. 그는 우리를 아옹다옹하는 여동생 내외 정도로 생각하는 것 같았다. 약간 귀엽기도 하고 한심하기도 하고 부럽기도 한 그런 어린애들 말이다. 그는 우리를 보며 밴쿠버에 있다는 아내를 생각했을까? 정욱연을 닮아서 그리 예쁘다는 아이들을 생각했을까?

"에이, 젠장."

성민이 툴툴댔다. 제발 자신에게 말을 걸어달라는 소리없는 아우성이었다.

"밥 잘 먹어놓고 왜 그래?"

윤성민과 정욱연을 방금 나란히 앉혀놓고 비교한 직후라서 성민의 값어치는 땅바닥을 뒹굴고 있었다.

"원장님이 무슨 대학 나왔다고?"

"작은오빠 서클 선배라니까. 왜?"

"젠장, 학력고사 점수는 내가 더 높았을 텐데."

정욱연이 우리보다 훨씬 연상이므로 수평비교가 불가하기는 했으나, 성민의 말이 틀린 건 아니었다. 성민의 학력고사 점수는 내가 아는 그 누구보다도 높았다. 그는 눈치 따위는 볼 필요 없이 대학과 학과를 선택할 수 있었던 대한민국의 몇 안 되는 행운아 중 하나였다.

"젠장, 어떤 새끼가 나더러 공대 가라고 그랬어?"

"누가 시켜서 공대 갔니? 니가 좋아서 갔잖아. 갑자기 왜 그래?"

"삼촌이 그때 의대 가라고 그랬는데. 삼촌 말 들을걸."

대한민국 대표 공대생, 대표 설치류 윤성민이 이런 푸념을 하는 것은 무언가 잘못돼도 한참 잘못된 일이었다. 성민은 누가 봐도 공대 체질이었고 결국 본인이 소망하던 학과에 진학했다. 게다가 피를 싫어해서 육회는 쳐다보지도 않았고 스테이크도 최대한 익혀서 뻣뻣해져야 먹었다.

"야, 너 의사 될걸 그랬다고 생각하는 중이야? 원장님 보니까 부러워 보여서?"

"젠장, 의사들만 잘살잖아. 이게 뭐야. 난 월급쟁이고. 내 친구들도 기껏해야 교수고. 그때 지방대 의대 갔던 애들, 나보다 점수 오십 점도 더 낮았던 애들, 지금 월 수입이 이천이네, 삼천이네 하고. 뭐 이래. 말도 안 되잖아."

"너 뭐 잘못 먹었니? 오늘 갑자기 왜 이러니? 누가 너더러 월급 적다고 구박하든? 니 나이에 그 정도면 월급 많이 받는 편이지 뭘 그래."

"완전 사기당했어. 제대로 속았어."

"속긴 뭘 속아. 자기 팔자대로 사는 거지."

"야, 우리 과 선배 중에 한 사람이 주가예측 프로그램 만든다고 외국계 증권회사에 취직했거든? 그때 사람들이 그 형 다 손가락질 했거든? 근데 지금 그 형이 제일 잘살아! 십억, 이십억은 우습게 알더라고! 학원이 형 봐! 매일 말아먹어도 돈 몇 억은 또 우습게 끌어 오잖아! 금융계 지들이 하는 일이 뭐 있다고 그렇게 돈을 벌어? 무슨 권리로 그 돈을 지들 맘대로 주물러? 우수한 두뇌라고 치켜세워서 이공계 공부 실컷 시켜놓고, 알고 보니까 돈은 의사, 변호사, 금융권에서 다 나눠먹고 있는 거야! 이게 말이 돼? 의대 가면 속물이라고, 우수한 두뇌가 기초과학을 해야 한다고 그래놓고, 이게 뭐야?"

성민은 이마에 핏대까지 올려가며 씨근거렸다. 불쌍한 윤성민. 오창에서 혼자 별생각을 다 했는가보다. 돈복 없는 놈은 하는 수 없는 거다. 공부 잘해봤자 공대 가서 찬밥 되고, 부잣집에 장가들어봤자 장인이 재산 챙겨서 도망가고.

"아, 돈을 벌고 싶거든 우리 아빠처럼 트럭을 몰든가. 공대 나와서 억울하거든 학력 세탁을 하든가."

"이게 뭐야. 수도권 인구분산 시킨다더니 결국 지방으로 가는 건 연구소랑 공장뿐이야! 은행 본사 가는 거 봤어? 로펌 가는 거 봤어? 연구소만 지방으로 보내! 만만한 게 이공계야! 다니기 싫으면 그만두래! 이게 뭐야?"

"내가 보냈냐고. 왜 나한테 그러냐고."

"에잇 더러운 세상. 나이 사십에 파리목숨 될 줄 알았으면 진작에 다른 길 알아보는 건데. 내 친구들 중에 한의대 간 애들 많다. 혜나야, 나 다시 수능 볼까? 나 머리 녹슬지 않았거든? 한 이 년만 맘먹고 공부하면 될 텐데. 혜나야, 너 나 이 년만 뒷바라지해줄 수 있어? 나 확 사표 내버릴까?"

세상에서 가장 재미없는 이야기에 맞장구를 쳐줄 기분 따위는 조금도 나지 않아서 나는 시큰둥하게 대답했다.

"내일 엄마한테 돈 대줄 수 있냐고 물어보든지."

성민이 말을 멈추고 내 얼굴을 바라보았다.

"지난주에도 처갓집에 갔는데 이번에도 또 가? 이번엔 또 왜 모이는 거야?"

"내 생일이잖아. 몰랐어?"

"더구나 생일인데 우리끼리 보내면 안 돼? 이번엔 못 간다고 말씀드리고 그냥 우리 주말여행이나 갔다 오자."

"해마다 그랬잖아. 새삼스럽게 뭘 그러니? 엄마가 음식 준비 다 해놨을 텐데 지금 와서 어떻게 안 간다고 그래?"

"이젠 우리도 형편이 다르잖아. 우리는 이제 주말부부야. 일주일 내내 떨어져 있고 주말에만 겨우 보는데 그 주말까지 처갓집에서 보낸다니, 너무한 거 아니야?"

"어휴, 너 왜 자꾸 복잡하게 이러니? 주말부부가 뭐 그렇게 대단하니? 해마다 내 생일은 엄마 집에서 해왔잖아. 엄마도 오빠들도 당연히 그러려니 하는데 그냥 좀 편하게 가면 안 돼?"

"생일 아닐 때도 거의 주말마다 처갓집에 갔잖아. 나도 좀 쉬면 안 돼?"

"니가 처갓집에서 무슨 일이라도 했니? 가서 실컷 쉬어! 가서 쉬면 되잖아!"

"혜나야, 너 정말 너무한다."

공대 출신인 그는 가속된 양성자가 전자와 부딪쳤을 때 어느 반경 안에 떨어질까, 그런 계산은 쉽게 해냈지만 말싸움에는 젬병이었다. 사람의 섬세한 감정이나 미묘한 관계 등은 이해하거나 표현

하는 데 심각한 어려움을 느꼈다. 커다란 두 눈에 막막한 답답함을 가득 담고 식식거리는 것이 그가 감정을 표현할 수 있는 빈곤한 수단의 전부였다. 그런 그가 남편 같아 보이지 않고 약간 모자란 남동생 같아 보이는 것이 우리 관계의 가장 큰 문제였다. 나는 작은오빠에게 그러하듯이 성민에게도 다소 귀찮은 듯한 애틋함을 느꼈다.

"아, 그래 알았어. 이번 생일은 벌써 엄마가 음식 장만 다 해놨을 거라서 어쩔 수 없으니까 이번까지만 엄마한테 가자. 다음주부터는 여행을 가든 자빠져 자든 우리끼리 놀자고. 그럼 되지?"

"빨래는?"

성민이 계속 남동생 행세를 했다. 모자란데다 심술까지 잔뜩 난 남동생이었다.

"셔츠는 들어가는 길에 세탁소에 맡겨. 난 다림질은 절대 못 해. 나머지 빨래는 집에서 세탁기 돌리면 되잖아."

"분명히 약속한 거야? 이제 주말엔 우리끼리 쉬는 거야? 학원이형 생일에도 안 가는 거다?"

그 정도 타협만으로도 성민은 슬그머니 기분이 풀렸다. 워낙 쉬운 성격이었다. 나에게 짜증을 부리고 신경질을 부려대는 성민은 아무래도 낯설었다. 새로 발령난 연구소 건물의 풍수지리가 나쁜가, 나는 속으로 한숨을 쉬었다.

아빠의 극성스러운 막내딸 사랑 때문에 언제나 내 생일은 우리 가족 최대의 잔치였다. 아빠가 요란스럽게 가족리그에서 빠진 뒤로도 관성의 힘은 그대로 작용하여, 엄마는 여전히 막내딸의 생일을 일 년 중 최대 명절로 삼았다. 아빠란 있든 없든 우리 인생에 큰 차이가 없는 존재라 치부하고 즐겁게 살자는 게 우리의 모토였지만, 든든한 물주였던 아빠는 사라지고 블랙홀인 작은오빠는 여전히 건재한 현 상황은 여러모로 우리의 생활패턴을 바꾸었다.

네 가족을 모두 합하면 열 명이었고 곧 열한 명으로 불어날 예정이었으므로 이 많은 인원이 근사한 외식을 한다는 건 요즘 우리의 경제력으로는 버거웠다. 엄마의 자연식, 전통식 취미생활이 나름 생존을 위한 절약 전략일 수도 있겠다는 심증이 점점 더 굳어가는 요즈음이었다. 엄마와 아빠의 이혼 초기에는 축 늘어진 엄마의 어깨를 세워준다는 명목으로 이리저리 고급 음식점을 싸돌아다니며 외식도 즐겨 했지만, 결국 그 부담은 고스란히 엄마에게 돌아가게 되더라는 간단한 진실을 깨달은 작년쯤부터 모든 가족회식은 엄마의 집에서 엄마의 노동력을 빌려 음식을 차리는 것으로 정착되어가고 있었다.

내 생일을 맞이해 엄마가 선택한 메뉴들은 다음과 같았다. 녹두전, 김치와 돼지고기를 듬뿍 넣은 왕만두, 그리고 초계탕이었다. 부엌에는 『피양에서 왔시요』라는 요리책이 나뒹굴고 있었다. 안 그래도 주말부부가 되었다고 욕구불만의 꼭대기에 올라앉아 있는 사위 성민에게 엄마는 인정사정없이 밀가루반죽과 주전자 뚜껑을 떠안겼다.

"성민아, 얼른 만두피 좀 밀어. 혜나 너는 거기 앉아서 얼른 만두 빚고."

"이게 뭐야, 온통 이북음식뿐이잖아. 누가 생일에 이런 걸 먹어? 잡채라도 좀 하지!"

나도 모르게 불만이 튀어나왔다. 나는 김치가 들어간 음식을 좋아하지 않았다. 과연 엄마가 내 식성을 염두에 두기나 한 건지 의심스러운 메뉴 선정이었다.

　"우리밀 통밀가루에 무항생제 돼지고기에 유정란으로 만든 거거든? 이런 음식을 어디 다른 데서 구경이나 할 수 있는 줄 아니?"

　"오늘이 영감탱이 생일이야? 내 생일이잖아! 그런데 왜 온통 이북음식이야?"

　"어머머, 애 좀 봐. 여기서 왜 박회장님이 나오니? 김치가 푹 익어서 맛있길래 한번 해본 것뿐인데. 너 이상한 소리 좀 하지 마라."

　엄마가 시치미를 뗐다. 성민은 군소리 없이 만두피를 찍어서 나에게 내밀었다. 나는 울화통이 터졌다.

　"냉면도 하지그랬어? 이북 사람들은 냉면이 최곤데 냉면은 왜 빼먹었대?"

　엄마는 대꾸할 가치도 없다는 듯이 내 말을 묵살했지만 나는 곧 베란다에서 곰솥 한가득 담겨 있는 맑은 국물을 발견했다.

　"얼씨구! 역시나! 냉면 국물도 했구나! 내가 이럴 줄 알았어! 국수틀은 안 샀어? 메밀 농사는 안 지어?"

　엄마는 쌀쌀맞은 얼굴로 솥뚜껑을 빼앗아서 덮었다.

　"얼른 가서 만두나 빚어. 왜 여기저기 뒤지고 난리야."

　"뭐야? 벌써 영감탱이가 금반지라도 줬어? 둘이 벌써 그렇고 그런 사이야?"

　"애가 입에 걸레를 물고 잤나, 말하는 게 왜 이래."

　"엄마가 웃기잖아! 딸 생일인데 영감탱이 좋아하는 반찬만 잔뜩 해놓은 게 웃기잖아! 그럼 이게 안 웃겨? 안 웃겨?"

"그래, 불쌍한 영감님 만두 몇 번 빚어드렸다! 너희들은 이런 음식 흔해빠졌지? 하나도 고맙지도 않지? 그 영감님은 한평생 가족이 정성껏 차려주는 따순 밥 한번 못 드시고 사셨더라! 내가 평생 너희들 먹이고 입혀서 키웠는데, 너희들 고맙다는 소리 한 번이라도 해봤니? 영감님은 이깟 만두 한 접시만 드려도 눈물이 핑 돌더라! 너희처럼 은혜도 모르고 싸가지 없는 것들이 뭘 알아? 가난하고 고생하면서 정에 주려 사는 게 어떤 건지, 너희들이 알긴 뭘 알아? 밥한 끼 굶어본 일도 없는 주제에!"

총재산이 적당히 한가한 지방자치체의 연간 예산을 넘어간다는 박진석 회장이 어쩌다가 만둣국도 못 얻어먹은 불쌍한 늙은이로 일컬어지는 것인지 알다가도 모를 일이었다. 나는 내 생일상에까지 드리운 박회장의 권세를 실감했다. 정말로 그가 나의 새아버지가 될 수도 있겠다는 생각이 들었다. 그게 좋은 일인지 나쁜 일인지는 감이 오지 않았다. 왠지 모르게 가슴이 아팠다.

토요일이었지만 각자 아이들의 사교육 스케줄이 너무 많아서, 오빠네 가족들은 해가 지고도 한참 뒤에야 꾸물꾸물 나타났다. 오빠와 올케와 조카 들이 나타났을 무렵엔 우리는 너무 배가 고파서 녹두전이며 만두를 한 개 두 개 집어먹다가 어설프게 화해 비슷한 것을 한 뒤였다. 작은오빠네가 약간 먼저 도착했다. 새터민 풍의 생일상을 보고도 아무런 의문을 제기하지 않는 걸 보니 이들은 이미 모종의 기대에 부풀어 있는 것 같았다. 작은올케가 다소곳하게 보고했다.

"어머니, 저희 오늘 집 나갔어요. 계약서 썼어요."

"휴우, 그래. 알겠다. 하는 수 없지. 너희들 힘들겠지만 시간 나는 대로 와서 짐 정리 좀 해라. 너희 세 식구가 들어오려면 짐을 좀 치워야지. 학원아, 제발 부탁인데 사고 좀 치지 마라. 이번에 같이 사는 건 어쩔 수 없다 치고, 몇 년 안에는 재기해서 꼭 나가야 한다, 응?"

그러나 엄마의 간곡한 부탁이 김학원의 가슴에 가 닿았다고 보기엔, 그는 너무 낙천적인 얼굴이었다. 그는 여전히 음식의 맛과 품질에만 관심을 기울였다.

"엄마, 초계탕 국물 괜찮은데? 영감탱이 이런 거 되게 좋아해. 그런데 만두에 당면은 왜 넣었어? 질색하는데."

"그래? 만두에 당면 넣으면 싫어하셔서? 이상하다, 별말씀 안 하고 잘 드시던데."

"이 만두를 벌써 먹었다고? 엄마가 박진석네 집에 갔었어? 음식 싸들고?"

엄마가 수줍게 얼굴을 붉혔다.

"아니, 만두 좀 빚어놨으니까 기사 보내서 가져가시라고 말씀드렸는데, 영감님께서 성미가 급하셔서 후딱 오신 거야. 방금 빚은 거 그 자리에서 좀 드시고 싶다고. 글쎄 앉은자리에서 왕만두 다섯 개를 뚝딱하시는 거 있지. 드시는 모습은 아주 청년 같더라니까."

"어머니, 다음부터는 제가 같이 할게요. 어머니 이거 혼자 다 하시느라 힘드셨죠."

어느새 아랫배가 봉긋하게 솟은 작은올케가 싹싹하게 말했다. 박회장으로서도 좋은 일일 거다. 음식솜씨로 말하자면 작은올케가 엄마보다 훨씬 낫기 때문이다.

"얘, 너는 미술학원일 하고 태욱이 돌보고 둘째까지 가진 애가 음식까지 한다고? 아서라. 뭐 이까짓 것 그리 힘들지도 않다. 내가 원래 음식 하는 걸 좋아하잖니."

먹는 사람 입장 따위는 생각할 이유가 없는 임현명 여사가 자신만만하게 대답했다. 임현명 여사는 박진석 회장을 만난 이후로 부쩍 활기와 당당함을 되찾은 모습이었다. 푸석하고 맛없는 만두도 달게 뚝딱 비우는 박회장의 존재는 엄마가 입은 자존심의 치명상에 기적의 치료제가 되어주었다. 적어도 그 면에서는, 나는 박회장에게 고맙게 생각했다.

"혜나야, 너 휴대폰 좀 줘봐. 오빠가 생일선물 줄게."

김학원이 내 휴대폰을 채뜨려갔다. 그는 내 휴대폰 벨소리를 주기적으로 바꾸는 게 취미였다. 나도 모르는 새 바꾸어놓는 통에 내가 내 벨소리를 못 알아듣는 경우가 많아서 이제는 오빠가 거는 전화의 벨소리만 자기 마음대로 바꾸는 것으로 규칙을 정했다. 휴대폰 설정을 바꾸면서 작은오빠는 은근히 내 통화와 문자기록을 훑어보는 것 같았다.

"자, 이제 이 노래야."

김학원의 만면에 득의만만한 미소가 넘쳤다. 그가 나에게 전화를 걸자 내 휴대폰이 새로 배운 노래를 불렀다.

"키스해주세요~ 앞이빨이 쑥 빠지도록~ 껴안아주세요~ 갈비뼈가 으스러지도록~"

그가 자지러지게 웃으며 손뼉을 쳤다.

"이거 진짜 오랜만이지? 내가 이거 직접 부르고 믹싱한 거다. 너 이거 바꾸지 마, 응? 오빠가 이거 녹음하느라 엄청 힘들었어."

빚쟁이에 쫓겨 도망다니다가 돌아온 지 며칠 되지도 않았으면서, 이런 일을 할 시간은 언제라도 낼 수 있는 게 바로 나의 작은오빠였다. 성민이 짜증스럽게 내 휴대폰을 빼앗았다.

"형! 이런 노래 좀 설정해놓지 마! 혜나가 무슨 초등학생이야?"

"뭐 그렇게 죽자고 정색하니? 웃자고 하는 일에."

"혜나도 이제 직장생활 하잖아! 직장에서 이런 벨소리 울리면 어쩌란 소리야?"

"너 그거 지웠어? 야! 내가 그거 얼마나 열심히 녹음한 건데!"

다행히 중재자가 나섰다.

"엄마, 나 게임 해줘."

태욱이가 보드게임 박스를 들고 부엌으로 왔다. 작은오빠는 어쩐 일인지 순순히 내 휴대폰을 포기하고 태욱이에게 돌아섰다.

"엄마는 지금 바쁘니까 아빠가 해줄게. 이리 와. 슈퍼몽키의 바나나 대작전? 이거 진짜 재미있겠는걸. 자, 이거 어떻게 하는 건지 아빠한테 가르쳐줄래?"

작은오빠가 태욱이의 손을 잡고 거실로 나갔다. 곧 부자간에 열띤 게임 공방이 벌어졌다. 아이와 놀아준다기보다는 오빠 스스로 열불나게 노는 것에 가까웠다. 작은오빠의 정신연령은 보드게임 상자에 적혀 있듯이 3세에서 8세 사이 어디쯤에 느긋하게 머물고 있었다.

"참, 저렇게 재미있을까. 애들이랑 놀아주는 데는 귀신이라니까요."

작은올케가 부자를 바라보며 흐뭇한 미소를 흘렸다. 채권자에게 전세보증금마저 내주고 굴욕의 합가를 하게 된 작은오빠 부부의 얼굴에서는 뜻밖에도 그늘을 찾을 수 없었다. 어둡기는커녕, 언제나 무엇에 쫓기는 듯 그늘졌던 올케의 얼굴은 오늘따라 유난히 편안해 보였다. 아시아의 화약고나 다름없는 작은오빠 같은 인물과 함께 살려면 마음의 평화 따위는 기대하지 않는 편이 좋다. 그녀의 얼굴이 이토록 평화로워 보인다는 것은 그녀가 정신분열증이거나 뭔가에 속고 있다는 뜻이었다.

"무슨 좋은 일 있나봐요?"

이 순간 작은올케가 누리고 있는 부적절한 행복감이 불안해 보여서 나는 약간의 경각심을 불러일으키기 위한 질문을 던졌다.

"좋은 일은요. 그런 거 없어요. 하지만 이번에 태욱이 아빠가 정신을 좀 차린 것 같기는 해요. 지금까지 잘못 살았던 거야 어쩌겠어요. 앞으로라도 옳은 방향으로 나가기만 한다면야 더 바랄 게 없죠."

"작은오빠가 정신을 차려요? 뭐라고 그러는데요?"

"뭐, 이제는 자기도 크게 사업 벌일 욕심은 다 버렸대요. 그저 박진석 회장님이 지금까지 쌓인 빚이나 청산해주시고 어디 가까운 데 골프장 운영권 같은 것 하나만 맡겨주시면 그 일이나 하면서, 태욱이와 새로 태어날 아기한테 좋은 아빠 노릇이나 하면서 살겠다고 그러네요. 그래서 저도 그러라고 했어요. 저도 정말 아무 욕심 없어요. 그저 아이들 교육이나 반듯하게 시키고 우리 가족 빚 없이 화목하게 살면 전 더 바라는 것 없어요."

그녀의 눈길은 거실에서 놀고 있는 태욱이와 작은오빠에게 평화롭게 걸쳐져 있었다. 보살심이 저런 것인가 싶은 자애로운 미소만 보아서는 그녀의 대사 속에 대수롭지 않게 언급된 희망수익이 무려 수백억원에 육박한다는 사실은 놓치기가 십상이었다. 나는 말문이 턱 막혔다.

큰오빠네가 떠들썩하게 들어섰다. 큰올케는 생의 대부분의 시간 동안 화가 나 있는 상태였지만 오늘은 특히나 상태가 안 좋아서, 꼭 쥔 주먹을 허리에 대고 이를 악물고 큰조카를 노려보고 있었다.

"해명이는? 해명이는 왜 안 데리고 왔어?"

"해명이는 오늘 학원 특강 있는 날이에요. 열한시에 끝나니까 이따 집에 가는 길에 데려가면 돼요."

작은조카는 얼굴도 못 보게 된 모양이었다. 우리 가문의 핏줄 중에서는 유일하게 공부머리가 좀 돌아가는 해명이는 유일한 기대주라는 죄목으로 제 형보다 더욱 심하게 닦달을 당했다. 학원의 특목고 대비반에 선발된 이후로는 명절에조차 얼굴을 볼 수 없게 되었다. 그 아이는 언제나 특강중이거나 연수중이었다.

"할머니, 배고파요."

큰조카 해찬이가 할머니에게 말했다. 큰올케는 기다렸다는 듯이 큰조카의 등짝을 철썩철썩 후려치며 소리를 질러댔다.

"밥이 넘어가니? 밥이 넘어가? 니 동생만큼만 해봐라! 그동안 너한테 처바른 돈을 다 모았으면 제주도를 통째로 사고도 남았어, 이놈아!"

우리는 큰올케의 과녁이 되지 않기 위해 이리저리 시선을 옮기며 서둘러 저녁상을 차리기 시작했다. 생일선물인지 뭔지 정체가 불분명하나마 큰오빠가 들고 와서 아무렇게나 놓아둔 일본 정종에 눈길이 꽂혔다. 나란히 서 있는 정종 두 병은 됫병 크기의 당당한 자태가 눈에 탐탁했다. 통 큰 주량은 큰오빠와 나 사이에 유일하게 통하는 부분이었다. 나는 서둘러 동치미 국물로 입을 헹구고 내 잔에 찰랑거리는 정종을 비웠다. 달큼한 것이 입에 짝짝 붙었다.

"넌 숙제 다 끝내거든 먹어! 숙제 다 끝내기 전에는 밥 먹을 꿈도 꾸지 마!"

큰올케가 밥상에 앉으려는 큰조카에게 악을 썼다. 덩치가 송아지만 한 큰조카는 팔뚝으로 눈을 문지르며 울기 시작했다.

"얘, 숙제가 뭔진 모르겠지만 시간도 늦었는데 밥은 먹이고 시켜라. 공부도 다 먹고살자고 하는 일인데 너무하지 않니."

보다 못한 임현명 여사가 나섰다. 큰올케가 두 주먹을 허리에 올리고 엄마 쪽으로 돌아섰는데, 놀랍게도 눈알에 검은자는 없고 온통 흰자뿐이었다.

"어머니, 얘가 오늘 무슨 짓을 했는지 아세요? 희망직업에 경제학자라고 써놓았다고요. 아시겠어요? 그런데도 밥이 넘어가냐고요. 희망직업을 경제학자라고 써놓은 놈 입에서 밥을 달라는 소리가 나오게 생겼냐고요, 네?"

"아니 경제학자가 어때서…… 도대체 무슨 소리인지……"

큰올케의 갈라진 목소리가 허공을 후려쳤다.

"작년까지는 법관이라고 했단 말이에요! 아시겠어요? 입학사정관제에서 희망직업의 일관성이 얼마나 중요한지 아세요? 이 아이는 어릴 때부터 법관이 되고 싶어했다는 포트폴리오를 짜고 있었는데, 글쎄 이 바보 같은 녀석이 이번에 난데없이 경제학자라고 써서 냈다는 말씀이에요! 아시겠어요? 어머니, 제가 입학사정관제 컨설팅 비를 얼마나 썼는지 아세요? 오백만원이라고요. 애비 벌이는 시원찮은데도 쥐어짜고 쥐어짜서 오백만원이나 썼다고요. 그런데 그걸 이 녀석이 엉망으로 만들어버렸다고요. 이제 아시겠어요?"

어느 평범한 십대 청소년이 어느 날 장래희망을 법관에서 경제학자로 바꾼 것이 그렇게 엄청난 결과를 초래할 수 있다는 사실에 우리는 모두 입을 다물었다. 직업을 바꾸는 것도 아니고 국적을 바꾸는 것도 아니고 그저 꿈을 바꾸는 것조차 중범죄가 된다니, 끔찍한 세상이었다. 아이는 팔꿈치에 얼굴을 파묻고 울고 있었다.

큰올케의 교육관은 한결같이 무자비했지만 그 속내를 가만 들여다보면 상당히 종잡을 수 없는 구석이 있었다. 큰올케는 이 불안정한 세상에 붙잡을 수 있는 동아줄은 교육밖에 없다는 교육 절대지상주의와, 돈이 최고지 그까짓 학력 따위는 아무짝에도 쓸모가 없다는 교육무용론 사이를 주기적으로 오갔다. 생각의 시곗바늘이 어느 쪽을 향하건 아이에게 관용을 베푸는 일은 없었다.

"적당히 좀 해라. 공부는 어릴 때 학원이가 제일 잘했다. 그래서 뭐 좋은 게 있든? 이만큼 살고 보니 공부도 별것 아니더라."

임현명 여사와 그녀의 전남편 김덕만 사장을 포함한 우리 부모 세대의 유명했던 교육열은 당신들이 누리지 못한 것에 대한 한풀이의 성격이었다. 우리 부모들은 이 세상의 축복받은 인생만이 누릴 수 있는 특권의 아이콘으로서 대학을 철석같이 숭배했다. 그러나 부모들의 부푼 가슴을 안고 덩달아 가슴 부풀어 대학에 들어간 우리는 많은 믿음에 배신당해야만 했다. 공부를 열심히 하면, 좋은 대학에 가면, 좋은 직장에 취직하면, 일단 집을 사면, 무언가 잘될 줄 알았다. 그러나 그 순진했던 믿음을 가장 충실히 추종했던 자의 현재가 어떠한지는, 어제저녁 내 남편 윤성민이 '의대 갈걸'이라는 사자성어로 요약했던 바 있다. 뒤통수치는 깨달음이 자고 나면 하나씩 찾아오는 세상이었다.

그런데도 올케들은 여전히 교육에 매달렸다. 더이상 숭상하지도 않는 것에 매달리는 심리는, 자식이 없는 나로서는 이해하기 힘들었다. 그저 내가 보기엔, 달리 몸부림칠 방도가 없어서 그런 것 같았다. 큰올케의 잔학함에서 작은올케의 인자함에 이르기까지 스펙트럼은 드넓었으되, 그녀들의 교육열의 주성분은 똑같이 순도 높은 불안이었다. 한 치 앞을 알 수 없는 세상에서, 불안하지 않을 수 있는 강심장은 없었다.

"그나저나 어머니는 좀 어떠세요? 요즘 생활비는 부족하지 않으세요?"

큰오빠가 불쑥 엄마에게 물었다. 나를 포함해 듣고 있던 사람들이 모두 깜짝 놀랐다.

"뭐, 나야 괜찮다. 내가 요새 돈 쓸 일이 뭐가 있겠니. 걱정해줘서 고맙다."

엄마는 흐뭇한 기색을 감추지 못했다.

"제가 좀 생각을 해봤는데요, 제가 어머니한테 돈을 보태드리기는 힘들지만 그래도 어머니 경비 절감이라도 좀 되는 방향으로 하는 게 좋을 것 같아요. 중계동 상가랑 세곡동에 있는 그 자투리 땅, 그거 이 참에 제 앞으로 명의를 옮겨놓으세요. 그거 한 해 세금만 해도 우리가 한두 달 생활비는 드리는 셈이 되잖아요. 지금 엄마가 매년 내는 세금도 아껴서 생활비에 보태고, 엄마가 하루라도 젊을 때 사전증여를 해놓아야 나중에 우리한테 돌아오는 세금 부담도 적으니까……"

엄마의 마지막 남은 재산을 자기 한입에 털어넣겠다는 소리도 저렇게 인심 쓰듯이 할 수 있는 것이 큰오빠가 가진 여러 가지 걸출한 능력 중 하나였다. 엄마가 십 년은 늙은 얼굴로 초계탕 국물을 후루룩 들이켰다. 속이 탔을 것이다.

"세금 낼 돈은 있으니까 걱정하지 마라."

"어머니, 잘 생각해보세요. 그 땅 어머니 앞으로 놔두면 애먼 놈들이 들러붙거나 하고 어머니 혼자 힘으로는 관리하시기도 어려워요. 그리고 어머니, 학원이하고 합가하시기로 했다면서요? 어머니, 분명히 말씀드리는데, 맏아들은 접니다. 동생들만 그렇게 싸고돌다가 결국 다 뜯기고 말년에 개털이 되어서 오시면 전들 좋겠어요? 어머니가 좀 현명하게 처신을 하셔야죠."

나는 연거푸 정종 두 잔을 입에 털어넣었다. 내 술버릇을 익히 아는 성민이 내 옆구리를 찔렀다.

"너 천천히 마셔라. 벌써 한 주전자는 마셨다, 너."

"내가 뭘? 거의 안 마셨거든?"

"거의 안 마셔? 벌써 두 병 다 비었잖아. 이거 거의 다 니가 마셨어."

"왜 나한테 그래? 여러 사람이 다 한 잔씩 마셨으니까 그런 건데!"

우리는 또 투닥투닥 싸우기 시작했다.

"엄마, 다 했어."

큰조카가 퉁퉁 부은 얼굴로 문제집을 들고 나왔다. 큰조카는 드디어 만둣국을 한 그릇 얻어서 밥상 앞에 앉았다. 엄마는 얼른 초계탕의 굵은 다릿살을 찢고 국물을 떠서 조카 앞에 놓아주었다. 큰올케는 핸드백에서 정답지와 빨간 펜을 꺼내서 밥상에 놓고 채점을 하기 시작했다. 큰조카가 만두 반 개도 먹기 전에 큰올케는 아이의 등짝을 철썩철썩 쳐댔다.

"너 왜 심화학습은 안 풀었어? 기초테스트만 겨우 해놓은 거잖아? 이래 놓고 밥 먹으러 나왔어? 하여튼 할머니만 계시면 애가 이렇게 뻔뻔해진다니까. 이런 녀석을 특목고 대비반에 넣으려고 한 내가 바보지. 당장 들어가서 심화학습까지 다 풀고 나오지 못해?"

보다 못한 엄마가 용기를 쥐어짜냈다.

"고모 생일인데 좀 봐줘라. 방학 때 열심히 해서 만회하면 되지. 해찬아, 그렇게 할 거지? 방학 때 열심히 할 거지? 그렇지?"

그러나 큰조카가 대답할 시간도 없이 큰올케가 악을 썼다.

"어머니! 바로 그 방학 때문에 이러는 거잖아요! 해찬이 방학 때는 뉴질랜드로 어학연수 가야 한단 말이에요! 그러니까 방학 전에 삼학년 선행 마치려면 할 일이 태산인데, 애는 철없이 게으름만 부리고, 어른들은 오냐오냐하니까 문제잖아요! 어머니는 아무것도 모르시거든 말씀을 하지도 마세요!"

"아니, 해찬이가 지금 삼학년인데 무슨 삼학년을 또 시킨다고 그러니?"

"고등학교 삼학년이요, 어머닛! 방학하기 전에 고등학교 삼학년 과정을 떼어야 한다고욧!"

또다시 큰올케의 눈에서 검은자가 사라졌기 때문에 우리는 아무도 토를 달지 못했다. 큰오빠가 음울하게 중얼거렸다.

"거참, 공부 공부, 시끄러워 죽겠네. 그까짓 거 뭐하러 시켜? 학교 다닐 때 죽자고 공부해서 서울대 간 놈들, 즈이들이 왕이라도 되는 것처럼 깝쳤지만, 기껏해야 월급쟁이밖에 더 돼?"

"어머 이이 좀 봐. 월급쟁이 알기를 뭘로 아네. 대기업에 취직하기가 얼마나 힘든지 몰라? 번듯한 직장에 취직하기가 하늘의 별따기인 줄 몰라? 억대 연봉 몰라?"

"억대 연봉? 겨우 월 천 번다고 그 법석이야? 요새 천만원이 돈이야? 참내, 또라이들이라니까. 아무리 좋은 대학 나오면 뭐하나? 남의 밑에서 눈치 보면서 월급이나 받아먹다가 늙기도 전에 짤리는 월급쟁이 되자고 그 공부를 했어?"

안 그래도 존재감 없이 주전자 뚜껑과 씨름하며 만두피나 밀었던 내 남편 성민의 어깨는 초콜릿으로 만든 것처럼 연약해 보였다. 나는 정종병을 눈앞에서 흔들었다. 맑던 정종은 어느새 됫병의 밑바닥에서 찰랑거리고 있었다. 잔에 부어보아도 절반도 차지 않았다. 병이 두꺼웠나? 커다랗기만 했지 별로 든 것은 없구만. 나는 마지막 정종을 단숨에 들이켰다. 술이 아니라 시너였는지 취하지는 않고 목구멍만 활활 타올랐다. 위험한 분노가 넘실넘실 차올랐다.

"그건 애비 말이 맞아요, 어머니. 아무리 스카이 대학을 간다 해도 겨우 월급쟁이나 되면 뭐해요. 그러니까 요새는 학교보다 전공이 중요해요. 쓸모 있는 전공을 해야죠."

"해명이가 자꾸만 공대에 가겠다고 해서 걱정이야. 애가 철이 없어서. 공대? 그거 기껏 잘돼봤자 교수 나부랭이밖에 더 되나? 요새 공대 교수 월급, 한 오륙백 되나? 그건 넘나? 성민아, 니 친구들 중에 교수 된 애들 있냐? 얼마나 번다고 하디? 연봉 칠팔천? 그걸로 요새 애들 학원비나 되나? 제일 잘돼봤자 교수라니, 한심한 일이야. 그걸 벌어서 어떻게 살겠다고."

나는 젓가락을 거칠게 내동댕이쳤다. 젓가락 끝에 묻어 있던 당면가락이 날아가서 큰오빠의 뺨에 찰싹 달라붙었다. 온 집 안이 삽시간에 조용해졌다. 큰오빠의 짙은 눈썹이 구불텅하고 치켜올라갔다. 나는 큰오빠의 위협적인 분노 따위는 아랑곳하지 않고 고함을 질렀다. 이천 데시벨.

"이걸 만둣국이라고 했어? 이게 만두 세숫물이지, 만둣국이야? 만두피가 다 풀어져서 콧물처럼 흐느적거리잖아! 나 이거 안 먹어! 박진석은 이런 걸 먹고도 뭐라고 안 그래?"

어린 시절부터 버르장머리 없기로 소문났던 나의 유명한 밥투정이었다. 엄마가 재빨리 말을 이어받았다.

"어머, 애. 만두피가 이상해? 영감님은 잘만 드시던데. 유기농 통밀가루라서 그런가. 찰기가 좀 없긴 하지? 그래도 구수하지 않니?"

눈치만 보고 있던 작은올케도 기회를 놓치지 않고 끼어들었다.

"박회장님 연세도 있으신데 건강에 좋은 걸 드셔야죠, 어머니. 제 생각엔 박회장님은 좋아하셨을 것 같아요. 밖에 나가서 사먹는 음식이야 어디 이런 정성이 들어 있나요."

큰올케가 목을 움츠리고 눈을 빛내며 엄마와 나를 번갈아 바라보았다. 큰올케를 보면 어쩐지 '몽구스'라는 짐승이 떠올랐다. 그 짐승이 실제로 어떻게 생겼는지는 전혀 모르지만 말이다. 어릴 때 읽은 키플링의 소설에서는 몽구스가 코브라를 사냥하는 사납고 날렵한 짐승이라고 했는데, 그게 사실이라면 몽구스와 큰올케는 가까운 혈연관계가 분명했다. 큰올케라면 분명히 끼니마다 코브라를 산 채로 아작아작 씹어먹을 것이다.

"박회장? 무슨 박회장 말이에요? 만방 박진석 그 사람? 그 사람이 왜? 동서, 그게 무슨 말이야? 그 사람이 왜 어머니 만둣국을 먹어?"

몽구스가 눈을 반짝이며 속사포처럼 질문을 던졌다. 내가 고함으로 대답을 대신했다.

"그 영감탱이랑 연애 며칠 했다고, 생일상 꼬라지가 이게 뭐야? 이게 김정일 생일이야? 이따위로 하려면 다시는 음식 하지도 마! 영감탱이가 다 풀어진 만두 좋아하거든 내 만두는 따로 빚어! 내 거는 유기농 통밀 말고 농약 팍팍 친 거, 하얀 밀가루로 쫀득하게 만들란 말이야! 아니면 차라리 청담동 칭에서 케이터링을 시켜! 그것도 영감탱이 거잖아!"

다시 침묵이 흘렀다. 모두들 태어나서 처음 보는 음식인 것처럼 새롭고도 신중하게 만둣국을 바라보았다.

"만두 진짜 이상해? 그냥 흰 밀가루로 다시 할까?"

엄마가 가족들의 의견을 구했다.

"저는 담백하고 진짜 맛있는데요, 만두소만 더 꽉 짜고 만두피만 좀 야무지게 여미면 될 것 같아요, 어머니."

작은올케가 야무지게 비위를 맞추었다.

"만두에 당면 넣는 건 싫어해. 당면만 빼면 돼. 사실 그 새끼 아무거나 다 먹어."

작은오빠도 거들었다. 큰오빠 부부도 재빨리 변신했다.

"이걸 집에서 빚었다는 게 중요하죠, 어머니. 조미료만 잔뜩 넣어서 맛있게 하면 뭐합니까. 혜나야, 너도 이제 나이가 곧 마흔이다. 언제까지 그렇게 철이 없을 거냐. 어머니께서 혼자 이거 다 차리시느라 얼마나 힘드셨을 텐데, 음식 투정이나 하고. 어머니, 혜나 하는 말에 너무 마음 쓰지 마세요."

"여보, 당신이 퇴근하는 길에 종종 들러서 만두피 좀 밀어. 이건 너무 푸석하다. 당신 팔뚝 힘 좋잖아. 당신 힘 뒀다 뭐에 쓰게. 어머니, 뭐든지 저 사람 시키세요."

큰오빠 부부는 욕심만 많았지, IQ가 몸무게를 넘지 못할 것이 확실하다. 나는 자리에서 벌떡 일어서려고 하다가 엉덩방아를 찧으며 뒤로 나자빠졌다. 내 무릎에 부딪친 밥상 위의 그릇들이 팔랑, 하고 춤을 추었다. 어느 결에 술기운이 돌았는지 알지도 못했다.

"성민아, 가자. 난 차라리 청담동 칭에 가서 짜장면 시켜 먹을래. 어차피 내가 가면 다 공짜야. 박회장 나오라고 할까? 그러면 엄청 좋아할걸. 죽은 딸이 머리가 모자란 반푼이였다는 거야. 나랑 완전 똑같았나봐. 글쎄 나만 보면 딸 생각이 난대. 성민아, 박영감이 너도 좋아할 거야. 박영감이 날 붙들고 근현대사가 어쩌고 남북이 어쩌고 씨부려대는데 뭔 소린지 알아들을 수가 있어야 말이지. 우리 집에서 영감탱이가 하는 말 알아들을 사람은 너밖에 없겠더라. 가자."

술이 꼭지까지 올라서 길바닥을 나뒹굴어도 헛바닥은 잘도 나불거리는 것이 우리 집안의 술내력이었다. 결혼한 지 십 년이 다 됐는데도 가끔 우리 미치광이들의 저녁식사에서 생명의 위협을 느끼곤 하는 성민이 노래진 얼굴로 나를 끌어 일으켰다. 나는 식구들의 만류를 뿌리치고 엄마 집을 나섰다. 생일인데 정욱연의 얼굴도 못 보고 끝나다니 이건 너무 억울하다고 나는 속으로만 생각했다.

: 9 :

청담동 칭으로 가기엔 너무 늦은 시각이었다. 우리는 딱히 목적
지를 정하지 않은 채 출발했다. 그러나 아파트단지를 빠져나가 얼
마 가지도 못해서 경찰들이 도로에 고깔을 세워놓고 차들을 멈춰
세우는 것을 발견했다. 우리 앞으로 차들이 두세 대쯤 서서 차례를
기다리고 있었다. 음주단속이었다.

"이런 신발."

"어떡해. 너도 정종 마셨지?"

"한 잔."

그 한 잔은 소주잔과 물컵의 중간쯤 되는 크기였다. 앞 차가 출발
하고 우리 차례가 되었다. 나는 두 눈을 꽉 감고 깍지 긴 두 손을 모
아 간절히 기도했다. 주여, 성민의 젊은 간의 권능을 믿나이다. 창
밖에서 경찰이 경례를 붙였다. 성민은 창문을 내리고 음주측정기를
힘껏 불었다.

"야, 왜 그렇게 세게 불어."

경찰이 나를 흘끗 곁눈질했다.

"선생님, 음주하신 것으로 나왔습니다. 정밀한 측정을 위해 잠시 차에서 내려주시겠습니까?"

나는 비틀거리지 않으려고 노력하면서 성민을 따라서 내렸다. 찬 바람이 취한 얼굴을 때렸다. 젊은 경찰이 우리 차를 갓길로 옮겼다. 우리 뒤로 길게 늘어선 차들에서 동정과 연민의 눈길들이 쏟아졌다. 성민은 친절하게 제공되는 생수로 입을 헹구었다.

"최대한 숨을 크게 들이마시고, 내쉴 수 있는 한 끝까지 세게 부셔야 합니다."

언제나 모범생인 성민은 허파가 찢어질 만큼 숨을 들이쉬고 태풍처럼 내쉬었다. 그러나 경찰관은 그 정도로 만족하지 않았다.

"더! 더! 더! 더! 더! 더! 더! 더!"

성민은 얼굴이 자두처럼 될 때까지 숨을 쥐어짜냈다.

"선생님, 혈중알코올농도 0.051 나왔습니다. 측정기 확인해보시기 바랍니다. 0.05 이상이면 면허정지 백 일과 벌금, 벌점 있습니다. 이전에 단속된 이력 없으시면 감경되실 수 있습니다. 경찰서로 가주셔야 하겠습니다."

"아저씨, 제발, 제발 한 번만 봐주세요. 성민이는 정말 딱 한 잔밖에 안 마셨어요. 정말 거의 안 마셨어요. 오늘 제 생일인데, 다시는 안 그럴게요. 네? 네?"

"저도 안타깝지만 어쩔 수가 없습니다."

"한 번만 다시 해보면 안 되나요? 겨우 0.051인데, 다시 하면

0.499가 나올지도 모르잖아요? 아저씨, 제발요, 딱 한 번만요. 네? 네?"

경찰이 나를 쏘아보았다.

"0.051이 아니라 0.050이 나와도 단속되십니다. 일단 기계에 이렇게 검사결과가 나오면 저희도 없던 일로 할 수가 없습니다."

"아저씨, 우리 집 정말 가까워요. 친정집에서 우리 집까지 정말 딱 오 분밖에 안 걸려요. 오늘 정말로 제 생일이라니까요. 제가 신분증 보여드릴까요? 그럼 안 될까요?"

물론 안 되는 거였다. 우리는 경찰서로 옮겨갔다. 경찰이 묻는 대로 이름, 주민등록번호, 주소 등등을 불러주다 말고 성민은 갑자기 나에게 화를 냈다.

"너 지금 뭐해?"

나는 그때 막 '성민이 음주 걸렸다 뎬당'이라는 문자의 전송버튼을 누르는 참이었다. 물론 수신자는 작은오빠였다.

"넌 꼭 그런 것까지 형한테 말을 해야 하니? 가만히 좀 있으면 안 되니?"

"뭐 이런 걸 가지고 화를 내니? 차도 못 가져가니까 작은오빠한테 태워달라고 그런 걸 가지고!"

"택시 타면 되잖아! 왜 꼭 형을 불러야 하냐고? 응?"

"여기는 경찰서입니다. 두 분 조용히 해주십시오."

조서를 다 작성한 경찰이 한마디 던졌지만 그리 적극적으로 말리는 소리는 아니었다. 좀더 언성을 높여도 된다는 묵인이나 다름없었다. 그 미지근한 목소리가 우리의 전의에 기름을 끼얹었다.

"그게 뭐 어때서 그러니? 그게 뭐 화낼 일이야?"

"넌 맨날 그렇잖아! 맨날 작은형을 부르잖아! 우리 둘이 조용히 해결하는 법이 없잖아!"

"지금 코앞에 있는 오빠 부른 게 뭐 이상하니? 이 밤중에 추운데 택시 기다리라고? 너나 기다려라! 난 오빠한테 태워다달라고 할 테니까!"

"지금 택시 이야기가 아니잖아! 너 아까 식구들한테 앞으로는 주말에 우리끼리 지내겠다는 이야기도 안 했잖아!"

"내가 물뽕 맞았니? 너랑 둘이 주말 내내 붙어 있게?"

뭔가 잘못되어가고 있는 것이 분명했다. 우리는 이전까지 이렇게까지 싸워본 적이 없었다. 그저 한두 마디 투닥거리고 잠시 삐쳐 있다가 밥 한 끼니쯤 먹고 나면 누가 먼저랄 것도 없이 헤헤거렸다. 성민이 어리석은 주식투자로 목돈을 날렸을 때도 그랬고 작은오빠의 금융사고에 수천만원을 틀어막아줬을 때도 그랬다. 그런데 요즘 들어 무언가가 몹시 나쁜 방향으로 변하고 있었다. 우리는 예전 같으면 이야깃거리조차 되지 않았을 사소한 문제들을 붙들고 미친 듯이 싸워댔다.

아무리 생각해도 변한 건 성민이었다. 오창으로 옮긴 후 본사에서는 상상할 수 없었던 고강도 업무에 찌들어 살더니, 착하고 마음이 여리던 성민은 자정 퇴근 딱 석 달 만에 괴물처럼 변했다. 피부가 거칠어지고 눈에 핏발이 섰다. 그는 고압적이고 까탈스러운 남편이 되려고 백방으로 노력했다. 성민의 낯선 모습은 정욱연과 비교되어 더욱 내 심사를 뒤집었다. 정욱연도 사는데, 정욱연도 군소리 없이 사는데 그 정도 과로를 가지고 무슨 고생이라고 저 유난인가 싶어서 더 밉고 한심했다.

"너 사람들 많은 데서 나한테 반말하지 마!"

"웃기시네! 너랑 나랑 동갑인데 무슨 존댓말이니?"

"그래도 난 니 남편이야! 반말하지 마!"

"야! 내가 당장 천황폐하라고 불러줄게! 좀 멋있게 굴어봐!"

하마터면 '정욱연처럼'이라는 말까지 튀어나올 뻔했다. 작은오빠의 자랑스러운 빨간 컨버터블 카가 도착했는데도 경찰들은 아무도 그 멋진 차에 눈길을 주지 않았다. 우리 부부싸움 쪽이 훨씬 더 재미있었기 때문이다. 작은오빠는 적잖이 당황했다.

"그럼 넌 니 맘대로 해! 난 오빠 차 타고 갈 거야!"

내가 최종적으로 빽 소리를 질렀다. 성민은 기다렸다는 듯이 경찰서를 박차고 나갔다.

"원참, 음주단속 한번 걸린 걸 가지고 뭘 그렇게 싸우니. 니들 성질도 참 굉장하다."

작은오빠가 투덜거렸다. 나는 여왕마마처럼 도도하게 붉은 스포츠카의 조수석에 올랐다. 아직 택시를 잡지 못하고 길거리에 서 있는 성민의 길쭉한 실루엣이 보였다. 나를 차지해서 기분이 최고로 좋아진 작은오빠가 창문을 내리고 성민에게 몇 마디 친근한 말을 던졌다. 성민은 굳어진 얼굴로 외면했다. 우리는 성민을 지나쳐 어두운 길 속으로 부드럽게 합류했다.

"자, 이제 기분 풀어. 운이 나빴을 뿐이지, 뭐. 성민이는 처음 걸린 거라서 한 오십 일 정도 면허정지 되면 될 거야. 벌금도 오십만원 정도일걸."

나는 입을 꼭 다물고 눈앞의 검은 길만 응시했다.

"오랜만에 한번 달려볼까? 어디 갈래? 밤바다 볼까? 아니면 양수리?"

작은오빠가 신바람을 냈다. 작은오빠와 심야 드라이브를 한 지도 오래되었다. 하지만 드라이브 따위엔 아무 관심도 없었다.

"오빠, 나 가고 싶은 데가 있어."

"어딘데? 말만 해."

"근데 나 혼자 갈래."

김학원의 얼굴에서 웃음기가 가셨다.

"거기가 어딘데그래? 데려다줄게."

나는 잠시 망설였다. 말할까 말까. 내가 가고 싶은 곳을 김학원에게 비밀로 해두고 싶은 욕구가 잠시 치밀었지만, 추운 날씨에 차에서 내리기가 너무 귀찮았다. 나는 최대한 무성의하게 들리기를 바라며 짧게 내뱉었다.

"병원."

작은오빠는 놀란 것 같았다. 한참 동안 침묵이 흘렀다.

"병원? 나 욱연이 형 집 어딘지 아는데……"

김학원이 자신 없는 어조로 어물어물 말했다. 그는 상대방에게 살인욕구를 불러일으키는 페로몬을 분비하는 희귀한 체질이었다. 이런 유전자를 소유하고도 오늘날까지 목숨을 부지하다니 진화의 미스터리였다. 나는 이를 악물고 짧게 말했다.

"병원으로 가라고 그랬다."

"하긴, 니가 욱연이 형이랑 그렇게 되면 성민이가 너무 불쌍하긴 하지. 근데 욱연이 형도 진짜 불쌍한데. 진짜 외롭게 살거든. 형이 너 같은 스타일 딱 좋아하는데. 동글동글 귀엽고 좀 엉뚱한 애."

나는 미칠 것만 같았다. 나를 둘러싼 모든 것의 이 말도 되지 않는 부조리함에 숨이 막힐 것만 같았다. 기분만 그런 것이 아니라 실제로도 숨쉬기가 힘들었다. 나는 필사적으로 숨을 들이마셨다. 정말로 정욱연에게 물어보고 싶었다. 나를 좋아하느냐고. 내가 동글동글 귀엽고 엉뚱해서 그런 눈으로 바라보는 거냐고. 나는 잔뜩 들이마신 숨을 광속으로 내뿜으며 포효했다.

"자꾸 떠들래? 확 뛰어내린다? 쓸데없는 소리 하지 말고 그냥 병원에 내려주고 가면 되거든? 내 눈앞에서 꺼져버리란 말이야!"

"어휴 기집애, 알았어! 알았다고! 욱연이 형 앞에서는 제발 성질 부리지 마라. 알았으니까 소리 좀 그만 질러. 그럼 이제부터 난 뭘 하나. 나 혼자 집에 들어갈 수도 없고."

자동차는 곧 병원 앞에 섰다. 나는 구르듯이 차에서 뛰어내렸다.

"혜나야, 그럼 일단 내리고, 혹시 형 없거든 아무 때나 전화해. 데리러 올게."

나는 대답하지 않고 자동차 문을 세게 닫았다. 검은 지붕이 들썩였다. 응급 산모가 온 줄 알고 허겁지겁 달려나왔던 경비 총각이 나를 보고 뜨악한 얼굴을 했다. 나는 그를 무시하고 병원으로 들어갔다. 언제나 새벽 세시에 출근했다는 것처럼 말짱한 얼굴로.

오늘따라 분만하는 산모도 없는지 병원은 불을 반쯤만 켜놓고 있었다. 나의 일터, 보육실은 지하에 있어서 더 으슥했다. 갑자기 무서운 생각이 들었다. 머릿속에 정욱연만 터질 듯이 가득 차서 충동적으로 달려왔지만 사실 이곳에 오면 그를 만날 수 있다는 보장도 없었다. 늘 그렇듯이 나는 멍청한 광기에 휘둘렸을 뿐이었다. 적막한 현실 앞에서 술기운과 열정이 서글프게 식어갔다. 결국 나는 토요일 새벽에 부부싸움을 하고 갈 곳이 없어서 직장으로 온 처량한 아줌마일 뿐이었다.

당직 직원들과 마주칠까봐 나는 최대한 조용히 움직였다. 조용하다 못해 괴괴한 분만 대기실 쪽을 흘긋 바라보며, 나는 병실용 담요와 베개를 몇 개 챙겨서 보육실 문을 열고 들어갔다. 일부가 코팅되어 있기는 하지만 삼면이 강화유리로 되어 있는 보육실은 어항이나 마찬가지였다. 노숙자처럼 담요를 두르고 어항 안에서 자고 있는 꼴을 들키지 않으려면 아침이 오기 전에 도망가야 할 것이었다. 병원은 따뜻했지만 놀이방 매트 위에 누우니 코끝으로 찬 기운이 느껴졌다. 나는 몸을 동그랗게 말았다.

휴대폰이 갑자기 어둠 속에서 파란 빛을 내뿜으며 탁한 남자 음성으로 소리소리 질러대기 시작했다. 나는 너무 놀라서 생애 첫 요실금을 경험할 뻔했다.

"하악! 하악! 문자 왔다! 오 마이 갓! 난 문자가 너무 좋아! 하악! 하악!"

직접 믹싱한 변태성 메시지 알림음을 최대 볼륨으로 설정해놓으면서 김학원은 얼마나 즐거워했을까? 메시지 알림음까지는 미처 점검하지 못한 성민에게 남몰래 몇 번이나 가운뎃손가락을 올렸을까? 그는 몸을 비비 꼬아가며 정성껏 녹음했을 것이다. 나는 덜덜 떨리는 손으로 문자메시지를 확인했다.

'주차장에 형 차 있다 병원에 있나봐'

나는 하마터면 스마트폰을 집어던져 부술 뻔했다. 미친놈, 핫또라이, 정신병자, 사이코 등등의 유사어들을 쉴새없이 내뱉으면서도 나는 담요를 걷어차고 일어났다. 주차장, 그렇지, 나는 왜 주차장을 확인할 생각을 못 했을까? 외롭게 주차된 정욱연의 은빛 세단을 앞에 두고 작은오빠와 나의 눈길이 주차장의 횅한 허공에서 마주치는 장면을 상상하면 안 그래도 빈약한 생의 의지가 터지기 직전인 풍선껌만큼 얇아지기는 하지만, 그렇지, 주차장을 확인한다는 건 좋은 생각이었다.

일 분도 안 되어서 나는 정욱연이 잠들어 있을 것으로 추정되는 원장실 앞에 섰다. 어찌나 정신없이 날아왔는지 숨이 턱밑까지 닿았다. 원장실 문은 빈틈없이 닫혀서 인기척은커녕, 희미한 빛조각조차 누설하지 않았다. 갑자기 부딪힌 완강한 벽 앞에서 나는 돌연 막막해졌다. 나는 원래 쉽사리 좌절하는 성격이었다. 한참 동안 그렇게 망연히 팔을 늘어뜨리고 거기 서 있었던 것 같다. 문을 노크한다? 그에게 전화를 건다? 응급분만이 있는 척한다? 그가 화장실에 갈 때까지 기다린다? 아니, 원장실에는 화장실과 샤워실이 딸려 있다고 하던데? 아무리 머리를 쥐어짜보아도, 새벽 세시의 텅 빈 병원 복도에서 내가 미치광이라는 사실을 노출하지 않고 정욱연을 자연스럽게 만날 수 있는 방법은 애초 존재하지 않았다.

그러나 위대한 알라신은 내가 생각하지 못한 한 가지 방법을 알고 있었다. 내가 아닌 다른 미치광이의 힘을 빌리면 되는 거였다.

내 손에 쥐어진 줄도 몰랐던 휴대폰이 다시 파란 빛을 뿜으며 악을 쓰기 시작했을 때, 나는 지옥의 밑바닥을 보았다. 알라 후 악바르.

"하악! 하악! 문자 왔다! 오 마이 갓! 난 문자가 너무 좋아! 하악! 하악!"

나는 휴대폰을 떨어뜨렸다.

'원장실이 몇 층이더라?'

그다음부터 김학원의 특기인 문자 쓰나미가 몰려왔다.

'삼층에 불 켜진 방 있는데'

'아니 이층이었던 거 같은데'

'이층은 깜깜'

'내가 형한테 전화해볼까?'

부들부들 떨리는 손으로 아우성치는 휴대폰을 주워서 배터리를 분리하려 애쓰는 동안, 원장실의 문이 열렸다. 귀신을 본 것처럼 하얗게 질린 정욱연 앞에서 휴대폰은 기어이 한번 더 고함을 내질렀다.

"하악! 하악! 문자 왔다! 오 마이 갓! 난 문자가……"

그런 다음에야 망할 놈의 변태 휴대폰은 입을 닫쳤다. 병원 복도에 다시 정적이 돌아왔다. 나는 왼손에 휴대폰, 오른손에 분리된 배터리를 들고 무릎을 덜덜 떨며 정욱연과 마주 섰다. 하나부터 열까지, 악몽 같은 밤이었다.

"학원이 목소리네."

어둠 속에서도 완연히 창백한 낯빛이기는 했으나, 정욱연의 음성만큼은 새벽 세시를 오후 세시로 착각하나 싶을 만큼 별다르지 않았다. 늘 생각했지만, 굉장한 목소리였다. 그 목소리만으로도 나는 내가 이 시간, 이 자리에 서 있는 게 얼마든지 떳떳한 일이라고 스스로 믿게 되었다. 그 어떤 흉허물도 광기도 다 안아줄 듯한 그 담담한 목소리, 정욱연을 향한 나의 사랑은 절반 넘게 그 목소리에서 비롯되었을지도 모른다.

"생일선물이래요. 오늘이, 아니 어제구나, 제 생일이었어요. 오빠가 직접 녹음했대요. 저는 언제 알림음을 바꾸어놓았는지도 몰랐어요."

빠르게 정신을 수습한 정욱연은 그냥 내버려뒀다가는 내가 그 어둑신한 복도에 서서 한없이 주절거릴 작정임을 알아차렸다. 경비총각이 계단을 올라오는 발소리가 들렸다. 우리는 당황스럽게 복도를 쳐다보았다. 늘 그렇듯이 그는 모든 일을 가장 조용히, 가장 적절하게 처리하는 방법을 알았다. 그는 원장실의 문을 열고 안으로 들어오라고 손짓했다. 나는 몽롱하게 원장실 안으로 들어갔다. 내 등뒤에서 문이 닫혔다.

이전에는 원장실에 들어와본 적이 없었다. 아담한 소파가 곡선을 보태고 있을 뿐인 단순하고 실무적인 공간이었다. 흰 벽에는 그가 직접 찍은 사진인 듯한 액자들이 걸려 있었다. 인물이나 풍경 사진은 없고, 하다못해 신생아 사진 하나도 없이 모두 정물 사진인 것이 특이했다. 수초가 떠 있는 넓은 항아리, 트레이에 놓인 수술 도구들, 휴게실 구석에 있는 참숯 바구니. 그 사진들을 찍은 사람의 개성처럼 따뜻하면서도 쓸쓸한 느낌을 주는, 병원 여기저기에서 무심히 지나쳤던 작은 사물들이었다.

커다란 데스크 뒤편의 반쯤 열린 작은 문 너머로, 산모들과 직원들의 귓속말 속에서 정욱연의 '은신처'로 일컬어지는 작은 방이 살짝 보였다. 그가 방금 허겁지겁 빠져나온 레이지보이 안락의자 위에 얇은 모직 담요가 아무렇게나 얹혀 있었다. 그는 잠옷 삼아 입고 있던 흰 라운드 티셔츠 위에 체크무늬 셔츠를 걸쳐입으며 은신처의 문을 닫았다.

정욱연은 전기주전자에 물을 올렸다. 물이 끓는 동안 그는 머리를 조금 매만졌다. 약간 눌려 있던 머리칼이 가지런하게 정리되자 자다 깬 기색이라고는 찾을 수 없이 말끔한 모습으로 순식간에 돌아갔다. 내가 오기 전까지 의자에 앉아서 책을 읽고 있었다고 해도 믿을 만한 얼굴이었다. 과연 자다가 불시에 벌떡 일어나기의 달인이었다. 그는 핫초콜릿 두 잔을 만들어서 나에게 한 잔을 건네주고 맞은편 소파에 앉았다.

"죄송해요, 원장님. 이 시간에 방해를 해서. 곧 돌아갈게요. 놀라지 마세요. 별일 아니에요. 어제가 제 생일이었거든요. 생일엔 자기가 하고 싶은 일을 하는 거잖아요. 그런데 어제는 이상하게 나쁜 일만 생기는 거예요. 정말 다들 미친 것 같았어요. 물론 저도 제정신이 아니지만 우리 식구들은 정말 하나같이 미쳤거든요. 그런 인간들을 보고 있으려니 너무 세상이 막막하고, 어떻게 살아야 할지도 모르겠고, 아무것도 모르겠고, 게다가 집에 가려고 했는데 음주단속에 걸려서, 성민이는 면허가 정지되고, 둘이 왕창 싸우고, 생일인데 정말 말도 안 되잖아요. 생일에 이런 일만 생기는 건 너무하잖아요. 그래서 너무 기가 막혀서, 이건 말도 안 된다, 정말 말도 안 된다, 이렇게 엉망진창인 인생은 너무 싫다, 그래서 병원에 왔어요. 그냥 보육실에서 자고 내일 집에 가려고 했는데, 김학원이 자꾸 문자를 보내서, 주차장에 원장님 차가 있다고, 원장님이 병원에 계신 것 같다고, 아시잖아요, 원래 미쳤잖아요, 그런데 저도 오늘 너무 힘들었더래서, 원장님이 계실지도 모른다고 생각하니까 갑자기 보고 싶어서, 아니 물어보고 싶어서, 그래도 원장님을 깨울 생각은 아니었는데, 김학원이 또 문자를 보내서, 그 변태 벨소리가 너무 커서⋯⋯"

나는 폭포수처럼 말을 쏟아내기 시작했다. 이 시간에 삼사십대 남녀가 단둘이 마주 앉아 있다는 사실만으로도 엄청난 심리적 압박감을 느꼈다. 당황함과 송구함을 담아 온갖 변명과 헛소리를 쏟아내면서도, 나는 눈물을 참느라 애를 먹었다. 이상하게 정욱연을 보면 자꾸만 울고 싶었다. 사실 정욱연을 향한 나의 사랑에서 육체적 욕망이 차지하는 비율은 대단히 미미했다. 이렇게 덮칠까, 저렇게 덮칠까 호시탐탐 궁리했지만 그건 욕망 때문이라기보다는 여자가 남자를 또는 남자가 여자를 차지하는 가장 보편적인 방법이 섹스였기 때문에 나도 그 방법을 한번 고려했을 뿐이고, 정작 그를 마주할 때마다 내가 간절하게 원했던 건 섹스가 아니라 울음이었다.

나는 그의 품에 안겨서 울고 싶었다. 세상이 떠내려가도록, 엄마와 아빠와 오빠들과 성민이 다 떠내려가도록 대성통곡하고 싶었다. 오래전에 죽은 신들까지 깨워 일으킬 만큼 발버둥치고 싶었다. 쓰나미보다 거센 내 눈물에 온 세상이 다 떠내려간 다음에도 여전히 꿋꿋하게 그 자리에 남아 있을 정욱연, 그 바위처럼 고요하고 놀라운 남자와 단둘이 마주하고 싶었다.

"물어봐? 나한테 뭘 물어보고 싶었는데?"

"이렇게 모든 것이 엉망일 땐, 뭘 어떻게 해야 하는 거죠?"

묻는다기보다는 혼잣말처럼, 나는 중얼거렸다. 하고 보니 괜찮은 질문이었다. 그는 그 질문에 답할 자격이 충분한, 그 방면의 대가였다. 하지만 그는 오랫동안 망설였다. 그는 숨을 깊이 들이마시고 나를 응시했다가, 또 핫초콜릿 잔을 감싸쥐었다 하면서 시간을 보냈다. 언제나 시간을 조각조각 나누어 금처럼 아껴 쓰는 그가 이만큼 시간을 무의미하게 흘려보내는 걸 본 적이 없었다.

"혜나씨, 나도 엉망인걸. 뭘 가르쳐줄 입장이 아니야, 미안하게도."

예상과는 너무 다른 대답이라서, 만일 그의 음성에 조금이라도 쌀쌀하거나 무성의한 기색이 섞여 있었다면 나는 그가 한밤중의 침입에 대한 불쾌함을 그런 식으로 표출하는 거라고 대번에 확신했을 것이다. 하지만 그는 가장 짧은 대답에도 진심을 담는 기술의 대가였다. 나는 그것이 겸손도 무성의도 아닌 그의 진심임을 이해했다. 하지만 그의 대답은 나를 만족시키지 못했다. 특히 그가 입에 담은 '엉망'이라는 단어가 나를 자극했다.

내가 조금만 덜 어리석은 인간이었다면, 그 순간 이때까지 다른 누구도 본 일이 없는 그의 숨겨진 일면, 즉 그의 피로와 우울의 순간을 목격하고 있다는 사실을 알아차렸을 것이다. 그리고 그가 그토록 꼼꼼하게 감추어왔던 그의 이면을 나 김혜나에게 내보이기로 마음먹은 것의 중차대한 의미 역시 쉽게 깨달을 수 있었을 것이다. 그것은 실로 그가 나를 은신처로 이끌어 함께 눕자고 제안한 것보다 훨씬 더 중대한 사건이었다.

하지만 나는 지구상에서 가장 쓸모없는 미치광이의 집안에서 태어난 가장 어리석은 인간이었다. 오늘밤 내가 기대했던 건 그와 함께하는 정신적 교감의 특권이 아니라 촌스러운 삼삼칠 박수, '하면 된다'의 구호였다. 기대에서 벗어난 다른 것은, 설사 그것이 훨씬 더 가치 있고 중요한 일일지라도, 나는 받아들일 준비가 전혀 되어 있지 않았다. 나는 정색하고 발끈했다.

"지금 원장님이 엉망이라고요? 원장님, 그렇게 말씀하시면 곤란해요! 원장님의 주변을 둘러보세요! 이 병원! 산후조리원! 산모들! 한번 생각해보세요! 모두 원장님의 두 손으로 만들어낸 거잖아요! 그래놓고서 엉망이라니, 그러면 정말로 엉망인 사람은 뭐가 되는 거냐고요!"

그는 입을 다물었다. 놀란 것 같았다. 모처럼 가면을 벗겨내려던 손을 어설프게 멈추고 그는 꽤 오랫동안 망설였다. 복채를 두둑이 챙긴 점쟁이가 점괘를 내놓지 않는 것처럼, 디너쇼의 가수가 무대에서 침묵을 지키는 것처럼, 나는 정말로 화가 났다. 생각해보면 정욱연이 이 시간에 나에게 후련한 대답을 주어야 할 의무는 전혀 없었다. 하지만 언제나 흥분하면 앞뒤를 가리지 못하는 게 우리 김씨 집안의 내림병이었다.

"내가 여기에 어떻게 왔는데. 여기 오기만 하면, 병원에 오기만 하면, 원장님은 없더라도, 그냥 보육실에서 담요 덮고 자더라도, 그냥 여기 오기만 하면 마음이 좀 놓일 것 같아서, 그래서 이 밤중에 여기까지 왔는데. 스칼릿처럼요. 전쟁이 나서 모두 엉망이 되었을 때, 그때 스칼릿이 엄마를 찾아서 전쟁을 뚫고 고향으로 돌아오잖아요. 엄마한테만 가면, 엄마는 모든 답을 알고 있으니까, 엄마는 모든 짐을 떠맡고 쉬게 해줄 거니까. 그렇게 믿으면서요. 나도 그렇게 여기에 왔는데."

준비한 적도 없는 넋두리가 술술 쏟아져나왔다. 특히 아름답고 강인한, 그리고 언제나 사랑에 빠져 있는 스칼릿은 꽤 괜찮은 환유인 것 같아서 나는 내심 흐뭇하기조차 했다. 불굴의 스칼릿이 갓난아기와 병자를 실은 고장난 마차를 타고 폐허가 된 타라 농장으로 돌아왔을 땐, 그녀의 위대한 엄마 엘렌이 이미 죽은 뒤였다는 것이 문득 생각났다.

정욱연은 나의 생떼에 적잖이 당황스러워하는 것 같았다. 그가 이런 반응을 보이는 게 나로서는 오히려 놀라웠다. 이 시간에 찾아왔다는 게 다소 엽기적일 뿐이지, 내가 무슨 대단한 걸 요구하는 것도 아니지 않은가! 그저 그가 거둔 많은 성공들 중에 대중적인 것 한두 개만 공개하면 되는 일이었다. 실패담도 아닌 성공담을 가지고 이리 난처해하는 남자를 나는 이해하기 힘들었다.

새벽에 쳐들어와서 단호하게 삼삼칠 박수를 요구하는 미친 보육실 직원에게, 그는 삼삼칠 박수 말고 다른 것을 제안하려던 애초의 계획을 포기했다. 그의 얼굴에 스쳐간 쓸쓸한 미소를 내가 보았던가, 못 보았던가. 아마 못 보았을 것이다. 나는 두 눈을 부릅뜨고 있기는 했지만 그가 내 앞에서 울음을 터뜨렸다 하더라도 그 눈물조차 보지 못했을 인간이었다. 그는 순순히 형들과 아버지의 이야기를 시작했다. 나는 그제야 만족스럽게 귀를 열었다.

그는 대구 근교 극빈 가정의 넷째아들로 태어났다. 엄마는 본 적도 없었고, 아버지와 형들은 각자 벌이고 있는 어둠의 사업이 바빠서 어린 막내에게는 관심도 없었다. 서너 살 무렵부터 그는 가까운 국밥집의 김 오르는 쓰레기통을 뒤지기 시작했는데, 그의 총명함보다 먼저 사람들의 주목을 끌었던 것은 그의 귀여운 용모였다.

"아이고야, 니 몇 살이고? 어야믄 좋노. 니 옴마 없나? 어예 이런 걸 먹는공? 언니야, 야 좀 보래이. 귀엽재. 잘 보면 이쁘게 생겼다 아이가, 으이?"

"야야, 디럽은 걸 끼고 그래쌓노. 퍼뜩 보내삐라."

쓰레기통에서 아직도 김이 오르던 소면가락을 건져먹다가 그렇게 국밥집 자매의 동정을 산 것이 시작이었다. 부끄러움을 알기도 이른 나이라서 그는 걸식에 쉽게 익숙해졌다. 그는 시장통에서 금세 귀여움을 받았다. 다만 그가 시장에서 음식을 납죽납죽 받아먹는 모습을 들켰다가는 아버지에게 한주먹에 날아가는 건 말할 것도 없었고, 인정을 베푼 식당 주인들에게까지 행패를 부릴 게 뻔했기 때문에 그는 아버지가 없을 때에만 음식을 얻어먹어야 했다. 그의 아버지는 아들이 빌어먹는 것보다는 굶는 편이 훨씬 더 낫다고 여겼다. 아버지는 돈을 벌 때는 쌀독을 채워놓고 몇 푼쯤 돈을 쥐여주기도 했지만 쫓기고 있을 때나 감옥에 있을 때까지 아들들을 챙기지는 않았다.

아버지는 막내아들에게 자비나 연민을 베풀기는커녕 유난히 무자비하게 대했다. 적어도 그가 느끼기엔 그랬다. 어릴 때는 자기가 너무 어리고 귀찮아서 그런 줄 알았지만 크고 나서 생각하니 도망간 어머니에 대한 분노를 그에게 쏟아부은 것 같았다. 아버지가 집에 있으면 그는 비위를 거스르지 않기 위해 벽에 붙은 파리똥처럼 꼼짝도 하지 않았다. 아들들을 두들겨팰 땐 정말 죽일 것 같은 기세였는데, 크기가 겨우 전기밥솥만했던 막내 정욱연에게도 결코 주먹을 아끼지 않았다. 어린 나이에 아버지에게 맞아 죽거나 어디 한 군데 망가지지 않은 게 행운이었다. 형이 셋이나 되다보니 형들을 패면서 어느 정도 기운을 소진한 다음에야 정욱연의 차례가 돌아왔던 덕일 것이다.

정욱연의 세 형들은 어찌된 일인지 그보다 나이들이 훨씬 많았다. 셋째형이 그보다 일곱 살 연상이었으니 말이다. 그가 짐작하기로 셋째형과 그의 사이에 한둘쯤 죽은 자식이 있거나 아니면 형들과 그는 모친이 다르지 않을까 싶었다. 그러나 그들이 이복형제라고 말하는 사람은 아무도 없었다. 어릴 땐 언제나 뭉쳐다니는 형들이 부러웠다. 그들 사이에 간절히 끼고 싶었지만 형들은 그를 끼워주지 않았다. 아버지를 닮아서 무지막지하고 거친 형제들이었다. 제 앞가림을 하게 된 뒤로는 형들에게 더이상 매달리지 않았다.

그에게 그나마 자비를 베풀었던 건 셋째형이었다. 셋째형한테는 고구마나 호떡 같은 걸 얻어먹어본 기억이 있었다. 큰형은 그에게 무관심했지만 돈이 생기면 언제나 집에 라면을 사다놓는 사람이었다. 상대적으로 집에 있는 시간이 많았던 그가 그 라면을 제일 많이 먹었기 때문에 그는 큰형이 오는 게 좋았다. 둘째형은 가장 야멸찼고 막냇동생을 싫어했다. 둘째형에게서는 그 무엇도 얻어먹어본 기억이 없었다. 맞기도 제일 많이 맞았다.

그가 초등학교에 입학할 무렵에는 아버지가 벌이고 있던 어둠의 사업이 상당히 번창해서 집에는 새엄마도 들어왔고, 가끔 두들겨맞거나 책이 찢기는 걸 제외하면 제법 평범한 아이처럼 이삼 년간 학교에 다닐 수 있었다. 고학년으로 올라가면서 다시 아버지는 사라졌고 새엄마도 당연히 떠나갔으며 이제 어른만큼 덩치가 굵어진 형들도 각자 교정시설에 방을 하나씩 얻었다. 혼자 남은 그는 다시 위기에 처했다.

하지만 그때 이미 그는 반평균을 팍팍 올려놓는 학생으로 형들과는 다른 평판을 얻고 있었고, 커다랗고 청순한 눈망울로 깐깐하고 신경질적이었던 오십대 여자 담임선생님의 심금마저 울리는 데 성공했다. 그의 교과서가 찢길 때마다 그의 손을 붙들고 기도를 했던 담임선생님의 주선으로 그는 꽤 큰 교회에서 숙식을 해결하게 되었다. 그 이후로도 여러 번 고비가 있었지만 대부분 그의 훌륭한 성적이 많은 것을 해결해주었다. 적어도 대한민국에선 공부만 화끈하게 잘하면 상당히 많은 것이 저절로 풀린다는 게 그의 경험에서 나온 지론이었다. 요즘 우울증의 꼭대기에 올라 있는 성민과는 달리 일찌감치 밥벌이를 지상 최대 목표로 정한 정욱연은 과학입국 따위 허튼소리에는 눈 하나 깜짝하지 않았고 '의대 갈걸'이라는 후회 따위도 남기지 않았다.

가족들과 지낼 때도 있었지만 교회에 붙은 쪽방에서 그는 대부분의 청소년기를 보냈다. 교회 덕분에 지붕 밑에서 자고 밥을 먹을 수 있었다. 그는 교회에 고마워했지만 신을 믿지는 않았다. 그의 황당한 가족들이 신의 섭리 안에 있다고 믿기는 어려웠을 뿐 아니라 그들이 신의 의지와 계획에 따라 그런 역할을 수행하고 있다는 해석을 들으면 기분이 나빴다. 하지만 타고난 현실적인 성격으로 그런

내심을 드러내 보이지는 않았다. 그는 기도하라면 기도하고 간증하라면 간증하면서 교회에서 잘 지냈다. 출세한 이후 대부분의 기부나 자선을 교회를 통해 하는 것으로 그는 나름대로 마음의 빚을 갚았다.

만일 아버지나 형들이 그를 받아들여주었다면 그는 쉽사리 그 어둠의 세계의 일원이 되었을 것이다. 지독하게 외로웠기 때문이다. 그러나 말했듯이 그의 가족들은 그를 끼워주지 않았다. 자기들끼리는 우스꽝스러운 유대의식을 가지기도 하면서 유난히 정욱연은 그림자처럼 대했다.

"그때 누군가가, 지금처럼 의사가 되어서 이 병원을 꾸릴래, 형들과 어울려 다니면서 좀도둑질을 할래, 하고 물었다면, 나는 망설이지 않고 형들을 택했을 거야. 그걸 위해서라면 못 할 일이 없었어. 내가 간절하게 바랐던 건 그것뿐이었다고. 그런데 형들이 끼워주지 않았을 뿐이지. 어린애들이란 그런 거야. 대단한 걸 바라지 않는다고."

그는 새삼스럽다는 눈으로 원장실의 고급 가구들과 화분, 벽면에 걸려 있는 쓸쓸한 사진들을 둘러보았다.

결국 그는 병들고 다쳤을 때조차 형들에게 입을 열지 않는 것이 낫다고 생각하게 되었다. 덕분에 그가 성공하고 돈을 벌기 시작한 뒤로도 귀찮은 형들을 냉정하게 대하는 데에 가책을 받을 필요가 별로 없었다. 그는 어린 시절 형들이 자신에게 냉혹했던 이상으로 되갚아주었다. 형수들과 조카들에게 매달 일정한 금액을 부쳐주긴 했지만 그걸로 끝이었다. 그 어떤 예외나 긴급상황도 인정하지 않왔다. 그의 가족들은 그가 정나미 없고 못된 놈이라고 말했다.

이것이 그가 나에게 브리핑한 '모든 것이 엉망일 때 살아남는 법'의 요지였다. 이날따라 그의 이야기는 담담하고 흥이 없었다. 세상 사람들이 혀를 내두르는 이십사 시간 분만 서비스가 골프보다 쉬운 일이라고 말할 때처럼, 자신의 입지전적인 인생에 대해서도 별거 아니었다는 식으로 일관했다. 지금까지 조카들의 결혼식에 한 번도 가지 않았다는 이야기로 말을 맺고, 그는 하기 싫은 숙제를 겨우 해치웠다는 듯이 큰 한숨을 내쉬었다.

그렇게 매몰찰 수 있는 남자가 지금 나를 내쫓지 않고 하기 싫은 이야기를 하고 있다는 것만으로도 나는 저 유명한 연인 마리 테레즈라도 된 것처럼 우쭐할 지경이었다. 사실 나는 그의 아버지와 형들보다는 그의 아내와 아이들이 더 궁금했지만 차마 물어보지는 못했다. 무언가 알맹이가 빠진 듯 허전하게 이야기를 마치고 맹숭맹숭하게 앉아 있다가, 그가 문득 질문을 던졌다.

"그런데 혜나씨, 내가 혜나씨를 왜 취직시켰는지 알아?"

정욱연은 과연 천재였다. 그는 내가 죽도록 궁금해하는 것들이 무엇인지 나 자신보다도 더 잘 알고 있었다. 나는 귀를 곤두세웠다. 나의 작은오빠가 학력고사 한 시간 전에 교육부장관실에 침입해서 단파 무전기로 정답지를 읽어주고 있다 한들 이보다 집중해서 듣지는 않았을 것이다.

"나 사실은 여동생이 있어."

그런 소리는 처음이었다. 아마 김학원도 모르는 이야기인 것 같았다.

"나는 개 얼굴도 기억나지 않아. 그냥 누더기에 둘둘 싸인 갓난아기였을 거야. 개에 대해서 아는 건 그냥 그런 아이가 있었다는 것뿐이야."

"그 아이가 어떻게 되었는데요?"

"나도 몰라. 어떻게 되었는지 몰라. 사실은 그 아이의 이름도 몰라. 그런데 내가 세상에서 제일 미워한 건 바로 내 여동생이었어. 형들이나 아버지가 아니라."

"왜요? 왜 동생을 그렇게 미워하세요?"

"엄마가 그 아이만 데리고 도망갔거든."

정욱연의 건조한 볼이 보일 듯 말 듯 떨렸다.

"사실 엄마도 기억나지 않아. 그런데 어느 날 어떤 할머니가 나한테 이야기를 해줬어. 나한테는 원래 엄마도 있었고 여동생도 있었다는 거야. 그런데 어느 날 엄마는 갓난아기였던 막내만 데리고 도망가서 다시는 돌아오지 않았다는 거야. 그래서 나에게 엄마가 없는 거라고."

그는 머그잔을 들어올렸다. 식어가던 핫초콜릿이 잔을 타고 넘어올 기세로 사납게 펄떡거렸다. 그는 그 기묘한 액체를 잠시 내려다보다가 그대로 잔을 내려놓았다.

"그 아이가 없었다면 엄마는 나를 데려갔을 거 아니야. 그 아이만 없었으면, 나를. 그 이야기를 들은 다음부터 그 생각에서 헤어나올 수가 없었어. 다른 건 다 견딜 수가 있었는데, 그것만은 쉽지가 않았어."

마디마디 하얗게 질린 그의 두 손은 연약한 그의 심장을 오렌지

같이 비틀어 짜고 있는 것 같았다.

"어느 날 학원이가 오더니 대뜸 여동생을 취직시켜달라는 거야. 처음엔 나도 거절했지. 그랬더니 지갑에서 혜나씨 사진을 꺼내는 거야. 예쁘지 않냐고. 여섯 살 때 집 앞에서 찍은 거라고 하면서. 약간 노르스름해지긴 했어도 컬러사진이었어. 놀라서 대충, 알았으니까 한번 보자고 대답했어."

나도 그 사진을 알고 있었다. 평생 변함없이 김학원의 지갑에서 터줏대감 노릇을 하는 사진이었다. 오랜 세월 동안 그 사진이 자리를 차지했던 지갑의 비닐커버는 사진의 모양대로 볼록하게 튀어나와 있었다.

"처음 만난 날, 혜나씨가 아버지 이야기를 하면서 울었을 때, 처음으로 그런 생각이 들었어. 어쩌면 내 여동생도 엄마에게 버림받진 않았을까? 처음에는 껴안고 떠나갔지만, 어느 날 언제 그랬냐는 듯이 남의 집 문 앞에 내려놓지 않았을까?"

나는 그 대단했던 취업 면접을 떠올렸다. 은행잎이 흔들리던 창밖. 핵폭탄이 터져서 다 죽었으면 좋겠다고 생각했지. 때로 우리가 하나의 시공간, 병원 앞 카페나 정욱연의 원장실에 마주 앉아서 이야기를 나누고 있는 것처럼 보이는 것은 삼차원의 우리 인생이 강요하는 가장 일상적이고 악랄한 착시현상이다. 어떤 각도에서 바라보면 우리가 겹쳐져 한 점에서 만난 것처럼 보일지도 모르지만, 알고 보면 우리는 두 개의 직선처럼 각기 서로 다른 방향의 우주를 향해 달리고 있을 뿐이다. 우리가 가장 가까워지는 순간조차도 우리 사이에는 삼억팔천만 킬로미터의 거리가 있을지도 모른다.

"그날 밤부터 엄마와 여동생을 더이상 미워하지 않게 되었어. 참이상하지. 좀더 일찍 그럴 수 있었으면 얼마나 좋았을까. 하지만 이미 늦었는걸. 사람이 무언가를 깨달으려면 어떤 특정한 시간이 되어야 하는 것 같아."

나는 그의 말이 더 이어지기를 기다렸다. 하지만 그의 말은 엄마와 여동생을 찾아나섰다거나 다시 만났다는 이야기로 이어지지 않았다. 나에게는 그것이 이상하게 여겨졌다. 나라면, 어딘가에 나의 여동생이 있다는 사실을 알았다면, 그날로 내 동생을 찾아 길을 떠났을 것이다. 그것에 대해서는 의심의 여지가 없었다. 동생의 존재를 잠시 상상한 것만으로도 나는 당장 벌떡 일어나 그를 찾아 떠나야만 할 것 같은 느낌이었다.

새벽 세시에 마주 앉은 두 삼사십대 남녀에게 찾아온 어색한 침묵은 나에게 최악의 화학작용을 일으켰다. 내 입에서 덜컥, 준비되지 않은 말이 튀어나왔다.

"말도 안 돼요! 여동생만 데려가다니. 어머니가 정말 미친 거 아니에요?"

어지간한 정욱연도 이런 말에는 무어라고 대답해야 하는지 도무지 대책이 서지 않는 모양이었다. 이제 겨우 엄마를 미워하지 않게 되었다는 남자 앞에서 나는 지금 무슨 소리를 하는 중인가. 하지만 이런 시간, 이런 공간에서는 내가 아니라 누구라도 제정신을 유지하기가 힘든 것이다.

"어머니는 정말 잘못하신 거예요. 도망간 거야 어쩔 수 없다고 해도, 아기를 두고 가셨어야죠. 원장님을 위해서요. 여동생이 있었으면 원장님의 인생은 정말 많이 달랐을 거예요. 일억만 배나 달랐을 거예요. 원장님은 그 동생이 있었으면 훨씬 행복했을 거예요. 김학원과 나보다 더 달라붙어서 지냈을 거예요. 원장님은 세상에서 제일 좋은 오빠가 되었을 거예요."

미친 소리이긴 했지만, 진심이었다. 김학원이 없는 내 어린 시절이란 상상조차 할 수 없는 거였다. 김학원 같은 망둥이도 꼴에 오빠라고 어린 나에게 그렇게 큰 의지가 되었는데, 정욱연 같은 오빠라면 더 말할 필요도 없었다. 그의 어머니는 혼자 도망갔어야 옳았다. 세상에서 제일 좋은 오빠가 되었을 정욱연에게서 여동생을 빼앗아 간 것만으로도, 나는 그의 불행한 어머니를 어쩔 수 없이 미워했다. 세상의 오빠들과 여동생들은 헤어져선 안 된다.

그는 오빠로서의 자기 인생을 단 한 번도 상상해본 일이 없는 것이 분명했다. 순식간에 눈물이 부풀어올랐다. 애써 웃으며 눈물을 삼켰지만 목소리가 떨렸다.

"글쎄, 내가 과연 그랬을까? 아닐 것 같아. 혜나씨는 나를 실제보다 훨씬 더 괜찮은 인간으로 생각해주는 거야. 혜나씨에게 솔직하게 말하자면, 병원에서 보여주는 내 모습은 아주 일부분에 불과해. 실제의 나는 훨씬 더 정떨어지는 인간이야. 내 진짜 모습을 알면 별로 나를 좋아하지 않을걸. 나로서는 어쩔 수 없는 부분이 분명히 있었어. 상당히 억울하기도 하지만, 이젠 누구를 원망하고 싶지 않아. 그냥, 우리 각자에게 주어진 삶의 무게가 어찌해볼 수 없을 만큼 무거웠던 거겠지. 망가진 건 망가진 거야. 어떤 최악의 일이라도, 막상 닥치면 어떻게든 견딜 만하더라고. 그렇게 생각하는 수밖에."

맙소사. 타지마할을 떠올리게 하는 이 아름다운 남자의 자아는 왜 이렇게 가난한가? 나는 내가 그에게 위로받았던 것처럼 그를 위로하고 싶었다. 그는 스스로를 미워해서는 안 된다. 정이 떨어지긴! 한때 버림받고 외로웠을지 모르나, 오늘의 그가 모두에게 얼마나 큰 사랑을 받고 있던가. 일찌감치 품절되었으나 기러기가 됨으로써 수많은 청담동 며느리들의 가슴에 한 가닥 희망의 불씨를 던진 완소 욱연 원장님의 치명적 인기는 다 무엇이던가! 나는 참을 수 없이 칙칙해진 대화의 색깔을 밝고 경쾌한 톤으로 바꾸기로 마음먹었다.

"에이, 원장님, 누가 정떨어진다고 그래요? 그럼 원장님 인기는 다 뭐겠어요? 대부분 유부녀라서 그렇지, 강남에서 제일 예쁜 여자들이 다 욱연 원장님 좋아서 죽잖아요! 모두들 원장님을 미치도록 사랑하는데, 뭐가 부족해서 그러세요?"

말해놓고 나니까 뭔가 약간 이상한 방향으로 가고 있다는 생각이 스치기는 했으나 일단 흥분한 이상 절대로 제동이 걸리지 않는 게 바로 우리 집안의 잘나가는 비결이었다. 정욱연은 청담동 며느리들을 미치게 하는 바로 그 쑥스러워하는 미소를 지었다.

"인기는 무슨…… 내가 무슨 연예인인가. 그냥 환자와 의사일 뿐이야. 어디까지나 공적인 관계야. 좋은 결과를 만들어야 하니까 서로 믿고 노력하는 것뿐이지, 누가 미치도록 사랑을 한다고 그래."

"누가 미치도록 사랑하냐고요? 정말 몰라서 그래요? 원장님은 정말 구제불능이에요! 내가 원장님의 환자라면 팬티 안에 제일 예쁜 스와로브스키 머리핀을 꽂고 갈 거예요!"

에드바르 뭉크, 〈절규〉. 크시슈토프 펜데레츠키, 〈히로시마 희생

자를 위한 비가〉. 프리모 레비, 『이것이 인간인가』.

절망적인 정적이 우리를 감쌌다. 나는 팽창하는 우주와도 같은 정욱연의 인내심에 임계점 돌파를 시도하는 중이었다. 나는 지금 신의 영역으로 뛰어들고 있다. 나는 절망적으로 창문을 바라보았다. 뛰어내려서 죽을 수 있는 높이에 있다면 얼마나 좋을까. 나는 밤이 늦었고 이제 보육실에 가봐야겠으니 원장님도 조금 쉬시라고 입안으로 웅얼거리며 어물어물 소파에서 엉덩이를 뗐다.

"그런 사람, 있었어."

나는 엉거주춤하게 멈추었다.

"이 년 전에. 나비핀. 정말 놀랐어. 그게 스와로브스키였구나."

그는 분명히 약간 웃고 있었다. 맙소사, 정말 미친 거 아니야? 그 여자도, 나도, 정욱연도. 나는 정욱연을 뚫어져라 바라보았다. 믿을 수 없는 괴력이었다. 그는 새벽에 난입해서 팬티 안 보석핀 운운하는 보육실의 미치광이마저 소화해내고 있는 중이었다. 빛도 빠져나오지 못하는 블랙홀에 빠지더라도 그는 엷게 웃으며 헤엄쳐 나올지도 모른다.

"그리고, 남자도 한 명 있었어. 그땐 정말 기절할 뻔했지."

나는 키스로 그의 입을 틀어막았다. 그에게 닥친 모든 최악의 일들에 그랬듯이, 그는 놀라지도 화내지도 않고 담담하게 내 키스를 받아들였다. 어떤 끔찍한 일이라도 닥치면 견딜 만하다, 그렇게 되뇌었을지도 모른다.

내가 원장실의 문을 열기 직전에, 그가 나를 끌어당겨서 다시 한번 키스했다. 나는 헐떡거리면서 그에게 물었다.

"원장님, 이제 미치광이들이 지겹지도 않으세요?"

그때 그의 슬픈 눈은 어두운 호수 같았다.

"그래도 혜나씨는 귀여운 버전이잖아."

서로 손끝을 만지면서 잠시 그렇게 서 있다가, 나는 원장실을 나왔다. 또 울고 싶어졌지만, 눈물만은 필사적으로 눌러 참았다. 새벽에 울면서 원장실에서 나오는 여자라니, 정욱연의 명예를 위해서 그것만은 결코 안 될 일이었다.

10

날카로운 첫키스의 추억만 남기고, 정욱연은 출국했다. 너무나 정욱연답게 출국하는 날까지 출근해서 오전진료를 마치고, 욱연 원장님께 분만을 하게 해달라고 정말 간절하게 기도한 끝에 일주일쯤 분만일을 앞당기는 데 성공한 한 산모의 아기도 받고—고의는 아니었지만 눈길에 미끄러져서 엉덩방아를 찧었다고 한다—정말 학회에 가는 사람처럼 공부할 거리를 잔뜩 챙겨서 공항으로 떠났다. 며칠 전에 함박눈도 푸짐하게 내려서 그림이 한층 그럴듯해진, 강남의 거리가 온통 성탄절로 물들어가는 늦은 연말이었다.

연말의 출국으로 바빠진 사람은 정욱연만이 아니었다. 우리의 기대주 임현명 여사, 그녀 역시 네 개의 가방을 꾸리느라 분주한 오전이었다.

"아무리 아프리카라도 너무 얇은 옷만 가져가면 안 되겠지? 아무래도 한겨울이니까 말이야. 갑판에서 바람을 쐴 일도 있고 하니까 카디건이나 숄 같은 걸 좀 챙겨가야겠다."

임현명 여사 역시 출국을 앞두고 마지막 짐싸기에 여념이 없었다. 내가 너무 늙어서 임여사를 마음껏 호강시켜드리지 못해 미안하다, 임여사께서 이런 걸 좋아하실지 모르겠다면서 박회장이 어느 날 22박 23일짜리 북아프리카 크루즈 티켓을 내밀었기 때문이었다. 박회장의 싱가포르 출장길에 사흘간 동행한 뒤 터키로 날아가서 지중해와 북아프리카 연안을 항해하는 최고급 크루즈에 승선하고, 싱가포르로 돌아와서 다시 며칠 볼일을 보고 함께 귀국하는 거의 한 달에 이르는 일정이었다. 팔십대에도 걸그룹 못지않게 깜찍한 그 남자, 박진석 회장이 임현명 여사의 로맨틱한 G-스폿을 톡 때린 것이었다.

"어휴, 그런데 이건 너무 투박하다, 그지? 이거 참 옷 챙기기가 어렵네. 배에서는 우아하게 입어야 하고, 현지를 돌아다닐 땐 좀 경쾌한 게 좋잖아? 모로코, 튀니지, 그런 곳에선 왠지 알록달록하게, 원색으로 입어야 어울릴 것 같지 않니? 그렇다고 짐이 너무 많아지면 들고 다니기 힘들잖아. 가기 전에 들를 곳도 많은데. 이 모자! 이거 카리브 해 갔을 때 샀던 건데, 북아프리카 분위기하고도 어울릴까? 이게 여러 가지 옷하고 잘 어울려서 좋은데. 아무래도 여행 경험이 많은 사람들일 테니까 금세 알아볼 것 같지 않니? 저 여자는 촌스럽게 자메이카에서 산 모자를 쓰고 왔구나, 어울리지 않게, 하고 흉보면 어떡하지? 괜찮을까?"

이 방 저 방 서랍과 옷장을 뒤지며 꽃사슴처럼 뛰어다니는 나의 엄마 뒤로, 각종 모자와 스카프와 가방 등을 팔에 건 나의 두 올케들이 뒤따랐다. 마리 앙투아네트 왕비와 두 시녀들 같았다.

"어머니, 이 원피스는 꼭 가져가세요. 이런 화려한 옷이 사진도 잘 받아요. 그리고 흰 원피스와 스카프도 꼭! 사막을 배경으로 찍을 때는 흰옷이 최고예요. 베두인처럼 터번도 꼭 쓰시고요. 선글라스 쓰고 그렇게 사진 찍으면 우리 어머니 꼭 잉그리드 버그먼 같겠다아!"

미술학원 원장님답게 작은올케는 색채감각이 뛰어나고 패션센스가 있었다. 엄마는 옷과 유행에 관한 작은며느리의 감각과 취향을 전적으로 신뢰했다. 마리 앙투아네트의 총애가 다른 시녀에게 가는 모습을 보고 가만있을 큰올케가 아니었다. 큰올케는 어느새 전화를 걸고 있었다.

"당신, 이따 어머니 모시고 백화점에 가. 어머니 오늘 쇼핑 좀 하셔야 해. 여행 가시기 전에 필요한 게 좀 많은 줄 알아? 당신 힘 좋잖아. 힘 뒀다 뭐에 쓰게. 짐 좀 들어드리고 어머니 필요한 것 좀 사드려. 아들이 어머니 모시고 백화점에서 쇼핑하시는 모습, 얼마나 좋아? 그저 어른들께는 자식이 벼슬이야. 내 말 틀리는 법 없거든? 당신 꼭 와야 해. 나는 오늘 오후에 해명이 데리고 전뇌학습 상담받으러 가야 한단 말이야. 전두엽이 아니고 전뇌! 전뇌! 정신과가 아니라 학원이라고! 그런 게 있어! 내가 갈 수 있으면 뭐하러 당신한테 이러겠어? 오후엔 시간이 안 된다고! 당신이 꼭 가야 해. 알았어? 두시, 두시까지는 꼭 와야 해, 알았지? 내 말 허투루 들으면 안 된다?"

큰오빠를 부르는 큰올케의 목소리는 처절하기까지 했다. 하지만 자기 말은 틀리는 법이 없다는 큰올케의 장담과는 달리, 엄마의 벼슬은 자식이 아니었다. 엄마의 벼슬은 엄마의 두 손 안에서 빛을 발하고 있었다.

"철원이 올 수 있대? 잘됐다. 안 그래도 백화점 상품권 써야 했거든. 이거 봐라, 얘들아. 엊그저께 회장님께서 이걸 주시지 뭐니."

엄마의 두 손 안에 공작새의 꽁지깃처럼 활짝 펼쳐진 수십 장의 백화점 상품권 봉투가 화사하게 반짝였다.

"영감님이 글쎄 얼마나 멋없는 양반인지, 나한테 이걸 이렇게 주시지 뭐냐. '임여사께서 여행 가실 때 필요한 게 있을 텐데, 내가 무엇을 아오. 난 남자라서 그런 걸 모르니 양해하고 이걸로 알아서 장만하오.' 글쎄 이걸 봐라. ××백화점, ○○백화점, △△백화점······ 종류별로 온통 뒤죽박죽 섞여 있고, 금액도 어떤 건 오십만원, 어떤 건 이백만원, 그냥 당신 서랍 속에 아무렇게나 처박혀 있던 봉투들을 한 무더기 손에 잡히는 대로 쥐여준 거란다. 아마 사람들이 인사 삼아 드린 모양인데 쓰지 않고 그냥 모아두기만 했나보아. 우리 회장님 너무 귀엽지 않니? 당신이 얼마를 주었는지도 모르신단다. 나도 굳이 세어보지 않았다. 금액이 문제가 아니지 않니."

마리 앙투아네트는 소녀처럼 까르르 웃으며 금빛 은빛으로 화려한 봉투들을 깃털 부채처럼 팔락팔락 흔들어 보였다. 시녀들이 혼절했다.

"어머니! 정말 너무너무 로맨틱해요!"

"어머니! 얼마나 좋으시겠어요!"

"호호호, 옜다, 너희들도 오늘 수고했으니까 하나씩 가져라. 대신 얼마가 들었든 나는 모른다. 너희들 신년 운수소관이다."

엄마가 부챗살을 세 개 뽑아서 던져올렸다. 올케들이 공중으로 날아올랐다. 우연을 가장하였으나 내심 신중하게 점찍어둔 바가 있는 듯 허공에서 엇갈리는 올케들의 손을 피해 내 발밑으로 떨어진 봉투가 가장 실해 보였다. 큰올케의 작살 같은 눈빛이 내 봉투에 꽂혔다. 그러나 차마 존엄하신 마리 앙투아네트 왕비께 마구잡이로 대들지는 못했다. 그 옛날의 서슬 퍼런 기세는 찾을 길이 없었다.

"작은애야, 내가 없는 동안 택배 잘 받아둬라. 박회장님 회사에서 이것저것 챙겨보내거든. 먹는 거거든 큰애랑 나눠서 상하기 전에 잘 먹어치우고. 큰애야, 저 베란다에 있는 과일들 좀 가져가라. 내가 여행 가고 나면 누가 저걸 다 먹겠니. 회장님께 선물 들어오는 걸 우리 집으로 다 보내시는 모양이야. 요즘 명절도 아닌데, 사람들이 연말에도 선물을 보내는가봐? 한우에 전복에 굴비에, 입이 한 개밖에 없는 게 한스럽구나. 쌀까지 챙겨보내서 요즘은 생활비 들 일이 없다."

앙투아네트 왕비의 위엄은 끝이 없었다. 시녀들의 존경도 끝이 없었다.

"어머니, 공항에 가시는 날은 태욱이 애비가 모시고 갈 거예요."

"동서, 그게 무슨 소리야. 그 정신 나간 차에 어떻게 어머님을 태워. 어머니, 해명이 애비 보낼게요. 짐도 저렇게 많은데, 그 사람 힘 됐다 뭐에 써요."

"아니다, 너희는 신경쓰지 마라. 회장님 가시는 차에 같이 가기로 했다. 최기사가 짐도 알아서 다 할 테고."

두 시녀들은 입을 다물었다.

"혜나야, 너야말로 공항 갈 때 같이 좀 가자. 제발 부탁이다. 회장 님은 너를 꼭 데려가고 싶으셔서 그렇게 자꾸 이야기를 하시는데 너는 어쩌면 그렇게 매정하니."

시녀들의 부러운 눈빛이 고귀하신 마리 테레즈 공주께 쏠렸다. 나는 소파에 몸을 깊숙이 파묻고 부드러운 어그 슬리퍼를 발가락 끝에서 까닥이면서 손톱을 다듬고 있었다. 상품권 봉투는 여전히 내 발밑에 떨어져 있었다.

"내가 그럴 시간이 어디 있어? 직장에 다니는데."

직장에 다니는 마리 테레즈 공주가 쌀쌀맞게 대답했다. 큰올케가 천벌을 받을 소리를 들었다는 듯이 몸서리를 쳤다.

"아가씨! 그까짓 애 보는 일자리, 월급이 몇 푼이나 된다고 그래? 부모님께서 한 달이나 여행을 가시면 당연히 공항까지 가서 인사를 드려야지! 그게 자식 된 도리 아니야? 내 말이 틀려? 그까짓 되지도 않는 직장 핑계는 당장 집어치우고 얼른 공항에 가겠습니다, 하고 말씀을 드려야지!"

부모님이라는 말이 이태리타월처럼 깔깔하게 귓바퀴를 긁었다. 언제 박영감탱이가 내 아버님이 되셨더라? 이 망할 놈의 집구석에 서는 뭐든지 제자리에 있는 것이 없었다. 염치도 자존심도 심지어 에미 애비 자식이라는 이름도, 쟁반 위의 알사탕들처럼 그저 돈이 가는 곳이라면 어디든지 우르르 데굴데굴 쏠려다녔다. 큰올케의 시 선은 아직도 내 발밑에 뒹굴고 있는 상품권 봉투에 자꾸만 꽂혔다. 나는 일부러 발끝으로 상품권 봉투를 깔짝거리면서 휴대폰 액정화 면을 몇 번 콕콕 눌렀다.

"네, 회장님. 저 혜나예요. 예, 안녕하셨어요? 예, 요즘 인사 못 드려서 죄송해요. 아무래도 직장생활 하니까요. 회장님은 건강하시죠? 예, 예, 회장님. 예? 저도요? 저도 크루즈에 같이 가자고요? 아유, 아니에요. 저는 직장이 있잖아요. 이번엔 두 분만 재미있게 다녀오세요. 걱정 마세요. 예, 다음에는 저도 꼭 같이 가도록 노력할게요. 말씀만으로도 고맙습니다. 예, 예. 회장님께서 정 그러시면 제가 요새 좀 바쁘기는 하지만 공항에 가시는 날은 제가 휴가를 낼게요. 그럼 그날 뵐게요. 예, 회장님, 들어가세요."

통화를 마치자 임현명 여사가 손뼉을 쳤다.

"그렇지? 그렇지? 너한테도 같이 가자고 그러시지? 회장님은 혜나가 크루즈에 안 간다고 하니까 아주 상심을 하시더라니까. 나하고 혜나, 둘을 꼭 데려가고 싶으셨던 거야. 나한테 몇 번이나, 혜나가 정말로 안 간다고 하느냐, 원래 여행을 싫어하느냐, 그러면 뭘 좋아하느냐고 물으시더라니까. 아주 혜나를 친딸처럼 여기시는 것 같아. 혜나야, 다음엔 너도 꼭 같이 가자. 회장님은 그저 너한테 뭘 잘해주고 싶어서 그렇게 마음을 쓰시는데, 넌 어쩌면 그렇게 무정하니. 회장님이 너한테 뭐 힘든 걸 하라고 그러니? 밥 먹어주고 여행 가주고, 그게 뭐 그렇게 힘든 일이라고 유세를 떠니, 유세를."

"어휴, 내가 여행을 왜 가? 영감탱이가 노망이 났나, 왜 갑자기 귀찮게 굴고 난리야."

사실 나는 여행을 싫어했다. 여행은 귀찮고 불편한 일이었다. 나는 익숙한 시간과 공간을 좋아했다. 큰올케가 아기작아기작 다가오더니 내 발밑에 떨어진 상품권 봉투를 주워 공손하게 내 무릎에 얹어주었다. 그녀가 이렇게 다소곳하게 행동하는 모습은 폐백 받을 때조차도 본 적이 없었다. 나는 주변에 어지럽게 흩어진 아세톤 묻은 면봉과 휴지 등을 턱으로 가리켰다. 큰올케가 군소리 없이 쓰레기를 주우면서 그예 참지 못하고 물었다.

"아가씨 봉투에는 얼마 들었어? 어머님이 아가씨 쪽으로 두툼한 걸 던지시던데."

임현명 여사가 발끈했다.

"얘, 무슨 소리니? 나는 그냥 공평하게 던지기만 했다!"

"좀 열어봐요. 난 손톱이 아직 안 말라서."

내가 손가락을 한들거리며 말했다. 큰올케가 번개같이 봉투를 열었다.

"어머! 이백만원! 역시 어머님이 제일 큰 걸 주셨다니까……"

임현명 여사가 짐짓 놀라는 척했다.

"뭐라고? 혜나 봉투에 이백만원이나 들었다고? 이백짜리 봉투는 내가 분명히 여기 따로 챙겼는데? 그러면 이백짜리 봉투가 두 개였던가보아? 어머나, 나는 정말로 몰랐다, 얘들아. 하나하나 열어보지 않았거든. 너희들 내가 딸만 위한다고 오해하지 마라. 나는 정말 모르고 그런 거야. 혜나가 올해 운수대통인가보다, 호호호."

작은올케가 사근사근하게 매달렸다.

"어머니, 그러지 말고 총 얼마인지 세어보기로 해요, 예? 얼마를 주셨는지 알고 있어야 박회장님께 얼마큼 감사하는 마음을 가질지 알 수 있고, 또 백화점 종류마다 얼마씩인지를 알아야 어디에서 뭘 사실지 정할 수 있고……"

"그럴까? 그럼 애, 큰애야, 너는 가서 원두커피를 내려라. 혜나는 요새 속 쓰리다니까 루이보스티 주고. 작은애 너는 거기 앉아서 종류별로 나누어서 세어봐라. 기왕이면 ○○백화점 상품권이 좋은데. 좀 멀더라도 거기가 쾌적하고 좋더라."

임현명 여사가 방금 나에게 배운 대로 턱짓만으로 며느리들에게 역할을 분담시켰다. 큰올케는 험상궂은 표정으로 부엌으로 갔다. 큰올케가 쟁반에 커피를 절반 넘게 엎질러가면서 숨가쁘게 달려오는 동안 언제나 정직의 화신인 작은올케는 연습장에 장부까지 적어가면서 깔끔하게 돈 계산을 마쳤다. 모두 합해 팔백이십만원이었다. 그냥 놔두면 허술한 임여사가 며느리들에게 또 인심을 쓸 것 같아서 나는 선수를 쳤다.

"어휴, 쪼잔한 영감탱이. 저러니까 마누라들이 다 도망을 갔지. 가방 하나 사면 끝이잖아. 아니지, 백화점 별로 나누어져 있으니 한데 몰아서 쓸 수도 없잖아. 내가 당장 전화 걸어서 우릴 도대체 뭘로 보는 거냐고 따질까?"

엄마가 질겁하며 내 곁에 뒹굴던 휴대폰을 빼앗아갔다.

"애! 영감님이 백화점 물가를 모르셔서 그런 건데 너는 왜 성질부터 부리니? 이 정도라도 이것저것 사면 쓸 만하다, 뭐. 하여튼 우리 혜나는 철이 없어서 큰일이야. 오냐오냐하며 키워서 도대체 버릇이 없다니까. 그런데 이렇게 못된 애를 그렇게 예뻐하는 걸 보면, 그 영감님도 제정신이 아닌 것 같기는 하고. 지난번에는 글쎄 이러시더라니까. '임여사, 삼남매 인물이 다 좋기는 합니다만 그래도 그중에 혜나양이 제일 낫지요? 아니 웃지 마시고, 다른 건 말고 인물만

놓고 이야기하자는 말입니다.'"

결코 농담일 수가 없는 박진석의 무뚝뚝한 말투를 흉내내는 임여사 덕분에 우리는 실컷 웃었다. 요즘 우리 집안에서 웃을 일이라고는 박진석뿐이었다. 우리는 그의 일거수일투족에 웃고 또 웃었다. 작은올케의 뱃속에서 무럭무럭 자라고 있는 어린것이 태어난다 하더라도 박진석만큼 사랑스러울지 의문이었다. 박진석 덕분에 우리 가족의 혈중 엔도르핀 농도는 건강 기준치를 훌쩍 넘어섰다. 아빠가 떠난 후 처음이었다.

나는 엄마의 출국일에 맞추어 휴가를 냈다. 병원일이 꽤나 바쁜 척했지만 실은 그 반대였다. 정욱연이 사라진 병원은 놀라울 정도로 한산했다. 정욱연 말고도 의사가 세 명이나 더 있는데도 내원객은 삼분의 일로 줄어든 것 같았다. 병원은 철저하게 정욱연 한 사람에게만 의존하는 조직이었다. 그것이 한계였다. 다른 의사들은 모두 들러리에 불과했고 그의 짐을 덜어줄 수 있는 보조자가 존재하지 않았다. 앞으로도 없을 것이 분명했다. 현재 정욱연이 혼자 감당하는 업무는 다른 의사들이 삼교대로도 해내지 못할 분량이었다. 그런 자리를 이어받겠다고 나서는 정신 나간 의사는 아무도 없었다. 저개발국에서 온 이주노동자라고 해도 사장을 고발해버릴, 살인적인 노동강도였다.

어찌된 일인지 그와 키스했던 밤 이후로 나는 좀더 불행해졌다. 정욱연의 연인이 되는 건 놀랍게도 김학원의 동생으로 사는 것과 크게 다르지 않았다. 차마 지켜볼 수 없이 조마조마하고 피가 말랐다. 눈에 안 보이는 게 나은 것도 김학원과 똑같았다. 차라리 그가 출국한 뒤론 마음이 편해졌다. 설마 캐나다에 가서도 애를 받는 건 아니겠지. 나는 그의 아내에게 질투 따위는 손톱만큼도 하지 않았다. 어느 여자의 품에서건 그가 쉴 수만 있다면 나는 세계에 존재하는 모든 훈장을 그 여자에게 수여할 수 있었다.

김칫국 마시기 달인 가문의 상속녀답게, 나는 대책을 마련하고야 말겠다고 작심했다. 그가 아무리 힘겨운 환경에서 강인하게 살아왔다고 해도 이런 미친 일과 속에서는 살아남을 수 없었다. 연인으로서 나의 임무는 그를 살리는 거였다. 일단 그를 살려야 한다. 그가 과로로 죽어버리면 사랑도 개뿔도 아무 소용 없었다. 그것은 불을 보듯 명확한 일이었다. 하지만 정욱연을 분만실에서 끌어내 휴식과 피트니스의 세계로 밀어넣는 것은 김학원을 7급 공무원으로 변신시키는 것만큼이나 암담한 미션이었다.

엄마가 여행을 떠나는 날, 나는 엄마의 분부대로 환송 세리머니를 하기 위해 친정집으로 찾아갔다. 놀랍게도 큰오빠 부부가 조카들까지 데리고 와서 집을 꽉 채우고 있었다. 새로 차린 밥상에 자기들만 빠질 수는 없다고, 결의에 찬 눈빛들이 번들거렸다. 덕분에 특목고 대비반에 들어간 후 코빼기도 볼 수 없었던 둘째조카까지 볼 수 있었다. 온 식구가 결혼식이라도 올리는 것처럼 제대로 때때옷 차림이었다.

박회장의 차가 아파트 앞에 도착하자 온 식구가 우르르 몰려 내려갔다. 살림을 합쳐서 함께 살고 있는 작은오빠네, 이를 악물고 찾아온 큰오빠네, 그리고 나까지. 빠진 사람은 멀리서 마음만 보낸 윤성민뿐이었다. 잘 풀리는 화목한 집구석이었다. 엘리베이터가 미어

터지도록 꾸역꾸역 몰려나오는 환송 인파를 보고 박진석 회장이 흠칫 놀랐다. 큰오빠는 박회장의 눈길을 의식하며 눈부시게 흰 봉투를 엄마에게 내밀었다.

"어머니, 모처럼 여행 가시는데 용돈 넉넉하게 쓰세요."

"얘는, 무슨 이런 신경을 다 쓰고 그러니. 고맙다, 잘 쓸게."

임현명 여사가 상쾌하게 봉투를 받아서 핸드백에 넣었다. 봉투의 두께로 보아 오만원은 결코 아니었다.

엄마가 진짜 돈이 아쉬워서 백화점에 진열된 초경량 패딩파카를 쳐다보기만 할 때 큰오빠는 엄마에게 용돈을 주지 않았다. 월 삼십만원이나 하는 회비가 부담스러워서 엄마가 평생 친하게 지내왔던 상류층 사모님들의 친목모임에서 빠질 때도 큰오빠는 엄마에게 용돈을 주지 않았다. 며칠 전 엄마와 백화점에 동행했을 때 엄마가 상품권 다발을 휘두르며 용맹을 떨치고 매장 직원들의 존경을 한 몸에 받고 여러 해 묵은 쇼핑의 원한을 푸는 모습을 두 눈으로 똑똑히 확인하자, 큰오빠는 이제야말로 엄마에게 용돈을 드릴 때가 왔다고 판단하게 되었다.

참 이상한 일이었다. 사람이 간절하게 돈을 필요로 할 때는 결코 주지 않으면서 돈이 전혀 필요 없는 사람에게는 더 주지 못해 안달이었다. 돈이 필요한 사람은 치약이나 샴푸를 선물로 받는데, 돈이 많은 사람에게는 필요하지도 않은 상품권 봉투가 자꾸만 선물로 들어와서 수천만원씩 서랍에서 썩어갔다.

조카들은 박회장에게 허리를 굽혀 인사하고, 큰올케는 시어머니께 열정적인 포옹을 바치고, 큰오빠는 엄마의 짐을 직접 싣기 위해

최기사와 몸싸움을 벌이는 것으로 일가족의 효도 퍼포먼스는 끝을 맺었다. 엄마는 차에 올라서 백성들을 향해 우아하게 손을 흔들었다. 나는 조수석에서 꼼짝도 하지 않고 앞만 바라보았다. 박회장의 검은 세단이 부드럽게 미끄러졌다.

"혜나양, 나한테 무슨 섭섭한 일이 있는가?"

공항으로 향하는 차 안에서 박회장이 물었다. 나는 나의 침묵이 오해를 불러일으키고 있다는 사실을 그제야 깨달았다. 나의 상념은 큰오빠와 정욱연 사이를 2대 8 정도의 비율로 오가고 있었을 뿐, 박회장에게 섭섭한 감정 따위는 없었다. 임현명 여사는 나의 부적절한 처신 때문에 화가 나서 얼굴이 노래져 있었다. 요즘 박진석은 우리 집에서 결코 무시할 수 없는 인물이었다. 나는 적극적으로 대처해야 할 필요성을 느꼈다.

"아뇨, 회장님 때문에 그런 게 아니에요. 제가 요새 마음 쓰이는 문제가 있거든요. 회장님, 괜찮으시다면 여쭤보고 싶은 게 있어요. 개인적인 일인데 괜찮으세요?"

"안 될 게 뭐 있나. 뭔데?"

"회장님은 젊을 때 얼마나 일하셨어요? 당연히 일벌레셨겠죠? 일중독이셨어요?"

"어? 그건 왜?"

예상치 못한 질문에 당황한 박회장이 조금 얼떨떨하게 얼버무렸다.

"제가 아주 좋아하는 친구가 있어요. 아주아주 많이 좋아해요. 굉장히 소중한, 아주아주 소중한 친구예요. 그런데 그 친구가 자기 사업을 열심히 하는 건 좋은데, 좀 과한 것 같아 보여요. 자기 몸을 돌보지 않아요. 저러다 어느 날 죽는 건 아닌가 싶을 만큼 심하게요. 어느 정도냐면, 이십사 시간 쉬지 않아요. 낮에 미친 듯이 일하는 건 물론이고요, 새벽에도 잠을 안 자고 일만 해요. 왜냐하면…… 미국…… 미국 사업 때문에요. 시차가 있으니까요. 그곳 시간에 맞춰서 연락 몇 번 하다보면 밤새 자다 깨다 하게 되잖아요. 일주일에도 몇 번씩 그래요. 아예 사무실에서 새우잠을 자요. 그래서 사람이 살수 있겠어요? 제가 아무리 쉬면서 일하라고 말해도 듣질 않아요. 자기는 일하는 게 제일 좋다는 거예요. 일할 때 보람을 느끼고 행복하다는 거예요. 특히 미국에…… 미국에 연락하는 일이 제일 보람 있대요…… 아무리 일이 좋아도 그렇지, 사람이 잠은 자야 하잖아요. 오늘 회장님을 뵌 김에 좀 여쭤보고 싶어요. 회장님도 젊을 때 그러셨어요? 보통 사업가들은 다들 그렇게 사나요? 그래도 괜찮은가요?"

나는 고개를 돌려 뒷좌석의 두 노인네를 바라보았다. 도대체 무슨 귀신 씻나락 까먹는 소리냐 하는 표정들이었다.

"나도 그렇게 미친 듯이 일했던 때가 있긴 한 것 같은데 오래전 일이라서 기억이 잘 안 나는구먼. 내가 처음 했던 일이 미국에서 오는 원조물자, 미군물자를 빼돌려서 팔아치우는 일이었는데 이문이 굉장히 많이 남는 사업이었지. 그런데 그게 불법적인 거니까 새벽에, 남들 모르게 해야 했거든. 밤새 한잠도 못 잤던 적이 많았지. 그것 말고도 밤에 하는 사업이 생각보다는 많아요. 경부고속도로 놓을 때 하청 일도 좀 맡아서 했는데 현장에 제시간에 닿으려면 밤새

반죽을 해서 레미콘을 새벽에 출발시켜야 하지. 그때도 밤이고 낮이고 없었지. 그때 사고도 많이 나고 레미콘 일로 하도 고생해서 그 다음부터 건설 쪽은 안 했지."

"그런 일을 몇 년이나 하셨어요?"

"글쎄…… 미군물자 일은 한 이 년 했고…… 레미콘은 한 일 년 반이었나…… 뭐……."

"회장님, 이 사람은 지금 십 년째예요. 사실 정확하게 몇 년째인지도 몰라요. 십 년이 넘을지도 몰라요. 그게 정상인가요? 미친 거 아닌가요? 이대로 두면 큰일 나지 않아요? 병원이라도 데리고 가야 하지 않아요?"

"원래 체질이 강한 모양이지. 밤잠이 없는 사람도 있지 않겠어?"

"아니에요! 절대로 아니에요! 뼈만 남았어요! 코피는 밥 먹듯이 흘리고요!"

박진석이 나를 물끄러미 바라보았다. 나는 내가 주먹을 불끈 쥐고 핏대를 올리고 있다는 사실을 뒤늦게 깨달았다. 다음 단계가 무언지 엄마와 나는 뻔히 알고 있었다. 우는 거였다. 임현명 여사가 험악한 표정으로 목을 자르는 손짓을 했다. 나는 간신히 주먹의 힘을 뺐다.

"그러니까, 혜나양이 아는 사람 중에 일에 미친 남자가 있는데, 그 남자가 일을 좀 줄이면 좋겠다 그 말이구먼."

"네, 회장님. 바로 그거예요."

박회장의 민둥머리 꼭대기로 '그 남자가 누군데?' 하는 커다란 물음표가 동동 떠올랐지만, 백전노장답게 묻지는 않았다. 그의 인내와 교양에 감사할 따름이었다. 오히려 임현명 여사의 약오른 얼굴에 '너 돌아오면 죽었어'라고 써 있었다.

"글쎄, 살다보니까 그럴 때가 있더구먼. 나 같은 사람은 돈에 한이 맺힌 사람이라 말이오. 내가 어릴 때 우리 집이 좀 가난했던가. 그때 괄시를 받았던 생각을 하면 밤에 잠이 오나 어디. 이번에는 제대로 한 쾌가 걸렸다 싶으면 옳거니, 하고 덤벼들지. 물불을 가리지 않지. 직성이 풀릴 때까지는 돈을 벌어봐야 하지."

"그러면 직성이 언제 풀리나요?"

박진석 회장은 지난 인생을 쓸쓸하게 반추했다.

"나는, 북에 있던 식구들이 죽었다고 하니까 맥이 탁 풀리더구먼. 내 그 이후로는 사업을 그리 열심히 하지 않소."

77세, 앞으로 삼십 년. 젠장.

그러나 나는 정욱연과 박진석이 다르다는 사실을 쉽게 깨달았다. 정욱연은 악착같이 만나야 할 북쪽의 가족이 없었다. 어느 정도 돈에 대한 갈증이 해소된 뒤로는 수중에 돈이 모이면 굵직한 자선사업에 썼다. 콜카타에 무료병원을 세웠고 수도권 어딘가에 저소득층을 위한 호스피스 병원을 세우고 있다고 들었다. 그는 목표로 삼는 것이 없었다. 이룰 것은 다 이루었다. 자신의 수명을 야금야금 잘라내며 러시안 공익 룰렛을 돌리고 있을 뿐이었다. 나는 또다시 정욱연의 야윈 어깨로 돌아갔다. 입술의 촉감은 기억에 남지 않고 뼈다귀에 사로잡히다니, 몹쓸 키스였다.

생각에 사로잡혀 있었던 사람은 나뿐만이 아니었다. 박진석이 혼잣말처럼 중얼거리기 시작한 것은 대화가 끊어진 지 한참이나 지난 뒤였다.

"내 주변에는 돈을 많이 번 사람들이 많아. 겨루기라도 하는 듯 떼돈들을 벌었지. 쉰 보리주먹밥을 소금물에 찍어 먹던 때는 정말 주머니에 돈 한 푼이 없었는데, 어찌 이만큼 되었을까. 내가 생각해도 기가 막히오.

처음에는 먹고살아야 하니까 돈을 벌지. 살아야 하니까. 그런데 한번 돈을 벌기 시작하면 먹고사는 일은 금세 끝이 나버려. 먹고사는 걱정 없이 돈을 벌기 시작하면 그때부터 돈 버는 게 재미가 있어져. 이렇게 해도 돈이 되고 저렇게 해도 돈이 되니까 신이 나. 세상이 엽전 구멍만해지고 사람들이 나한테 굽실거리는 모습이 재미있어. 그래서 한세월 또 돈을 버네. 내 생각에, 이만큼에서 멈추어야 좋아. 잔챙이일 때가 재미있어. 그래야 사람답게 살아. 돈이 돈으로 쓸모가 있는 건 이만큼으로 족해.

그런데 참 이상하지. 그보다 돈을 더 많이 벌게 되면 말이오, 그때부터 진짜 큰일이 닥친다오. 더이상 재미로 하는 게 아니야. 재미가 다 뭔가. 꾼들끼리 겨루게 되는 거지. 죽고 사는 전쟁이 되네. 그 꾼들은 말이야, 다들 제각각 들러붙은 헛것들이 있어. 그때부터는 들린다고 해야 하나, 쫓긴다고 하나. 오히려 먹고살 것이 없을 때보다 더 절박하기조차 하오. 그건 욕심이 아닌 것 같아. 욕심만 가지고서는 사람이 그리 되나 어디. 욕심하고는 달라. 사람이 아예 어딘가가 고장이 나버리는 거야. 욕심보다도 훨씬 더 무섭고 지독한 거야, 그게.

자수성가한 사람들은 말이에요, 자기 어릴 때 굶고 괄시받은 기억이랑 싸워요. 그때 억울하던 생각을 하면 자다가도 벌떡 일어나. 내가 세상을 다 집어삼켜도 성이 안 풀려. 그래서 사람이 돌아버리지. 그럼 곱게 자란 부잣집 도령들, 재벌 2세들은 한이 없나? 그 사람들은 자기 아비하고 싸워요. 사람들이 손가락질하거든. 저놈은 아비 덕에 저걸 다 물려받았는데, 분명히 저걸 간수를 못 할 거다, 아비를 잘 둬서 그렇지 제가 잘난 건 하나도 없다고 그러거든. 그거 옆에서 보니 미칠 노릇입디다. 그래서 내가 보기엔 2세들이 더 표독하게 돈을 벌어요. 2세라고 우습게 볼 일이 아니거든."

나는 그의 말을 경청했다. 박진석 영감에게는 놀라운 직관과 겸허함이 있었다. 나는 그가 떼부자가 아니라고 해도 그를 좋아할 수 있을 것 같았다.

"그러면 회장님이 그렇게 많은 돈을 버신 건, 어릴 때 가난했던 기억 때문인 건가요? 회장님은 자수성가형이니까요."

"글쎄, 나는 그 편이 아닌 것 같은데. 혜나양, 나는 내가 그리 악착같은 사람이라고는 생각하지 않아요. 물론 모질게 살았지. 하지만 세상이 조금만 달랐으면 말이오, 나는 그저 평범하게 사는 데 만족했을 남자인 것 같아. 정말이야, 혜나양. 집칸을 넓히고, 자식을 가르치고, 그런 일을 재미있어했을 거야. 분명히 그랬을 거야.

그런데 말이오, 나한테는 도저히 놓을 수 없는 집념이 있었어요. 내 처와 딸 말이오. 내가 앉아서 통일만 기다린 건 아니오. 나는 그들을 데려올 수 있을 거라고 믿었거든. 어떻게든 방법이 있을 줄 알았어. 내 생각에 김일성이 그놈이 십 년만 일찍 뒈졌으면 내가 해냈을 거라. 요즘은 개나 소나 다 탈북을 하지 않소? 그런데 안 되는 거야. 내가 일찍부터 일본 쪽으로 선을 대서 송금을 하기 시작했는데 그게 결국 걸림돌이 되었어. 감시가 허술해야 빼내올 수가 있는데 그쪽 간부놈들이 내 가족들을 봉으로 알고 주시하게 되었던 거지. 아니면 저쪽 중국 국경이랑 가까워야 작업을 하기가 좋은데, 내 처가 아픈 아이를 데리고 멀리 움직일 수가 있는가 어디. 나는 점점 더 바짝바짝 애가 닳고, 좀더 윗선으로 대봐야 하는가, 더 크게 손을 써야 하는가, 그런 궁리를 하다보니 애먼 돈만 벌다가 훌쩍 세월이 가버렸고."

박진석은 신기하게도 처와 딸 이야기를 할 때 가장 치명적으로 매혹적인 남자였다. 나는 그에게 꽃을 뿌리고 싶었다. 선루프를 열고 기립박수를 치고 싶었다. 임현명 여사는 벌써 눈가를 훔치고 있었다. 박회장이 겸연쩍게 웃었다.

"이 이야기를 왜 했지 내가…… 아, 그렇지, 혜나양 친구…… 그 일만 한다는…… 내가 그 친구를 보지 않았으니 나는 잘 모르겠소. 혜나양이 잘 살펴보면 그 친구에게도 무언가 들린 것이 있을 거요. 분명히 있을 게야. 그것에서 헤어나는 게 본인 의지로 되는 일인지 나는 잘 모르겠소. 나도 북의 가족들이 죽고 나서야 깨어났으니까. 하지만 혜나양이 간절하게 원한다면, 그 친구한테 어떤 도움을 줄 수도 있겠지. 혜나양의 친구라면 아직 젊은 사람일 텐데 가족을 생각하라고 해요. 요즘 세상이 오죽 좋은가. 젊은 시절에 좋은 세상을 만난 것도 복인데, 일만 하지 말고 행복을 누리면서 살아보라고 내 말을 전해주구려. 하고 싶어도 하지 못한 억울한 인생이 얼마나 많은데."

보딩타임까지는 시간이 넉넉했다. 우리는 공항에서 정말로 일가족처럼 화목하게 식사를 했다. 아니, 진짜 피를 나눈 가족의 식탁은 그렇게 존경과 사랑이 흐르지 않는다는 것을, 가족의 식탁을 지배하는 것은 오히려 불만과 권태에 더 가깝다는 것을 나는 경험적으로 징그럽게 잘 알고 있었다. 오로지 가족에 대한 환상을 버릴 기회가 없었던 박회장만이 정말로 가족과 함께 식사를 하고 여행을 떠나는 것 같다고 거듭거듭 감격했다. 나는 박진석의 알머리 뒤편에서 작렬하는 후광에 눈이 부셔서 식사 내내 눈을 내리깔고 있었다.

식사를 마친 뒤 출국장 앞에서 엄마와 나는 포옹을 나누었다. 나를 보는 박회장의 눈빛에 무언가 개운하지 못한 구석이 있었다.

"혜나양…… 무슨 다른 말은 없는가?"

"예? 저요? 무슨 말이요?"

그는 오래 탐색하지 않았다. 나는 뭐든 속에 감춰두지 못하는 사람인 게 뻔하니까 말이다. 그는 고개를 끄덕이고 돌아섰다.

"그럼 나중에, 나중에 이야기하세. 모친이 안 계신 동안 몸조심하시오. 그럼 가십시다, 임여사."

그들은 재클린과 오나시스처럼 떠났다. 부티가 좔좔 흐르는 두 노인들은 보기 좋았다. 언젠가 큰오빠가 언급했던 '모범적인 노후'라는 말이 생각났다. 모범이 별 택시만도 못한 곳에서 고생을 한다고 빌끈했었지만, 막상 밀월의 단꿈에 들뜬 엄마가 박회장과 나란히 출국장으로 사라지는 뒷모습을 보니 딱히 흠잡을 부분이 어디인지 떠오르지 않았다.

그러면, 엄마와 아빠는 각각 모범적인 노후를 찾은 건가?

아빠는 어떻게 지내고 있을까?

11

"오빠, 나 휴가 냈어. 오창에 한번 가야 해. 성민이가 너무 불만이 많거든."

"그래? 오랜만에 달려볼까? 그럼 길 안 막히게 밤 열두시에 출발 하자."

그러나 작은오빠가 집 앞에 도착한 시각은 저녁 일곱시 근처였 다. 자기가 말한 것을 지켜본 일이 없는 인간이었다. 오랜만에 야간 출격을 앞둔 작은오빠는 기분이 대단히 좋아 보였다. 닭가슴살 다 이어트에 성공했는지 몸매는 더 훌륭해져 있었다.

"형이랑 같이 저녁 먹기로 했어. 이 근처에 새로 갈빗집 생겼던데 주차장도 널찍하고 인테리어도 근사하게 한 것 같더라고. 막걸리도 직접 담근다던데."

식당에 갔더니 큰오빠가 제일 먼저 도착해서 혼자 고기를 구워 먹고 있었다. 곧 도착할 동생들을 기다려주는 예의 따위는 평생 보여준 적이 없었으므로 놀라지도 않았다. 얼마 전 안사돈이 결국 운명했는데, 오팔회 부부의 모든 전투력을 걸고 덤벼보았으나 처남들에게 또 밀려서 별 재미를 보지 못했으므로 큰오빠는 요즘 들어 내내 기분이 나쁜 편이었다. 우리는 왜 만나는 건가 싶은 무덤덤한 얼굴로 의자를 끌어당겨 앉았다. 일종의 데면데면한 신년회라고 여기기로 했다. 큰오빠가 인사도 없이 잔부터 채워주었다.

"넌 이따 혜나 데려다줄 거라면서. 술 마시지 마라. 성민이도 면허정지 당했는데. 한 집안에 두 명씩이나 정지되면 곤란하잖아."

"이따 밤 열두시에 출발할 거니까 지금 건배만 하는 건 괜찮아."

막걸리는 단맛이 강한데다 미지근해서 불만족스러웠다. 돼지갈비 역시 실망스러웠다. 캐러멜로 뒤범벅된 진한 양념에 시커멓게 재운 것을 보니 원재료인 고기가 신선하지 않았다는 심증이 갔다. 널찍한 주차장이나 고급스러운 실내장식과는 어울리지 않는 저급한 음식이었다.

"어른은 나이만 먹는다고 되는 게 아니야. 자기 할 일을 다 하고 후손을 생각해야 어른이지, 나이만 먹는다고 어른인가. 이제 누릴 만큼 다 누렸는데도 여전히 욕심 많고 아집 강한 걸 보면 나이만 먹는다고 어른이 되는 게 아니라는 생각이 든다."

큰오빠 특유의 난데없는 훈계였다. 큰오빠는 언제나 복식호흡을 하며 웅변조로 말했지만 사실 그 내용은 언제나 요점과 대상이 분명치 않고 어딘가를 향한 불만과 욕심만이 잔뜩 뒤범벅되어 있었다. 아마도 화살은 죽은 장모와 살아 있는 아빠의 중간지대 어디쯤을 향하고 있을 것이었다.

"용마물류 지분을 새어머니 앞으로 이전 공시했더라고."

지분이나 공시 따위의 단어를 들으면 머리가 지끈지끈 아파지는 증상 때문에 나는 돈을 벌지 못했다. 반대로 오빠들은 그런 단어만 들으면 지레 흥분하고 날뛰는 증상 때문에 수없이 망했다. 아니나 다를까 작은오빠가 대번에 흥분했다.

"또? 지난번에 디엠빌딩 관리이사 자리도 그 여자 이름으로 해놓더니! 둘 다 완전 미쳤구만! 이제 인간성을 완전히 상실한 거야!"

형제의 대화는 온갖 난데없는 단어들의 굴욕 경연장과도 같았다. 나는 잘 익은 돼지갈비를 한 점 입에 넣었다. 고농도의 합성조미료 때문에 혀끝이 아렸다. 시커멓고 끈적끈적한 양념 돼지갈비를 보면서 나는 피치 못하게 우리 가족을 떠올렸다. 우리는 오로지 진한 양념으로 누린내 나는 육질을 은폐한 저질 돼지갈비 같았다.

"가평은?"

"접었다."

"PF는 받았잖아?"

"젠장, 시공사가 구해져야지."

형제의 대화는 암호문처럼 간결해서 종잡을 수 없었다. 어차피 알아듣지도 못할 이야기니까 나는 관심을 기울이지 않았다. 나는 지나가는 종업원에게 냉면을 달라고 주문했다.

"……아빠가 끝까지 안 된대?"

"고소한다더라."

"너무하네."

"잡종지 한 조각 가지고, 치사해서."

갑자기 아빠 이야기가 튀어나와서 나는 귀를 곤두세웠다.

"아빠? 아빠가 오빠를 고소해? 무슨 소리야?"

팔푼이 여동생에게 복잡한 경제 문제를 설명해야 하는 굉장히 똑똑한 두 형제의 고충이 얼굴에 여과 없이 드러났다. 나는 내 얼굴에도 아니꼬움이 그만큼 여과 없이 노출되기만을 바랐다. 언제나 나에 대해서만은 일단 인내심을 가져주는 작은오빠가 그 골치 아픈 역할을 떠맡았다.

"형이 이번에 시행사를 하나 차렸거든. 가평에 아파트를 분양하려고 했단 말이야. 자금도 일단 조달을 했어. 프로젝트 파이낸싱이라고 넌 잘 모를 텐데, 하여튼 내가 좀 아는 사람을 소개해줬거든. 저축은행 PF 담당자가 나 증권회사 다닐 때 잘 알고 지내던 놈이거든. 거기서 대출을 받아서 일단 땅을 구했단 말이야. 요즘 춘천 라인 뜨잖냐. 그런데 요즘 아파트 분양시장이 워낙 죽을 쑤다보니까 시공사를 못 구한 거야. 그런데 형이 프로젝트 파이낸싱을 받을 때 계약서에 혹시 사업이 지연되면 대충 아빠 땅을 담보로 제공할 수 있다고 했거든. 뭐 진짜 아빠 땅을 담보로 쓴다는 게 아니라 서류상 적당히 그렇게 쓴 거야. 아는 사람이라니까. 하남에 아빠 땅이 하나 있어요. 옛날에 아빠가 타운하우스나 분양할까 하고 사둔 땅이야. 지금은 비가림막 쳐놓고 대충 널빤지나 쌓아놓았는데, 저축은행 애가 그걸 담보설정 하겠다고 서류를 보낸 거야. 그러니까 아빠가 고소를 한다는 등 그러는 거지. 설마 아빠가 진짜로 그러겠냐. 하는 소리지."

조미료 때문인지 머리가 지끈지끈 쑤셔왔다.

"계약서에 있으면 그대로 하는 거 아니야? 소송 걸리면 아빠 땅 날아가는 거 아니야? 아는 사람이라고 다 봐줘? 근데 아빠가 그 땅 담보로 하라고 동의한 적도 없는데 어떻게 계약서에 그렇게 썼어?"

천재 형제들은 칠푼이 여동생의 반론에 굳이 대답할 가치를 느끼지 않았다. 그들은 돼지갈비를 이 인분 더 주문하고 내 잔에 인심 좋게 막걸리를 채워주더니 북한군 사열대처럼 일사불란하게 어떤 한류스타의 이중결혼 스캔들로 화제를 옮겼다. 나는 막걸리의 밍밍함을 견디지 못하고 결국 소주를 주문했다.

"그러면, 땅만 사놓고 아파트는 분양을 못 하게 되었으니까 결국 큰오빠도 빚을 진 거야?"

큰오빠가 짜증스러운 눈빛으로 나를 쏘아보았다.

"PF 받았다고 했잖아."

젠장, 이런 식으로 말하는 인간들 정말 싫다.

"아, 그러니까 PF가 뭐냐고. 빚 안 갚아도 된다는 뜻이야?"

옆 테이블에서 고기를 굽던 사람들의 눈길이 우리 테이블로 향했다. 이런 식으로 주목을 받는 건 정말 싫지만, 사실 궁금하기도 했다. 지금 이 식당에서, PF가 뭔지 모르는 사람은 정말 나 한 사람뿐인 걸까? 모두 경제학자들인가? 역시나 조금 더 관대한 작은오빠가 귀찮은 설명을 떠맡았다.

"프로젝트 파이낸싱이라는 건 원래 계획을 보고 투자하는 거야. 그러니까 저축은행에서는 형이 아파트를 짓겠다는 계획의 성장성을 보고 투자한 거야. 어차피 계획에 투자한 거라고. 세상에 계획대로 다 되는 일이 어디 있니. 계획대로 안 돼서 돈 날려도 뭐 하는 수 없는 거지. 형이 일부러 그런 것도 아니고."

내가 바보인 건지 오빠들이 바보인 건지 도대체 모르겠다. 내가 벌써 왕창 취한 것도 아닌데 왜 이렇게 앞뒤가 안 맞는 소리만 해대는 것인지.

"그러면 아까 말했던 아빠 하남 땅 이야기는 무슨 소리야? 아까 분명히 아빠 땅을 담보로 잡힐 거라고 했잖아."

"아, 그건 저축은행에서 안전장치 삼아서 담보설정을 하긴 했는데, 명목상 그러는 거라고. 그러다 마는 거지. 실제로 그 땅을 담보로 내놓으라고 하지는 않을 거라니까."

"그러면 그 저축은행에서는 투자한 돈을 날려도 순순히 끝낼 거라는 거야?"

"그렇다니까."

"그게 말이 돼? 그렇게 장사하는 사람들이 어디 있어? 그러면 그 저축은행에 돈 맡긴 사람들은 어떻게 되는 건데?"

큰오빠가 소리나게 젓가락을 내려놓았다. 주변 테이블에 앉은 사람들의 어깨가 움찔했다.

"야, 김혜나, 시끄러워. 빽빽거리지 좀 마. 설명해줘봤자 알아듣지도 못하는 주제에. 요새 젊은 계집애들 쥐뿔도 없는 주제에 건방져."

명치끝에서 불덩이 같은 게 훅 치밀어올랐다.

"뻘소리하네! 큰오빠가 아빠 땅 잡혀서 또라이 같은 사업을 하다가 망했다는 소리잖아! 그쪽에서는 아빠 땅 내놓으라고 그러고, 아빠는 큰오빠 고소하겠다는 소리잖아! 내 말이 틀렸어?"

"그게 그래서 안 될 일이야? 우리는 엄연한 본처 자식들이잖아! 그럴 권리가 있는 거잖아! 새로 태어날 자식만 자식이야? 그 아이는 어디까지나 후처 자식이잖아!"

내내 시끄럽고 삐걱거렸던 우리의 식탁에 일순간 침묵이 찾아왔다. 큰오빠는 기름이 둥둥 뜬 막걸리잔을 비웠고 작은오빠는 과하게 익은 돼지갈비를 뒤집었다. 그 소식은 생각만큼 마음에 생채기를 남기지는 않았다. 벌겋게 달아오른 숯불과 지글지글 익어가는 돼지갈비가 갑자기 미지근하게 보였을 뿐이었다. 아직도 억울한 큰오빠가 한마디를 더 보탰다.

"그리고 딸일지도 모르잖아. 딸은 시집보내면 끝인데, 당연히 아들을 밀어주셔야지."

오로지 남아선호사상 몰빵인 큰오빠였다. 도무지 일의 앞뒤를 모르는 인간이었다.

"딸? 걔가 딸이면 아빠가 오빠를 밀어줄까봐? 나 자랄 때 봤지? 우리 아빠가 나이 칠십에 막내딸이 다시 생기면 어떻게 될 것 같아? 오빠들은 아마 아빠 동전 한 개도 구경하지 못할걸."

큰오빠의 얼굴에 짙은 먹구름이 드리워졌다. 하지만 큰오빠는 끝까지 모종의 자신감을 잃지 않았다.

"딸은 그저 자랄 때만 예뻐하면 끝이야. 널 봐도 그렇잖아. 그리고 우리는 법적으로 아버지의 재산을 물려받을 권리가 있다고."

"흥, 누구한테 유산을 줄지 말지는 아빠 마음이지."

"아버지 성격상 벌써부터 유언장 정리해놓으실 리가 없어. 아마 십 년은 더 있다가 생각하실걸. 그리고, 흐흐흐."

큰오빠의 입가에 기름진 미소가 떠올랐다.

"뭐 여자들이 하는 말을 다 믿을 수는 없긴 하지만 말이지, 해명이 엄마가 점을 본 모양이더라고."

말끝마다 여자 운운이다.

"그 점쟁이가 오빠 올해 운세가 괜찮다고 하더래? 아빠가 기분좋아서 잘 봐주겠대?"

"아니, 그렇게 좋지는 않대. 고생은 좀 할 모양이더라고. 뭐 부친상을 당한다니 아무래도 할 일이 많지 않겠니."

나는 심장이 목구멍으로 튀어나올 뻔했다.

"점쟁이가 그랬어? 아빠가 올해 죽을 거라고?"

"내가 상 당할 운세라는데, 그게 그런 뜻 아니겠냐?"

"오빠는 그 말을 믿어? 점쟁이 말을?"

"나만 그런 게 아니더라고. 학원이 사주를 보고서도 똑같이 그러더래. 부친상 당하겠다고. 신기하지 않냐? 형제가 똑같이 그렇게 나오다니. 그러니까 마음의 준비를 좀 하는 거지. 혜나 너도 한번 가서 물어봐라. 너도 그렇게 나올지도 몰라. 아니, 딸 사주엔 그런 거 안 나오겠구나. 출가외인이니까."

어느새 내 손은 소주병을 움켜쥐고 있었다. 단숨에 비우든지 휘두르든지, 어느 쪽이든 나쁘기는 마찬가지였다. 여기서 마시기 시작하면 갈 데까지 가는 순서였다. 나는 소주병의 모가지를 손아귀에 틀어쥐고 힘을 주었다. 차가운 액체가 초록 유리병 안에서 찰랑거렸다. 목이 탔다. 신이여, 힘을 주소서.

울컥 정욱연이 그리워졌다. 가슴이 미어지도록 그리웠다. 황당하게 미친 세상을 엷은 웃음으로 이겨낼 수 있는 그 남자. 그가 보여준 놀라운 위로와 공감의 능력. 아, 위로받는다는 것은 얼마나 눈물겹게 행복한 일인가. 그의 짧은 말들이 얼마나 나를 안심시켰던가. 밤새 체온으로 덥혀놓은 이불처럼 따뜻하고 평화로운 그의 나라. 그의 세계.

나는 마음속으로 정욱연, 정욱연이라고 울부짖었다. 정욱연처럼 살고 싶었다. 미친 세상에 뒤흔들리지 않고 묵묵하게, 상처받지 않고 꿋꿋하게. 마라톤 전 코스를 완주하고도 힘이 남아 트랙을 한 바퀴 더 도는 마라토너처럼, 야윈 몸으로 세상과 싸워 이기고도 힘이 남아 타인에게 의지와 위안을 나누어주는 그 남자처럼. 다음주면 그가 돌아온다. 그가 돌아올 때까지 몸매관리, 피부관리, 해내야 한다. 폭력사범으로 구속되어도 안 된다. 나는 힘겹게 소주병을 놓았다.

"그 말을 듣고 나니까 말이다, 아, 부모님이 언제까지나 계신 게 아니구나 하는 깨달음이 오더라고. 나도 어느덧 나이가 오십을 바라보는데, 물론 부모님께 섭섭할 때도 있고 생각이 다를 때도 있지만 하나하나 따지고 그럴 일은 아니라고 생각한다. 그래서 아버지가 뭐라고 하시든, 나는 요새 따지지 않고 그저 묵묵히 듣기만 하는 편이다. 무한한 시간 앞에서 유한한 인생을 생각하면서 겸허해지는 그런 거 있잖냐."

그러니까 시간이 아빠를 해치워줄 때까지 일 년만 묵묵히 버티면 무슨 수가 날 거라는 그런 뜻인 거지. 나는 그 파렴치한 효심에 치를 떨었다. 악에 받쳐서 신이 내린 것처럼, 내 입에서도 희한한 방언이 술술 쏟아져나왔다.

"나도 그런 느낌 알아. 박회장님 말이야. 그분과 나는 전생에 분명히 부녀지간이었을 거야. 아니면 어떻게 그렇게 처음 보자마자 눈물이 쏟아져나오겠어. 내가 말하지 않았던가? 내가 박회장님이랑 처음 밥 먹던 날, 한 숟갈도 못 먹고 그냥 울기만 했다니까? 그분도 그랬어. 그냥 밥숟가락 딱 내려놓으시고 혜나양…… 혜나양…… 하면서 우시기만 하는 거야.

난 그분을 왜 그렇게 늦게 만났는지 몰라. 이제 겨우 만났는데 그분은 벌써 여든이 넘으셨으니 나는 효도다운 효도를 해볼 틈도 없잖아. 그래서 나는 박회장님한테는 뭐든지 예스라고만 할 생각이야. 그분도 같은 생각이신 것 같더라고. 내 말이라면 거절하는 법이 없다니까. 회장님은 평생 가족에 굶주려 사신 분이라서 정말 가족을 가장 소중하게 생각하시더라. 지난번엔 그러시더라고. 박회장은 작은오빠 같은 날건달 딱 질색이지만, 그래도 부모, 형제 챙기는 것 하나는 정말 기특하다고. 그거 하나 좋게 봐서 어떻게든 사람 만들어보려고 하는 거라던데."

오빠들은 내 입에서 곧바로 박회장의 돈다발이 콸콸 쏟아져나오기라도 할 것처럼 내 입의 움직임에 무섭게 집중했다.

"큰오빠도 그러냐고 물어보길래, 앞으로 차차 아실 거라고 했어."

나는 크게 하품을 했다. 경직된 안면근육으로 가짜 하품을 지어내려니 광대뼈를 덮고 있는 근육이 찢어지는 것 같았다. 그들은 내 하품조차 깍듯이 경청했다. 내 목젖 뒤편에 주렁주렁 매달린 황홀한 황금달걀 꾸러미들을 발견했을지도 모른다.

"작은오빠, 피곤한데 얼른 먹고 빨리 가자. 길 막혀도 일찍 갈래.

아참, 아까 오후에 회장님이 나한테 전화했더라. 크루즈에 잘 탔고 재미있게 잘 있으니까 오빠들한테 안부 전해달래. 엄마는 뭐하느라 전화 한 통 없고 영감님이 전화를 하는지 몰라."

박회장의 총애하는 수양딸로서, 나는 신분에 합당한 존중을 쉽사리 획득했다. 오빠들은 서둘러 불판 위의 고깃점을 먹어치웠고 냉면을 한입에 들이켰다. 내가 아빠나 박회장의 후광 따위 걷어치우고 오로지 나의 말, 나의 판단만으로 합당한 존중을 받게 되는 날은 과연 올까? 나의 수명을 지질학적 시간대로 확장하지 않는 한, 그런 날은 오지 않을 것이다. 큰오빠는 돈냄새를 풍기지 않는 것은 결코 존중하지 않으니까. 박회장의 전화 따위는 받은 적 없었지만 싸구려 진실 따위 개의 입에나 물려주자. 엄마는 분명히 크루즈에서 지중해의 밤바람을 즐기고 있을 것이고 그들은 잘 있을 테니까.

"그 새끼가 다른 이야기는 안 해?"

작은오빠가 내 눈치를 보며 물었다. 불길한 예감이 차가운 손으로 내 목덜미를 훑었다.

"뭔데? 무슨 일 있는 거야?"

"아니, 별말 없었으면 됐고……"

"뭔데 그래? 빨리 말해! 뭐 숨기는 거 있지? 지금 박회장이랑 무슨 일 있는 거야?"

"아무 일 아냐. 그동안 그 새끼가 지랄거린 게 어디 하루이틀이냐. 남자가 일을 하려면 원래 그런 거야. 아무리 쪼아도 끝까지 버텨야 하는 거라고. 죽이기야 하겠냐."

불안한 뒷맛이 남기는 했으나, 지난 세월 박회장과 작은오빠의 관계가 늘 그런 식이었다는 말도 맞기는 했다. 박회장은 오래전부터 작은오빠를 틀어쥐기도 하고 풀어주기도 하고 만만하게 부려먹기도 하면서 긴장 속의 공생관계를 유지해왔다. 박진석이 임현명 여사와 본격적인 핑크 무드로 들어간 것은 김학원의 입장에서 볼 때 결코 나쁜 일이라고는 할 수 없었다. 박회장 스스로도 그렇게 말하지 않았던가. 학원군에게는 희망이 있다고. 나는 그 둘 사이의 발전적 긴장관계에는 끼어들지 않기로 했다. 내 사연만으로도 머리가 아팠다.

우리는 아홉시를 살짝 넘긴 시각에 오창을 향해 출발했다. 작은오빠는 열한시면 충분히 도착할 거라고 장담했지만 동쪽으로 향하는 도로가 막히는 걸 보고서는 제멋대로 경로를 수정해대기 시작했다. 작은오빠가 중요하게 여기는 것은 어디를 향해 가느냐가 아니라 현재 어느 길이 막힘 없이 뚫려 있는가였다. 작은오빠는 한참 동안 인천 쪽을 향해 달리더니 오로지 차가 잘 빠진다는 이유만으로 목포로 향하는 고속도로를 탔다. 나는 지리에는 젬병이었지만 목포가 한반도의 서남쪽 끝에 있다는 사실만은 알고 있었다. 아무리 생각해도 충청북도를 향하는 길 같진 않았다.

하지만 작은오빠에게는 아무 상관이 없는 일이었다. 목포로 향하는 차들은 일정한 간격을 두고 시원스레 달리고 있었다. 작은오빠는 홈질하는 바늘처럼 두 개 차선을 날렵하게 오가면서 다른 차들을 앞질러가는 놀이를 무엇보다도 좋아했다. 지금 이 순간 작은오빠를 말릴 수 있는 건 아무것도 없었다. 나는 조수석의 등받이를 한껏 젖히고 숨을 크게 들이마셨다. 오빠가 이렇게 신바람을 낼 때면 나는 이때가 죽기에 딱 좋은 타이밍이라는 기대감에 사로잡혔다. 산다는 것에 아무 미련이 없어진 지 오래였다. 아빠가 죽기 전에 우리가 먼저 죽어버리는 것도 썩 괜찮은 시나리오다. 공포가 아니라 매혹에 가까운 숨막힘이었다.

곧게 뻗은 고속도로를 달리던 자동차는 예고 없이 오른쪽으로 급커브를 했다. 클로버 모양의 인터체인지 램프에서 거의 속도를 줄이지 않고 직각에 가깝도록 급격히 코너링하면서 고속도로 진입로에서 단숨에 중앙차선으로 진입하는 고급한 기술에 들어가는 중이었다. 등받이를 거의 눕힌 자세로, 나는 내 몸에 전해지는 순수한 원심력을 온전히 감각했다. 동계올림픽에서 보았던 루지라는 게임과 비슷했다.

작은오빠의 차는 공포보다도 빨리 달렸다. 어쩌면 우리의 마지막 비명보다도 빨리 달릴 수 있을지 모른다. 멍청한 새 조너선 리빙스턴이 날개에 달린 깃털 몇 개만으로도 해냈던 그 일을, 돈을 물경 수억이나 처들인 고강도 첨단소재와 스웨덴제 과학기술의 도움을 받고서도 못 해낼 리 없다. 오늘은 그 어느 때보다도 내가 꿈꾸던 황홀경에 근접한 것 같았다. 그러나 이 순간 내 입에서는 죽음의 유혹과는 정반대의 말이 튀어나오고 있었다.

"속도 줄여, 이 미친놈아! 날아갈 뻔했잖아!"

내 입에서 나온 말에 스스로 놀랐다. 죽고 싶지 않았다. 수치와 몰락뿐인 삶인데도, 살고 싶었다. 이대로 갈 수는 없었다. 할 일이 있었다. 버텨야 했다. 그리웠다.

우리는 이미 음속을 돌파한 것이 분명했다. 분명히 말을 했는데 귀에는 소리가 들리지 않았다. 나는 부끄럽게도 뻣뻣하게 누운 채 입만 뻐끔거리고 있었다. 작은오빠가 나를 돌아보았다.

"뭐라고 그랬니? 좀 크게 말해. 안 들려."

여자를 조수석에 태우고 광란의 질주를 하는 모든 그렇고 그런 부류들이 기대하는 말은 결국 하나였다. 김학원은 내가 온 힘을 다해 '오빠 무서워'를 외치는 그 순간을 즐기기 위해 온몸의 신경을 귀에 긁어모았다. 그러나 작은오빠보다 딱 한 해 뒤에 세상에 태어나서 오늘에 이르기까지 내가 금과옥조로 여기는 원칙이 있다면, 언제나 상대방의 뒤통수를 치라는 거였다. 상대방이 원하는 것을 순순히 내놓아서는 안 된다. 내가 하고 싶은 이야기를 해야 한다. 그것도 인심 쓰듯이 생색을 내면서.

"내가 비밀 한 개 말해줄까?"

나는 침착하게 말했다. 비밀이라는 단어는 다른 모든 어휘들이 가지지 못한 강렬한 공명을 소유한 놀라운 단어였다. 아무리 작은 음량이라도 요격미사일처럼 복잡하고 고불고불한 외이도를 통과해 고막을 두들겼다. 작은오빠의 얼굴에 호기심이 그득히 차올랐다. 그는 은밀한 대화를 나누기 위해 드디어 가속페달에서 발을 뗐다. 귀청을 찢을 것처럼 톱커버를 할퀴던 바람소리가 서서히 잦아들었다.

"무슨 비밀인데?"

"나 정욱연 사랑해."

작은오빠가 짐짓 태연하게 물었다.

"사랑? 욱연이 형이 너한테 넘어갔어?"

"우리 키스했어."

자기도 모르게 두 손으로 운전대를 움켜쥔 걸 보면 작은오빠는 정말 큰 충격을 받은 것이 분명했다. 김학원에게 운전대를 두 손으로 잡는다는 건 백미러를 보면서 후진하는 것만큼이나 치욕스러운 일이었다. 무면허로 운전을 시작했던 십대 시절에조차도 그런 창피한 일은 하지 않았다. 그는 애서 침착한 체했다.

"잘했다. 형이 너한테 푹 빠진 거야?"

"아니, 내가 덮쳤어."

김학원이 빽 소리를 질렀다.

"야! 너 그거 성추행이야! 너 평생 전자발찌 차고 싶어?"

"그 남자 잘못이지! 정말 참을 수 없이 사랑스러운 걸 어떡해!"

말하고 보니 진짜 성추행범과 비슷한 논리였다.

"형한테 따귀는 안 맞았냐?"

김학원이 이죽거렸다. 나는 약이 올랐다.

"그런데 그 사람도 나 사랑하는 것 같아. 두번째 키스는 분명히 정욱연이 나한테 했거든."

"널 사랑해? 좋아하시네. 그냥 답례한 거야, 너 민망할까봐. 욱연이 형이 원래 여자들한테 매너가 좋거든."

우리의 두번째 키스가 정말로 예의바른 정욱연의 배려는 아니었을까 하는 의혹이 내 가슴속에서도 괴롭게 숨쉬고 있었으므로 나는 김학원의 얄미운 지적에 즉시 폭발했다.

"정욱연은 바람둥이가 아니거든? 정욱연도 나 사랑해! 그래서 나한테 키스한 거야! 그동안 여자들이 정욱연한테 아무리 매달려도 한번도 스캔들 없었어! 정욱연은 사람 가지고 노는 그런 인간 아니야!

정욱연은 타지마할이야! 클레오파트라! 그랜드캐니언! 석굴암! 시드니 오페라하우스야!"

"오페라하우스 같은 소리 하고 있네!"

김학원의 짧은 인내심이 금세 바닥을 드러냈다. 스프링 달린 눈알이 튀어나가서 앞유리창을 두드릴 것 같았다. 그는 운전대를 뽑아버릴 기세로 난폭하게 날뛰었다.

"야, 내가 웬만하면 너 착각하게 내버려두려고 했는데 말이야, 욱연이 형이 무슨 재림 예수라도 되는 줄 알지? 너 그 꿈 깨라, 응? 욱연이 형 알고 보면 얼마나 약아빠졌는지 알아? 속물 중에 속물이거든?"

이런 얄팍한 음해전술이야 진작부터 예견하고 있던 바였다.

"정욱연이 어디가 약아빠졌다고 그래?"

"너 욱연이 형이 내 서클 선배인 거, 알지? 우리 서클이 어떤 서클인지 아니? 우리 서클 역사가 육십 년인데, 3·15 부정선거부터 시작해서 4·19, 5·16, 5·18, 6·10에 이르기까지 단 한 번도 데모 안 한 서클이 우리 서클이야. 일제시대 지주계급 자손들부터 시작해서 오늘날에 이르기까지 고소득 전문직으로 특화된 서클이라고. 요새 잘나간다는 재벌 3세 클럽만큼은 아니지만, 뿌리 깊은 정통 부르주아지 서클이라고. 거기에 욱연이 형이 기어들어온 거야. 너 욱연이 형의 지향성에 대해서 뭔가 느껴지는 바가 있지 않니?"

"멋모르고 들어갔겠지 뭐! 시골에서 올라와서 뭐가 뭔지 모르니까 그랬겠지!"

"멋모르고 들어와? 형이 바보니? 우리 서클이 얼마나 악명 높은 서클인데 멋모르고 들어오니? 만에 하나 멋모르고 왔더라도, 다른 사람들은 쉽게 술 마시고 여행 다녔겠지만 욱연이 형한테는 하나하나가 다 돈 드는 일인데, 학비도 아쉬운 사람이 쉽게 거기 붙어 있었을 것 같아? 형은 목적이 있어서 우리 서클에 들어온 거야!"

"무슨 목적이 있었는데?"

"부잣집 여자랑 결혼하는 거지! 마하트마 정욱연의 목적은 바로 그거였다고!"

우리가 서로에게 소리를 질러대기 시작한 뒤부터 작은오빠는 가속페달에 온갖 분풀이를 다 해댔다. 앞유리창에 펼쳐지는 화면은 차마 현실이라고 믿고 싶지 않았다.

"왜? 간디도 부자 여자랑 결혼했다! 무함마드도 부자 과부랑 결혼했다! 그게 뭐 어때? 가난한 사람은 꼭 가난한 사람끼리 결혼하라는 법 있어? 오빠가 아무리 깎아내려도 난 정욱연 사랑해! 오빠도 이러길 바랐던 거 아니야? 정욱연이 돈 많으니까 나랑 정욱연이랑 엮이면 좋겠다고 생각한 거 아니었어? 그래서 날 거기 취직시킨 거잖아! 그래놓고 왜 이제 와서 흥분해?"

"누가 욱연이 형을 사랑하래? 너 착각하지 마! 너 이러면 욱연이 형도 곤란해! 그 형이 뭐가 아쉬워서 너를 사랑하겠니? 쭉 빠지고 돈 많은 여자들이 우글우글한데 뭐하러 너를 사랑하겠냐고!"

작은오빠의 야만스러운 말은, 비참하게도 한 글자도 틀리지 않은 진실이었다. 그래서 나는 더 참을 수 없이 화가 났다.

"난 아무것도 바라지 않아! 정욱연이 날 사랑하든 말든 상관 안 해! 나 혼자 사랑하면 되지! 난 정욱연의 노예가 되어도 좋아! 나를 팔아먹어도 좋아! 아무래도 좋아! 내가 좋다는데 오빠가 무슨 상관이야?"

"너 상처받을까봐 그러지! 불행해질까봐 그러지!"

"상처는 니가 제일 많이 줬어, 인간아! 너 때문에 불행해! 너 때문에 내 인생 킬링필드야! 너 때문에 내가 정말 안 해본 짓이 뭐가 있니? 괜히 남 욕하지 말고 너나 잘해!"

"그거랑은 다르지! 너랑 나는 남매지만 욱연이 형이랑 너는 아무것도 아니잖아!"

"그게 최악이야! 너랑 남매 아니면 좋겠어! 아무리 남매라도 니가 제일 악질이야! 정말 치가 떨려!"

그 미친 고속도로의 끝에 황천이 아니라 오창이 나온 것은 기적이었다. 서로 목을 졸라대지 않은 것이 다행이었다.

차츰 전세가 분명해졌다. 나는 계속해서 미친 듯이 소리를 질러대고, 작은오빠는 점점 대꾸가 줄어들었다. 이런 종류의 싸움에서 나는 한 번도 져본 일이 없었다. 사춘기 때 아빠의 손에 맞아 죽기 일보 직전인 작은오빠를 구출한 건 셀 수도 없었고, 대학 시절 그의 여자친구와 산부인과에 동행한 일이 두 번, 심지어 그의 장모가 작은오빠의 목을 조르려는 순간에 달려들어 "사돈어른, 제발 고정하세요!"를 외친 일까지 있었다. 보통 사람 같으면 한사코 숨기려 할 오욕의 순간을 작은오빠는 한사코 나와 함께하려 들었다.

어릴 때 멋모르고 한두 번 함께했던 것이, 이제는 빼도 박도 못하게 내 몫이 되었다. 사람들은 누구나 작은오빠를 다룰 수 있는 건 나뿐이라고 생각했다. 심지어 작은올케까지도 그랬다. 가슴에 손을 엊고, 나는 그 일을 즐기지 않았다. 처음에는 무언가 독점적인 기능을 보유한 것 같은 으쓱한 기분도 없지 않았지만 시간이 갈수록 그 일이 3D 업종인 것이 분명해졌다. 작은오빠는 내 인생의 대형 덤터기였다. 그런 주제에 정욱연 때문에 내가 불행해질 거라는 둥 상처받을 거라는 둥 함부로 입을 나불거리다니, 정상참작의 여지가 없었다. 창밖으로 오창이라는 이정표가 보이면서 나는 고함을 멈추었다. 작은오빠는 언젠가부터 찍소리 없이 운전만 하고 있었다.

자동차가 시내로 접어들면서 속도를 늦추었는데도 서울에서부터 따라온 바람소리가 잦아들지 않는 걸 보니 강풍이 부는 모양이었다. 대한민국의 어느 고속도로를 어떻게 돌아서 온 건지, 저녁 아홉시부터 내내 백육십 킬로미터로 달렸는데도 새벽 한시였다. 오창이 내가 생각했던 것 같은 시골 소읍은 아닌 듯 시내는 제법 화려한 네온사인으로 반짝였지만 내 눈에는 그저 공허하고 쓸쓸해 보일 뿐이었다. 오창이든 뉴욕이든 사하라사막이든 어디든, 밴쿠버를 제외한 나머지 지구는 하얀 마녀가 지배하는 나니아처럼 똑같이 차갑게 얼어붙어 있었다.

"저기가 복합연구단지야. 꽤 크지?"

조그만 시내를 살포시 벗어나는가 싶더니 작은오빠가 깜깜한 어둠 너머 희끄무레한 어딘가를 손가락질하며 말했다. 나는 거기가 크든 작든 아무 관심도 없었다.

"너 욱연이 형 좋아하는 건 알겠는데, 사랑 그건 그렇게 쉽게 할 일이 아니야. 욱연이 형 생각보다 복잡한 사람이야. 애도 둘이나 있는데 와이프가 호락호락하게 놔줄 리가 없잖아. 겁 없이 덤벼들었다가 다칠 수 있으니까 육연이 형한테 너무 목매달지는 말라고. 애도 참 겁 없기는. 용돈이나 받으랬지, 누가 사랑을 하랬니?"

나는 대답하지 않았다. 빨간색 컨버터블은 복합연구단지 옆에 붙은 아담한 아파트단지로 진입했다. 삭풍이 몰아치는 늦은 밤이었지만 단지에는 드문드문 인적이 보였다. 그들은 유난스럽게 생긴 소프트커버 컨버터블을 신기한 눈으로 쳐다보았다. 작은오빠의 차는 아파트 출입구 앞에서 멈추었다.

"같이 올라갈까? 나 주차할까?"

작은오빠가 내 눈치를 보며 물었다. 나는 딱딱한 표정으로 대답하지 않았다.

"흥, 치사하다. 나 간다. 서울에서 보자. 혹시 필요하면 불러."

작은오빠는 순순히 나를 내려놓고 차를 돌려 주차장을 빠져나갔다. 추위가 매서웠다. 나는 컴컴한 동굴 같은 아파트의 공동현관으로 들어섰다.

회사에서 주었다는 직원 아파트는 그리 오래된 건물은 아닌 것 같았다. 엘리베이터도 말끔했다. 낯선 공간이 주는 위압감에 주눅들어 허둥거리며 나는 성민의 집 앞에 섰다. 내 집이 아닌 성민의 집이 따로 있다니 이상한 느낌이었다. 일부러 깜짝 이벤트를 하려고 한 것은 전혀 아니었고 순수한 무심함 때문에 나는 성민에게 오늘 오창으로 가겠다는 말을 하지 않았다. 문을 열고 들어갔을 때 침대에 누운 성민과 발가벗은 팔등신 미녀가 발견되는 상상을 잠시 해보았지만 조금도 재미있지 않았다. 미녀가 아니라 미남이라면? 그건 좀 재미있을 것 같았다.

초인종을 눌렀지만 집 안에서는 인기척이 들리지 않았다. 깊이 잠들었나? 약간의 스릴이 느껴졌다. 나는 성민에게 전화를 걸었다. 그러나 지금은 통화를 할 수 없다는 안내음만 흘러나왔다. 몇 번이나 벨을 누르고 전화를 걸어봐도 사정은 마찬가지였다. 나는 당황하기 시작했다. 실내라고 해도 좁은 복도는 추웠고 아침이 밝아오려면 아직 멀었다. 주변에 마땅한 숙박업소는커녕 길가에 빈 택시도 없었다. 문을 열지 못하면 작은오빠에게 전화를 걸어서 돌아오라고 하는 수밖에 없었다.

가만 보니 문에는 번호키가 달려 있었다. 한 가닥 희망이 보였다. 나는 두근거리는 가슴을 진정시키며 몇 가지 숫자들을 눌러보았다. 번호키는 세 번 만에 수월하게 열렸다. 우리가 공통으로 사용하는 전화번호 뒷자리였다. 나는 캄캄한 집 안으로 들어섰다. 벽을 더듬어 불을 켜자 가구가 없어서 휑한 마루가 모습을 드러냈다. 안방 침대는 비어 있었다. 벌거벗은 두 남자가 뒹굴고 있지는 않았다.

버려진 집은 아니었다. 공기는 훈훈했다. 나는 의혹보다는 동정심에 북받쳐 천천히 집을 한 바퀴 돌아보았다. 깔끔한 편이었고 혼자 사는 남자 특유의 형식파괴적 실용주의가 돋보였다. 마루와 작은방은 텅 비워두고 안방에만 TV에서 다리미까지 다 모여 있는 식이었다. 안방과 부엌만 사용하고 다른 공간은 아예 드나들지도 않는 모양이었다.

밥솥에는 기특하게도 따뜻한 밥이 담겨 있었다. 혼자서 밥도 지어먹다니 제법이었다. 냉장고에는 밑반찬통들이 빼곡히 담겨 있었다. 반찬통의 뚜껑을 열어보았더니 모두 고르게 한구석이 허물어져 있었다. 개수대에 널찍한 접시와 수저 한 벌만 담겨 있는 것으로 보아선 뷔페처럼 큰 접시에 밥과 반찬을 조금씩 덜어서 먹어치우는 모양이었다. 회사에 구내식당도 있다고 하던데 굳이 혼자서 밥을 지어먹는 남자, 그가 내 남편 윤성민이었다.

텅 빈 집은 그 주인의 소박하고도 무던한 성품을 그대로 증언하고 있었다. 나는 묘한 감동에 사로잡혀 성민이 남기고 간 흔적들을 손으로 쓸어보았다. 나는 성민이 떠난 뒤 혼자서 밥을 지어먹은 적이 없었다. 늘 병원 근처에서 사먹거나 친정에서 얻어먹었다. 냉장고에서 꺼낸 똑같은 반찬을 며칠 동안이나 계속 먹는 것은 상상조차 해본 일이 없었다. 성민과 나는 그렇게 달랐다.

그동안 내가 그토록 지긋지긋해했던 그의 불평과 투정도 실제 그의 생활에 비추어보면 그저 최소한이라 할 만한 것들이었음을 나는 새삼 느꼈다. 그가 요구했던 것들은 사실 그리 대단치 않은 것들이었다. 빨래를 해줄 것, 가끔은 오창에 내려와줄 것, 작은오빠를 멀리할 것.

성민은 새벽 두시가 되기 몇 분 전에 돌아왔다. 캐주얼 셔츠에 스웨터와 파카를 입었고 무거운 가방을 들고 있었다. 마루에 불이 켜진 것을 보고 좀 어리둥절한 얼굴로 들어오다가 나를 보고 깜짝 놀랐다.

"어, 혜나야."

"왜 이렇게 늦었어?"

"온다고 말을 하지, 내가 전화도 꺼놓고 있었는데…… 들어올 때 고생 안 했어?"

"우리 집 전화번호 누르니까 금방 열리더라."

성민은 어린애처럼 물색없이 좋아했다. 좋아서 입을 다물지 못하는 모습이 애처로웠다.

"밥은? 언제 왔어?"

"저녁 먹고 늦게 출발했어. 좀 전에 도착했어."

"작은형이 데려다줬어? 형은?"

"올라갔어."

그는 세수를 하고 편한 실내복으로 갈아입더니 내가 좀 전에 열어보았던 밥솥에서 밥을 한 주걱 떴다. 내가 짐작했던 그대로 넓은 접시에 밥을 담고 냉장고에서 몇 가지 반찬을 덜어서 담더니 우적우적 먹기 시작했다. 맛은 따지지 않고 배만 채우면 그만인 성민 특유의 식사법이었다. 호화로운 중식 레스토랑에서 일곱 가지 요리가 나오는 코스 디너를 먹다가도 젓가락을 놓아버리고 통영의 유명한 김치칼국숫집을 향해 출발하는 우리 김씨 집안의 미친 가풍하고는 전혀 닮은 구석이 없었다.

"저녁 안 먹었어?"

"저녁 먹어도 이 시간쯤 되면 배고파 죽겠더라고."

"매일 이 시간에 들어와?"

"매일은 아니고…… 그래도 자주 그렇지……"

"바람피우고 온 거야?"

그는 별소리를 다 듣겠다는 듯이 나를 째려보았다. 그 뿌듯하게 자신만만한 표정을 보니 중전 윤씨처럼 철저하게 정조를 지킨 모양이었다.

"그런데 전화기는 왜 꺼놨어?"

"그냥 배터리가 다 된 거야."

"그럼 지금까지 회사에 있었던 거야?"

"응."

그는 천성적으로 거짓말을 하지 못했다. 회사에 있었느냐는 질문에 그의 목소리는 단숨에 음색이 달라졌다. 회사에서 오는 길이 아니라는 뜻이었다. 나는 재빨리 마룻바닥에 내려놓은 그의 가방으로 달려들었다. 가방은 돌덩이처럼 무거웠다. 가방 속에서 꾸역꾸역 나오는 고등학생용 참고서들을 보면서 나는 마른침을 삼켰다.

"집에 맥주 있어?"

"나 내일 출근해야 돼. 벌써 새벽 두신데."

"나라도 마실래. 너는 먼저 자."

성민은 한숨을 쉬며 베란다에서 맥주 여섯 캔들이 한 묶음을 들고 왔다. 한 캔이 비어서 다섯 캔이 남아 있었다.

"먼저 자라니까. 그냥 나 혼자서 한잔할래."

"한국 사람이 어떻게 그러냐."

우리는 맥주를 들고 마룻바닥에 마주 앉았다. 수능 참고서들이 맛없는 안주처럼 펼쳐져 있었다. 나는 맥주를 단숨에 들이켰다. 베란다에서 알맞게 냉각된 맥주는 팍팍하게 갈라질 것 같던 혀와 목구멍을 기분좋게 적셔주었다.

"너한테 미리 의논 안 해서 미안해. 조금 있다가 이야기할 생각이었어. 일단 공부를 좀 해보고, 할 만한지 좀 생각해보고 이야기하려고 그랬어. 지금은 수능이 막 끝나서 학원들도 다 방학이더라고.

2월 중순까지 가군, 나군, 다군까지 발표 끝나고 나면 수능 성적 가지고 학원 반편성 한다더라. 몇 군데 상담을 받아봤는데, 나는 작년 수능도 안 봤고 벌써 나이가 많아서 유명 학원 종합반 가기는 좀 어렵더라. 근데 너 상진이 알지? 상진이가 유명한 과탐 강사거든. 걔 작년 연봉이 십억 넘었대. 상진이가 자기 학원 클래스에 넣어주겠다고 하더라. 그리고 또 알아보니까 우리 고등학교 선배 몇 사람이 투자해서 양평에 기숙사형 학원을 차렸더라고. 내 생각엔 여름쯤 해서 거기 들어가는 게 제일 좋을 것 같아. 집중해서 공부하기도 좋고 선배들이니까 반 배정 같은 데서 편의를 봐줄 거 아니야. 혜나야, 나 오래 걸리지 않을 거야. 나 일 년이면 자신 있어."

"그러면 일 년 후엔 넌 뭐가 되는 건데?"

"의대생, 아니면 치대생."

퀀텀펀드 CEO 혹은 에드워드 10세가 되겠다면 모를까, 남편이 일 년 안에 의대생이 되기로 결심했다는 건 아무리 생각해도 길한 소식이 아니었다. 나는 벌떡 일어나서 벽장을 뒤지기 시작했다. 성민이 이삿짐을 챙길 때 21년산 로열 설루트를 한 병 넣어서 보냈던 것이 분명히 기억났다. 혹시 이런 일이 생길 경우를 대비했던 나만의 준비성이었다. 위스키는 부엌 찬장 참치캔 옆에서 발견되었다. 나는 두번째 맥주캔을 따서 한 모금을 들이켜고 위스키를 첨가했다. 그제야 짭짜름하게 알코올 간이 맞았다.

"너 미친 거 아니야? 맙소사, 지금부터 공부를 다시 해서 대학에 가겠다고? 게다가 의대나 치대는 육 년짜리잖아. 육 년 동안 의대 학비를 대야 한다는 말이잖아. 의대만 졸업하면 되나? 인턴, 레지던

트까지 해야 전문의 따는 거잖아. 그러면 니 나이 오십인데, 그때부터 의사가 되어서 돈을 벌겠다는 말이야? 도대체 그게 말이 되는 소리야?"

"혜나야, 내가 지금 다니는 회사 취직할 때, 내 친구 경섭이가 수능시험 공부 시작한다고 했었거든? 그때 다들 빨라야 마흔은 되어야 의사가 될 텐데 미쳤냐고, 왜 그런 일을 하냐고 그랬거든? 그런데 지금 어떻게 되었는지 알아? 경섭이는 작년에 판교에 개업했어. 자기 면허증 자기 사업체 가진 오너가 된 거라고. 나는 지방으로 떨려난 월급쟁이고. 언제나 늦었다고 생각할 때가 제일 빠른 때야. 십년, 그거 눈 깜짝할 새 흘러가. 십 년 후에 우린 어떻게 되어 있을 것 같니? 난 회사에서 오래가지 못할 거야. 공대 나와서 머리 생생할 때는 본사에서 인사실, 기획실 돌리더니, 이제 나이 마흔 되어서 배운 거 다 까먹으니까 연구소에서 일하래. 혜나야, 여기까지가 회사에서 내 효용가치의 한계야. 회사에서 조금이라도 더 미적거리다가는 난 오 년 안에 닭 튀기게 될 거야.

혜나야, 우리나라 일 인당 닭 소비량이 몇 킬로그램일 것 같니? 적어도 미국이나 일본의 열 배는 아니겠지? 그런데 동네에 치킨집은 도대체 몇 개니? 과연 오십이 될 때까지 치킨업계에서 살아남을 수 있을까? 그걸 생각하면 혜나야, 지금이라도 의대에 가는 게 맞지 않아? 오십이 되었을 때 치킨집도 다 말아먹은 실업자가 되느냐, 개업의가 되느냐의 선택이야. 어느 쪽이 맞다고 생각하니, 응?"

이쯤 되자 나는 광기와 상식의 경계선이 헷갈리기 시작했다. 언제나 반듯하던 성민에게 우리 식구의 광기가 전염된 것인지 아니면 성민이 숭상하는 세상의 건전한 상식이 어느덧 우리 집안의 광기와 닮아간 것인지 종잡을 수 없었다. 맥주캔에 섞어 넣는 위스키의 양은 점점 더 많아졌다. 내가 별말 없이 술만 들이켜자 성민은 나의 침묵을 암묵적 동의로 해석한 모양이었다. 내일 출근해야 한다면서도 들어가서 잘 생각을 하지 않고 조잘조잘 떠들기 시작했다.

"젠장, 우리 때는 전국 수석이 서울대 물리학과로 가냐, 공대로 가냐 기싸움 했다고. 요새는 서울대 공대 붙으면 등록도 안 한대. 차라리 재수해서 지방대 의대 간다는 거야! 작년에 KAIST 자퇴생이 백 명이었대. 걔네들이 다 뭐하겠니? 몽땅 의학전문대학원 아니면 로스쿨이야. 고등학교 졸업한 지 며칠 되지도 않은 애들이랑 어떻게 경쟁하겠어. 그나마 수능이 나아. 수능은 성적에 따라서 여기저기 복수지원이라도 해볼 수 있잖아. 어쨌거나 혜나야, 너무 걱정하지 마. 나 자신 있어. 이제 겨우 한두 달 책 들여다봤는데, 대충 감 잡겠더라고. 이제 내가 SKY 갈 것도 아니고, 지방대건 어디건 의치대만 가면 되는 거니까 그쯤은 문제없어. 나를 믿어."

성민이 모처럼 수다를 떠는 동안 나는 그가 뚜껑만 따놓고 거의 손도 대지 않은 맥주까지 다섯 캔을 깨끗이 먹어치웠다. 배가 찢어질 것 같았다. 오늘의 좋은 일, 폭탄주 다섯 캔.

"너 상재 형 기억나지? 상재 형이 아마 공대 나와서 증권계로 빠진 1세대일 거야. 그땐 다들 엄청 놀랐어. 그때만 해도 호랑이 담배 먹던 시절이야. 주식이라는 건 딴세상의 일인 줄 알았고, 공학 전공과 주식이 무슨 관련이 있다고도 상상 못 했어. 그래서 그 형을 욕하거나 흉보지도 않았어. 그냥 미친 거거나 좀 다른 세상 사람인 줄 알았어. 그런데 그 형이 주가예측 프로그램을 만들더라고. 매도 타이밍 잡는 거. 사실 그거 웬만한 공대 사람들한테는 쉽거든. 우리가 기계어에 강하고 계산에 강하니까.

그게 정말 웃기다니까. 똑같은 일을 하는데 우리는 천만원 받고 그쪽에선 일억원 받는 거야. 아니, 똑같은 일도 아니지. 우리는 진짜 시스템을 만들고 공장을 설계하고 기계를 움직이잖니. 그쪽은 그냥 돈놀이만 하는 거고. 일로 따지면 우리가 더 가치 있는 일을 하잖아. 그런데 정작 돈은 그쪽 주머니로 다 흘러들어가. 정말 웃기는 이야기잖아. 그런데 실제로 세상은 그렇다니까? 바보같이 그걸 몰랐어. 기회가 왔는데도 놓쳤어. 이제는 나이도 있고 하니까 무모한 일은 안 해. 큰 욕심 안 부릴래. 우리가 뭐 애가 있는 것도 아니고 그냥 너랑 나랑 둘이서 한평생 잘 살면 되는 거지 뭐. 혜나야, 이게 내 마지막 도전이라고 생각하고 믿어줘. 믿어줄 거지?"

요즘 들어 내가 마시는 술은 목구멍을 통과하자마자 위장을 거치지도 않고 해부학적으로는 설명하기 어려운 모종의 샛길을 타고 우회해서 곧바로 눈물샘으로 쏟아져나왔다. 눈물에서 채 삭지도 않은 술냄새가 풍길 지경이었다. 고개를 숙여 빈 맥주캔을 내려다보면서 언제부턴가 나는 줄줄 눈물을 흘리고 있었다. 성민이 난데없는 수험생으로 돌아가겠다는 데 대한 우려의 눈물은 아니었다. 나는 원래부터 그렇게 현실적인 인간이 못 되었다. 내 눈물은 또 한번 깨어진 내 동경을 향한 것이었다.

성민에게 언제나 현실적이기를 요구했으면서, 막상 그가 현실을 역설하자 내 가슴속에서는 날카로운 자상(刺傷)이 느껴졌다. 성민이 꾸고 있는 꿈이 단도가 되어 내 복부를 깊숙이 찔렀다. 나는 내가 성민과 결혼했던 것. 이제까지 별다른 갈등 없이 평화롭게 살아왔던 것이 모두 동경이라는 기반 위에서 이루어져왔다는 것을 지금에야 깨달았다. 그것은 무심하고 고지식한 이공계 남자에 대한 동경, 수학적 계산에는 귀신처럼 빠르면서 현실에는 곰탱이처럼 약삭빠르지 못한 순수한 모범생에 대한 동경이었다.

공학용 계산기를 전화기보다 능숙하게 사용하는 섹시한 모습에 혹해서 결혼했고 장바구니에 물건을 주워담으면 자동적으로 물건값이 십원 단위까지 계산되는 사랑스러운 재주에 반해서 살았다. 서너 장의 신용카드 번호는 기본이고 우편번호와 가족들의 주민등록번호와 자동차 번호와 어릴 때 살았던 신월동 우리 집 전화번호까지, 숫자라면 기억하지 못하는 게 없었다. 이상하게도 그의 수학적 능력들은 이자율이나 주가지수처럼 현실적으로 돈을 버는 숫자와는 전혀 연결되지 않았다. 똑같은 숫자들인데 참 이상하기도 했다. 어쨌거나 내가 사랑했던 성민은 바로 그런 성민이었다. 숫자에는 귀신처럼 빠르면서도 그 숫자에 '원'이라는 단위를 붙이는 순간부터 도무지 맹하니 머리가 돌아가지 않는 그런 성민 말이다.

사랑했다? 성민을 사랑했다? 성민을 사랑한다?

나는 스스로 화들짝 놀랐다. 서울에서 오창까지 오는 내내 정욱연을 사랑한다고 고함을 질러댔는데, 지금은 성민을 사랑한다고 생각해도 하나도 이상하지 않았다. 심지어 정욱연조차 중요하지 않게 여겨졌다. 지금, 다섯 개의 구겨진 알루미늄캔과 의사가 될 꿈에 부풀어오른 성민을 앞에 놓은 지금에 와서야 분명해진 것은, 내가 귀신처럼 수학은 잘하지만 돈만 보면 맹추 같은 표정을 짓는, 그를 닮은 그런 아이를 낳고 싶어했다는 것이었다.

윤기를 잃어가는 우리의 끝물 젊음처럼, 애초부터 거창하지도 않았던 나의 모든 꿈들은 터벅터벅하게 메말라갔다. 상상 속에서만 존재했을 뿐인 우리의 아이도 백팔십도 달라졌다. 그 아이는 자궁에서부터 손익계산서를 들고 튀어나와서 금융인과 법조인과 의사 이외의 직업은 꿈조차 꾸지 않을 것이다. 돈독이 올라서 반질반질해진 내 아이의 모습 앞에서 나는 그대로 폭발했다. 나는 두 다리를 쭉 뻗고 울기 시작했다.

"성민아! 다 나 때문이야! 나 때문에 그런 거지! 내가 널 이렇게 망친 거야! 우리 아이도 다 망쳐버렸어! 너도 망치고 아이도 망치고 나 때문에 다 망쳐버렸어! 진작에 갈라섰어야 하는 건데! 너라면 훨씬 더 괜찮은 여자한테 장가갈 수 있었는데! 그래서 너처럼 착한 아이를 낳았을 텐데! 미안해 성민아, 정말로 미안해!"

반쯤 졸면서 흰 가운을 입은 찬란한 미래를 중언부언하던 성민이 화들짝 놀라서 눈을 크게 떴다.

"혜나야, 무슨 소리야, 너 때문이라니. 너 때문에 그러는 거 아니야. 너는 나더러 돈 못 번다고 타박한 일도 없잖아. 난 그냥 내가 원하는 일을 할 뿐이야. 내가 답답해서 그러는 거야. 너 때문에 그러는 거 아니라고."

"난 다 알아! 내가 정욱연 좋아해서 그러는 거잖아! 그래서 너도 의사 되려고 그러는 거잖아! 그런 거 아닌데. 내가 그 사람 돈 많은 의사라서 좋아하는 거 아닌데! 그러니까 성민아, 의사 될 생각 같은 건 하지 마! 난 정말로 싫어! 니가 변하지 않고 이대로 있으면 좋겠단 말이야!"

세상에서 가장 질긴 오징어를 씹는 것처럼 성민의 턱근육이 울룩불룩 움직였다. 위태롭게 서 있던 구겨진 맥주캔이 성민의 콧김에 맥없이 픽 자빠졌다.

"야, 김혜나, 너 어느새 이렇게 퍼마셨냐. 헛소리 말고 얼른 자빠져 자라, 응?"

그는 무슨 말을 더 하려다 참는 것 같았다. 하지만 오랫동안 금주하다가 갑자기 폭탄주 다섯 잔을 마셔본 사람이라면 누구나 이해하겠지만, 그런 경우엔 제일 먼저 브레이크부터 고장난다. 특히 막걸리라는 전작도 있고 태어날 때부터 브레이크 성능이 부실했던 불량품의 경우엔 더욱 틀림없는 일이었다.

"으흐흑, 나 정말로 정욱연을 좋아하는 건 맞는데, 의사라서 그런거 절대로 아니거든? 그리고 나 정욱연이랑 아무 일도 없었어. 그 사람 그런 사람 아닌 거 알지? 캐나다에 갔잖아. 정말이야. 그리고 나 원래 안 하잖아. 그냥 키스만 했어. 그러니까 내 말은, 너 의사가 되겠다는 생각 하지 말라고. 내가 정욱연 사랑하는 건 그 사람이 의사라서 그런 게 아니라니까. 나 사실은 의사 딱 싫어해. 다 속물이잖아. 너한테는 다 말할 수 있어. 솔직하게 말할게. 의사는 다 꽝이야! 그냥 정욱연만 빼고 다 꽝이라고! 그런데 니가 의사가 되면 난 어떡하니?"

드디어 성민이 빽 소리를 질렀다.

"야! 김혜나! 정신 차려! 너 지금 무슨 소리를 하는 거야! 너 내가 누군지 알아? 니 서방님이라고! 지금 어디다 대고 사랑을 했네, 키스를 했네 하는 거야?"

"그러면 누구한테 말해! 엄마는 여행 가버리고 정욱연은 캐나다에 가버리고! 작은오빠도 당장 그만두라는 소리만 하고! 내가 너 말고 누가 있는데! 너밖에 없으니까 너한테 말하지!"

"시끄러우니까 입 닥치고 얼른 자! 너 내일 아침에 술 깨면 죽었어."

"난 안 졸려, 나 안 취했어, 안 자고 싶단 말이야. 엉엉엉. 나하고 이야기 좀 해. 나 이야기하고 싶어. 나 외롭단 말이야. 정욱연 때문에 죽을 것 같은데 왜 너까지 속을 썩이니. 남자들은 다 못됐어. 미워. 아빠는 도망가버리고, 정욱연은 마누라한테 가버리고, 너는 이제 의사가 된다니. 엉엉엉, 의사 된다는 말 취소해. 너 의사 되면 나 죽어버릴 거야. 엉엉엉."

"지금 새벽 세시거든? 나 내일 출근해야 하거든? 입 좀 다물지 못해?"

성민의 목소리가 거북의 등처럼 갈라지더니 우격다짐으로 나를 안방으로 질질 끌고 갔다. 나는 끌려가지 않으려고 버텼지만 결국 옆구리로 안방 문턱을 넘고 말았다. 그다음 일은 기억나지 않는다. 갑작스럽게 대량 투여된 알코올을 분해하느라 내 간이 결사적으로 철야작업을 했던 것은 분명하다.

아침에 눈을 떴을 때 성민은 이미 출근한 지 한참 된 것 같았고 나는 어제 출근했던 옷차림 그대로였다. 냄새나는 것으로 가득 찬 쓰레기통이 침대 곁을 지키고 있었다. 밤새 얼마나 토했는지 허리를 펴기 힘들 만큼 뱃가죽이 당겼고 머리는 에밀레종으로 두들겨맞은 것처럼 뎅뎅거렸다. 거울을 봤더니 끌려오다가 문틀에 부딪쳤는지 왼쪽 광대뼈가 만두처럼 퉁퉁 부어올라 있었고, 휴대폰에는 작은올케가 드디어 이혼을 선언하고 태욱이를 데리고 떠났으니 이제 살아야 할 이유가 없어서 죽어버리겠다는 작은오빠의 문자가 마흔두 통 쌓여 있었다.

12

"김혜나! 너 양심이 있니? 너 사람이야? 니가 토한 것도 안 치워 놨잖아!"

"정말 미안하다니깐…… 미안하다고 말했잖아…… 내가 금방 돌아가서 치울게, 그냥 베란다에 놔둬……"

"집어쳐! 그만둬! 이게 뭐니? 이게 뭐냐고?"

"정말로 미안해…… 내가 금방 내려갈게…… 조금만 기다려……"

"오지 마! 다 필요 없어! 도장 찍어! 이제 이혼이야! 꼴도 보기 싫어!"

서울로 올라가는 고속버스는 난방을 최대로 올린 모양이었다. 환기가 되지 않는 후텁지근한 공기에 아직도 내 숨결에서 진하게 배어나오는 토한 기운과 술냄새가 섞여 역하기 그지없었다. 성민이 고래고래 소리를 질러대고 있는 휴대폰은 메가폰이나 다름없이 나의 굴욕을 버스 안에 생방송했다.

"정말 미안해…… 입이 열 개라도 할 말이 없어……"

"너 정욱연 사랑한다며? 키스도 했다며?"

"미안해…… 정말로 실수야…… 술 먹고 주정한 거야…… 미안해, 미안하다고…… 내가 나중에 자세히 이야기해줄게……"

"뭘 자세히 이야기해! 집어치워! 이혼이야! 끝이야!"

"성민아, 작은올케가 도망갔대…… 어떡해…… 작은오빠가 죽어버리겠다는데 어떡하냐고…… 죽게 내버려둘 순 없잖아…… 나도 정말 죽고 싶어…… 그런데 어쩔 수가 없잖아…… 한 번만 봐줘…… 정말 나도 죽고 싶어…… 얼른 갔다 올게……"

"넌 늘 이런 식이야! 나는 안중에도 없어! 언제나 작은형! 작은형! 작은형! 이제 정욱연 챙기고 작은형 챙기고 그다음에 나야? 난 너한테 뭐야? 우린 도대체 뭐냐고!"

성민은 머리털이 난 이후 최고로 광란의 분노를 뿜어내고 있었다. 충분히 이해할 수 있었다. 다른 남자를 사랑한다고, 키스도 했다고 술주정을 해댄, 때려 죽여도 시원찮을 마누라를 위해 점심시간에 전복죽을 사들고 돌아왔더니, 그 쳐죽일 여편네는 쓰레기통 한가득 토해놓고 서울로 튀어버린 것이었다.

고속버스가 서울시 경계를 통과할 무렵쯤 해서 휴대폰의 배터리는 끊어져주었다. 마지막 남은 한 조각 양심 때문에 먼저 전화를 끊지도 못하고 배터리가 떨어질 때까지 나는 성민의 미친 듯한 욕설을 고스란히 얻어먹었다. 성민의 말은 틀린 게 없었다. 나는 미쳤고 저능에 술주정뱅이에 바람둥이에 양심도 없고 깔끔하게 이혼서류에 도장을 찍어야 마땅한 인간쓰레기였다.

바로 며칠 전까지만 해도 참하게 웃으며 엄마와 박회장을 배웅했던 작은올케가 어째서 돌연 가출을 감행했는지 도무지 이유를 알 수 없었다. 뱃속의 둘째가 동산만큼 자랐는데도 뛰쳐나갔다는 걸 보면 여간한 작심은 아닌 것이 분명했다. 작은오빠가 숨겨왔던 어떤 비밀을 알게 되었을 것이라는 짐작은 갔지만, 지금까지 십 년 넘게 함께 살면서 작은오빠에 대해 더이상 새롭게 깨달을 것도 없게 된 처지에 무슨 새로운 일이 벌어진 것인지 도무지 어림이 가지 않았다.

작은오빠의 모든 비행들은 이미 이십 년 전부터 대명천하에 밝혀진 것들이었다. 그가 결코 범하지 않는 단 두 가지 악행이 있었는데 하나는 살인이고 하나는 바람이었다. 결혼 후 작은오빠의 성적인 순결에 대해서는 나 자신의 것보다도 더 자신 있게 보증할 수 있었다. 작은올케가 작은오빠의 부적절한 관계나 혼외자녀를 찾아낼 가능성은 제로였다. 그러니 작은오빠가 살인을 저지르지 않은 한, 작은올케가 이제 와서 새삼스러이 못 견디겠다고 할 만한 일이란 내 머릿속에 떠오르지 않았다.

고속터미널에 도착해서 휴대폰을 충전했다. 편의점 직원이 퉁퉁 부은 내 광대뼈에 자꾸 눈길을 주었다. 기껏 충전을 했지만 작은올케는 전화를 받지 않았고 작은오빠는 인사불성이라서 대화가 불가능했다. 지푸라기라도 붙잡는 심정으로 임현명 여사에게도 전화를 해봤지만 로밍 지역을 벗어났는지 전화를 받지 않았다. 하늘 아래 나 혼자 막막했고, 이 어처구니없는 일을 수습해야 하는 사람이 또 나라는 것이 억울했다. 누군가 이 짐을 함께 들어주었으면 하는 부질없는 희망을 가지면서 멀리 떨어진 정욱연이 습관처럼 생각났고, 우습게도 오창에서 날뛰고 있을 성민의 얼굴도 떠올랐다. 정욱연이 돌아오려면 아직도 이틀이나 남았고, 성민의 화가 풀리려면 그보다 훨씬 긴 시간이 흘러야 할 것이다.

나는 택시를 잡아타고 친정집으로 갔다. 넓은 집 한가운데 술떡이 된 작은오빠가 혼자 뒹굴고 있었다. 태욱이의 장난감들과 작은올케의 목도리를 끌어안고 있는 꼴사나운 모습이었다. 절반 이상 비어 있는 밸런타인 17년산이 눈에 띄었다. 작은오빠는 엄마를 닮아서 술이 센 편이 아니었다. 정말 혼자서 저만큼을 마셨다면 죽지 않은 게 다행이었다. 작은오빠가 풍기는 술 썩은 냄새에 속이 뒤틀렸다. 나는 구역질을 참으며 작은오빠의 허벅지에 분노의 핵 발길질을 날렸다.

"야! 인간아! 일어나! 이게 무슨 일이야? 어떻게 된 거야?"

"혜나야…… 수진이가 이혼하재…… 태욱이 데리고 가버렸어…… 나 어떻게 하니…… 나 수진이 없으면 안 돼…… 태욱이 보고 싶어…… 나 죽어버릴래…… 수진아…… 엉엉엉……"

"인간아! 죽을 거면 혼자 조용히 죽든지! 왜 나한테 문자질이야! 너보다 내가 먼저 이혼당하게 생겼어 지금!"

"혜나야…… 너까지 날 버리면…… 흑흑흑…… 난 죽어야 돼…… 죽는 게 나아…… 수진아…… 수진아……"

"작은올케가 왜 이혼을 하자는데? 갑자기 왜 그러는 거야? 이유가 뭐냐고? 그걸 알아야 작은올케한테 빌든지 설득하든지 하지!"

"수진이는 날 더이상 사랑하지 않는대…… 내가 싫어졌대……

이젠 희망이 없대…… 같이 살기 싫대…… 엉엉엉…… 난 수진이
사랑하는데…… 수진이밖에 없는데…… 수진아…… 흑흑흑……"
　나는 마룻바닥에 털썩 주저앉았다. 작은오빠의 암울한 현실인식
이었다. 작은올케가 작은오빠를 포기한 게 어디 하루이틀 전의 일
이던가. 그에게는 사랑도 미움도 구체성이 없었다. 자기 딴에는 인
생을 바쳐 사랑한다는데, 그가 사랑하는 여자들은 모두 그를 죽이
고 싶어했다. 엄마가 그렇고 내가 그렇고 작은올케가 그랬다. 아마
사업도 그런 식으로 하고 있는 게 분명했다.
　"너 왜 그래? 혜나야, 너 왜 그래?"
　작은오빠가 울음을 멈추더니 눈이 동그래져서 물었다. 갑자기 술
이 깼는지 발음이 상당히 분명해졌다. 원래 자기 일에는 칠칠치 못
하면서 남의 일에 참견할 때는 정신이 또랑또랑해지는 인간이었다.
나는 내가 계속 헛구역질을 하고 있다는 사실을 깨달았다. 고속터
미널에서 마신 이온음료 말고는 아침부터 지금까지 아무것도 먹은
게 없었다. 폭탄주에 찌든 위장이 작은오빠의 계속되는 술트림에
격렬한 거부반응을 보이는 중이었다.
　"너 임신했어? 그런 거야? 누구……? 욱연이 형? 그래서 성민이
가 이혼하자고 하는 거야? 얼굴은 왜 그래? 성민이한테 맞았어?"
　나는 더이상 참지 못하고 작은오빠에게 달려들어서 머리채를 쥐
어뜯었다.
　"이 미친놈아, 니 애다. 어쩔래? 죽자. 너랑 나랑 같이 죽자, 응?"
　피학을 갈망하는 심리상태였던 작은오빠는 그대로 엎드려서 내
가 휘두르는 폭력을 달게 감내했다. 나는 작은오빠를 성질껏 두들

겨패고 나가떨어졌다. 피트니스를 거르지 않고 열심히 가꾼 몸이라 두들겨패봤자 돌덩이를 치는 것처럼 내 주먹만 아팠다.

눈앞이 핑핑 돌았다. 나는 냉장고를 향해서 엉금엉금 기어갔다. 냉장고에 붙어 있는 자석 중에 쓸 만한 것들이 좀 있었다. 나는 전복죽을 배달시키고 냉장고 앞에 큰대자로 누웠다. 작은오빠의 흐느낌과 냉장고 모터 돌아가는 소리가 무거운 적막을 가끔씩 들추었다. 냉장고가 덜컥 나자빠져서 나를 깔아뭉개고 이 지긋지긋한 인생을 끝내주었으면 하는 간절한 바람이 들었다. 배달된 전복죽은 나 혼자 먹었다. 작은오빠는 누워서 훌쩍거리며 작은올케와 태욱이의 이름만 부르고 있었다.

지난 십 년의 세월 동안 작은오빠와 작은올케의 사이가 원만했던 적은 거의 한 번도 없었지만 작은올케는 지구상에 존재하는 모든 윤리관, 운명관, 초자연 현상까지 총동원해서 어쨌든 이혼만은 말아야 한다는 결론에 항상 도달했다. 어찌된 일인지 도저히 이혼할 수 없는 방향으로 스스로를 몰아넣는 사람처럼 보이기까지 했다.

작은올케가 조금만 덜 고지식한 사람이었다면 임신이 되지 않아서 애를 태웠던 약 오 년의 시간 동안 얼마든지 이혼을 실행에 옮겼을 것이다. 하지만 그녀는 자신의 결혼생활이 불행한 이유가 모두 불임 때문이라고 주장해서 우리를 놀라게 했다.

"학원씨가 아이가 없으니까 방황하는 거예요. 친구들 만나도 자기만 아이가 없어서 주눅들고, 속상하니까 더 사고를 치고 그러는 거예요. 아이만 생기면 바로 정신 차릴 거예요. 특히 아들 하나만 낳으면 학원씨는 세상에서 제일 좋은 아빠가 될 거예요. 성격이 딱 그렇잖아요."

우리 식구 모두 귀에 딱지가 앉도록 들었던 작은올케의 저 말을 살짝 어미만 바꾸어서 재처리해보면 상당히 엽기적인 대사가 된다.

"우리 학원이가 아이가 없으니까 방황하는 거다. 친구들 만나도 자기만 아이가 없어서 주눅들고, 속상하니까 사고를 치고 다니는 거지. 아이만 생겨봐라, 금방 정신 차릴 거다. 특히 아들 하나만 낳아봐라. 학원이는 세상에서 제일 좋은 아빠가 될 거다. 성격을 봐라. 딱 그렇잖니."

만일 임현명 여사가 저렇게 말했다면 지구 최악 시대착오적 시어머니의 월계관은 당당히 엄마 차지가 되었을 것이다. 하지만 저 대사는 엄연히 작은올케의 것이었다. 작은올케가 단호한 표정으로 저렇게 읊조릴 때면 엄마조차 상당히 질린 표정이 되곤 했다. 어쨌거나 엄마와 아빠 입장에서는 쇠심줄 같은 인내로 며느리이자 아내의 자리를 지키고 있는 작은올케를 예뻐하지 않을 수가 없었다. 작은올케의 인내는 아빠의 통 큰 인심으로 상당한 보상을 받았다. 아빠는 작은올케의 이름으로 건물을 하나 사주고 근사한 미술학원을 차려주었는데, 작은올케는 그 미술학원을 아직도 운영하고 있긴 하지만 이제는 상가의 임차인 중 한 명으로 신분이 바뀐 지 한참 되었다.

불행히도 작은올케의 주문(呪文)은 들어맞지 않았다. 태욱이가 태어난 뒤로도 작은오빠의 사고는 그치지 않았다. 오히려 아빠가 된 기쁨 에너지를 승화시켜 더 미친놈처럼 날뛰고 사고를 쳐대는 것 같았다. 든든하게 뒤를 봐주던 아빠마저 떠나갔지만 작은올케의 입에서는 아예 이혼이라는 말이 쏙 들어갔다.

"이 아이가 얼마나 소중한 아이인데요. 이혼 가정이라는 멍에는 주지 않을 거예요."

그러니 우리 작은오빠가 엔간하기만 했어도 우리 식구들은 작은 올케만 단단히 믿고 두 다리 쭉 뻗고 살 수 있었을 것이다. 작은오빠가 엔간하지 않은 것이 문제였다. 그래도 십여 년간 엔간치 않은 작은오빠를 꾸역꾸역 감당해내던 작은올케가 돌연 뛰쳐나간 이유는 무엇일까?

"엄마는 언제 오지?"

문득 김학원이 물었다. 실은 나도 엄마 생각이 간절하던 참이었다. 임현명 여사가 이름처럼 현명하거나 문제해결 능력이 있어서 그런 것은 아니었다. 엄마는 그냥 보통 엄마였다. 하지만 이만큼 나이를 먹어서도, 힘든 일이 생길 때면 엄마부터 떠올랐다. 엄마가 옆에 있기만 해도 안심이 될 것 같았다. 1월 24일이라고 대답해주려다가 문득 이 자가 엄마를 찾는 것이 나처럼 단순한 심리적 의지 때문만은 아닌 것 같다는 생각이 들었다.

"박진석 때문이지?"

나는 단도직입적으로 물었다. 작은오빠는 태욱이가 두고 간 팬더 곰 인형의 통통한 배에 얼굴을 파묻고 울음을 터뜨렸다.

"맞지? 박진석 때문이지? 박진석이 돌아와야 해결되는 일이 있는 거지? 그래서 지금 엄마 언제 오냐고 물어보는 거지?"

"그 새끼가 너한테 뭐라고 하지 않든? 넌 박진석이랑 통화도 곧잘 하잖아."

"다른 이야기만 했지! 난 오빠 이야기는 아무것도 들은 거 없거든? 뭔데? 빨리 말해! 빨리 말하지 않으면 죽을 줄 알아!"

어린 시절에 읽었던 다소 괴기스러운 분위기의 전래동화집에서 주인마님의 추궁을 피할 길이 없어지자 차가운 미소를 지으며 스스로 혀를 깨물어버린 지독한 여종이 생각났다. 그녀는 말을 할 수 없게 된 것은 물론이고 스스로의 생명마저 벼랑 끝으로 내던졌다. 김학원이 바로 그런 스타일의 인간이었다. 도저히 회피할 수 없는 순간이 오자 그는 번개같이 손을 뻗어 남아 있던 밸런타인 세븐틴을 맹물처럼 벌컥벌컥 들이켰다. 그리고 그것으로 모든 위기를 무사히 넘긴 것처럼 꼴같잖게 안도하는 표정을 짓더니 그대로 기절해버렸다.

무언가 파국적인 일이 닥쳐오고 있다는 느낌은 들었지만 사약처럼 술을 퍼먹고 뻗어버린 작은오빠를 두고 내가 할 수 있는 일은 아무것도 없었다. 그저 술로 잊을 수 있는 일이라면 잊게 내버려두자고 나는 결심했다. 작은올케에게 이혼을 당하든 조직폭력배가 배때기를 쑤시든, 김학원이 당할 일이지 내 일은 아니다. 내 일은 오창에서 마그마를 뿜고 있는 성민을 달래는 것, 이틀 후에 돌아올 정욱연과의 관계에 대해 고민하는 것이었다. 그런 일들이 내 일이었다.

나는 시계를 보았다. 오후 세시가 가까워오는 시각이었다. 나는 여전히 에밀레종이 울리고 있는 머리로 황급하게 시간을 계산했다. 지금부터 부지런히 움직인다면 그리 늦지 않은 시간에 오창으로 돌아가서 성민의 퇴근시간에 맞춰 라면이라도 끓여줄 수 있을지 모른다. 내가 그 정도로 성의를 표시한다면 성민도 아주 조금은 화가 풀리겠지. 나는 오창으로 돌아가기로 결심했다.

"야, 난 오창으로 갈 거야. 니 일은 니가 알아서 해. 이제 나한테 연락하지 마. 알았어? 수신거부 해놓을 거야."

나는 인사불성으로 뒹굴고 있는 김학원에게 큰소리로 말했다. 끄응 하는 신음소리가 새어나왔을 뿐 별다른 반응이 없었다. 이리저리 쿡쿡 찔러보았는데 두 눈의 시선이 서로 다른 곳을 향하는 걸 보니까 전혀 의식이 없는 것 같았다.

막 겉옷을 챙겨입으려는 찰나, 휴대폰의 진동이 느껴졌다. 작은오빠와 나, 우리 둘이 빠진 암흑의 구렁텅이에 던져진 바깥세상의 구명대처럼 느껴졌다. 무슨 전화라도 우리 둘만 던져져 있는 것보다는 나았다. 나는 빛의 속도로 휴대폰을 꺼내들었다. 작은올케였다.

"올케언니! 지금 어디예요? 나랑 만나서 이야기 좀 해요. 내가 무슨 이야기든지 다 들어줄게요. 우리 만나서 이야기해요, 응?"

"아가씨…… 미안해요……"

작은올케의 목소리는 알아듣기 힘들 만큼 가늘었다. 그래도 그녀 쪽에서 전화를 걸어준 것이 나는 무작정 고마웠다.

"아니에요, 미안하긴요, 나는 언니를 위해서라면 뭐든지 다 할 수 있어요. 나는 언니 편이에요. 언니 나 믿지요? 우리 만나서 천천히 이야기해봐요. 지금 어디예요?"

"저기…… 아가씨…… 아가씨는 지금 어디예요?"

"언니가 이쪽으로 올래요? 나 지금 집이에요. 언니네 집이요. 오빠랑 같이 있어요. 오빠랑 이야기 많이 했어요. 오빠도 후회 많이 하고 있고, 무엇보다도 언니 뱃속에 있는 태욱이 동생이 제일 걱정이잖아요. 아이들도 얼마나 놀랐겠어요. 언니는 지금 배도 부른데

짐 싸들고 나가느라 얼마나 힘들었겠어요. 오빠도 지금까지 살았던 것하고는 다르게 살 거예요. 저하고 지금 그렇게 분명히 약속을 했거든요. 분명히 약속을 받았어요. 걱정하지 말아요. 그러니까 언니, 우리 이렇게 전화로 이야기하지 말고 만나서……"

"아가씨…… 오빠가 아무 말도 안 해요?"

나는 말을 뚝 멈추었다. 전화기 너머 작은올케의 흐느낌이 들려왔다. 작은오빠는 마룻바닥에 웩웩 속을 게우기 시작했다.

"아가씨…… 면목이 없어요…… 정말 미안해요…… 그런데 나는 못 해요…… 정말로 그건 못 해요…… 아가씨 미안해요……"

"언니, 뭘 못 한다고요…… 지금 무슨 소리예요…… 난 못 알아듣겠어요……"

"아가씨…… 그 사람 오늘 법원에 가야 해요…… 서울중앙지방법원 형사 304호 법정…… 오늘 선고공판일이래요…… 저도 어젯밤에 알았어요……"

법원. 선고공판. 머릿속의 에밀레종이 다시 한번 장중하게 엄마를 원망했다. 어머니, 왜 저런 걸 낳으셨나요.

"무슨…… 무슨 재판…… 말이에요……"

"박진석 회장님이 사기와 횡령으로 고소했대요…… 검사가 사 년…… 사 년 구형했대요……"

숨이 턱 막혔다. 작은올케의 흐느낌이 더 높아졌다.

"안 가도…… 안 가도 되나보죠…… 요새는 변호사가 알아서 다 해주나보죠, 뭐……"

"아가씨…… 형사소송은 꼭 가야 한대요…… 선고하는 날 안 가면 구속영장 발부된대요…… 아가씨 어떻게 좀 해줘요…… 세시 반까지 꼭 가야 해요…… 정말로 미안해요…… 난 못 해요…… 아가씨…… 난 법원 같은 데는 무섭고…… 뱃속의 우리 아기가…… 나쁜 사람들을 보면…… 나쁜 걸 배울까봐…… 미안해요, 아가씨…… 만일 그 사람 진짜로 사 년형 받아서 감옥에 가면…… 저는 못 살아요…… 아이들한테 아빠는 감옥에 있다고 어떻게 말해요…… 어흑흑흑흑."

귀청이 따가운 이 쿵쾅쿵쾅 소리가 뭔가 했더니 내 심장이 뛰는 소리였다. 손발이 차갑게 식어갔다. 나는 황망하게 벽시계를 쳐다보았다. 세시였다. 인간이라고도 할 수 없는 그 종자는 마룻바닥에 질펀하게 토해놓고 끄르륵거리고 있었다. 내 입에서 비명이 터져나왔다.

"지금 미쳤어요? 저걸 끌고 어떻게 세시 반까지 가요?"

"흑흑, 미안해요, 아가씨…… 제발 어떻게 좀 해주세요……"

만일 인간이 수치를 회피하는 방법으로 지구 종말을 선택할 수만 있었다면, 지구라는 예쁜 알사탕은 진즉에 사라졌을 것이다. 피할 수 없는 이 현실을 겪어내야만 하는 것이 왜 하필 나냐고 하늘에 삿대질할 틈도 없이, 나는 번개같이 머리를 굴리기 시작했다.

"변호사! 변호사 이름이 뭐예요?"

"배종수…… 저도 잘 몰라요, 아마 배종수 같아요……"

나는 작은올케의 전화를 뚝 끊어버리고 작은오빠에게 달려갔다. 그의 휴대폰을 뒤져서 '배종수 개식기'를 찾아냈지만 그는 전화를 받지 않았다. 나는 그에게 빛의 속도로 문자를 보냈다.

'새시밤싸비 꼭 가개슼키아 긱다여줒요'

가슴이 찢어질 것 같았지만 오타를 수정할 시간이 없었다. 나는 토사물의 연못에서 인간이라고도 할 수 없는 종자를 건져내고 적신 수건으로 대충 얼굴을 닦으면서 따귀를 열한 대쯤 갈겼다. 옷을 갈아입히고 싶었지만 그 종자가 몸을 가누지 못해서 불가능했다. 나는 젖은 수건으로 대충 토한 것만 닦아내고 파카를 덮어씌웠다.

"일어나, 이 새끼야! 일어나란 말이야!"

따귀 한 다스를 채우자 작은오빠의 초점이 약간 맞는 듯한 기색이 보였다. 작은오빠는 다리에 힘을 주려고 노력했다. 나는 그를 부축해서 집 밖으로 끌어내는 데 성공했다. 작은오빠는 백팔십이 센티미터였고 나는 백오십오 센티미터였다. 쌀 세 가마니를 진 것처럼 무거웠다. 나는 끙끙거리며 엘리베이터를 타고 내려왔다. 아파트 입구에서 차가 다니는 큰길까지는 주차장을 건너 채 삼십 미터도 되지 않았는데, 주차장은 파도치는 현해탄처럼 넓어 보였고 작은오빠는 너무 무거워서 치질이 나올 것 같았다. 나는 놀란 눈으로 쳐다보는 경비 아저씨에게 지갑을 집어던졌다.

"아저씨! 거기서 삼만원 꺼내 가지세요! 그리고 저 좀 도와주세요! 택시! 큰길로 가서 택시를 타야 해요!"

경비 아저씨가 놀라서 달려나왔다. 아저씨가 다른 쪽 겨드랑이를 받치자 한결 일이 나아졌다. 그래도 다리가 완전히 풀린 백팔십이 센티미터의 장정을 끌고 가는 건 끔찍한 일이었다. 우리의 거친 숨소리가 음산한 겨울 하늘로 흩어졌다.

"엠부란스를 불러야 하는 거 아뉴? 이래가지고 괜찮겠슈?"

우리의 목적지가 병원이 아니라 법원이라는 사실이 새삼 눈물겨웠다. 아저씨 덕분에 우리는 비교적 신속하게 큰길에 서는 데 성공했다. 법원은 멀지 않았으므로 택시만 타면 제시간에 도착할 수 있을 것 같았다.

그러나 큰길까지만 가면 술술 풀릴 줄 알았던 일은 그렇게 되지 않았다. 빈 택시는 드문드문 있었지만 잠시 멈추었다가도 인사불성이 된 작은오빠를 보면 휭하니 내뺐다. 혈액처럼 귀중한 시간이 칼바람과 함께 거리 저쪽으로 휘달려갔다. 이대로 시간이 흐르면 우리는 법원에 가보지도 못하고 일이 끝날 참이었다. 나는 작은오빠를 가로수에 기대어 세워놓고 필사적으로 큰길을 향해 팔을 흔들며 하염없이 울었다.

마침내 택시 한 대가 우리 앞에 선 것은 세시 반이 거의 다 된 시각이었다. 이만한 긴급상황이 아니었다면 그냥 보내고 싶은 험상궂은 택시기사가 창 안에서 우리를 내다보고 있었다. 말처럼 길쭉한 얼굴에 콧구멍으로 비어져나온 시커먼 코털만 해도 내 머리숱보다 많아 보였다. 우월한 발모력의 유전자를 타고난 듯 목 아래까지 가슴털이 올라와 있었다. 양산박의 노지심을 연상케 하는 험악한 인상이었다. 그의 심란한 두발상태를 보자 나도 모르게 몸이 얼어붙었다. 하지만 찬밥 더운밥을 가리기 힘든 처지라 일단 작은오빠를 택시에 쑤셔넣었다. 혹한의 거리에 오래 서 있었던 몸뚱이는 장작개비처럼 뻣뻣하게 굳어 있었다. 혀가 얼어서 말도 잘 안 나올 지경이었다. 나는 눈물을 닦으며 다급하게 외쳤다.

"아저씨, 서초동 법원이요! 급해요! 빨리 가야 해요! 세시 반! 세시 반까지 가야 하는데! 갈 수 있죠? 멀지 않죠?"

"지금 차 막혀."

인상이 더럽다 했더니 대뜸 반말이었다. 대한민국은 원래 흰머리 나지 않은 여성이 존댓말 듣기 힘든 나라였다. 그래도 법원까지 시간 안에 데려다주기만 하면 황제폐하로 섬겨도 모자랄 고마운 택시 기사였다. 작은오빠에게서 역한 술냄새와 구토 냄새가 풍겨서 나는 두 손을 앞으로 모아쥐고 노지심의 비위를 맞추었다.

"아저씨, 태워주셔서 감사해요. 제발 부탁드려요. 저희 꼭 세시 반까지 법원에 가야 해요. 갈 수 있을까요?"

"내가 어떻게 알아."

아무리 동정심을 자극하려 노력해봐도 노지심은 무뚝뚝했다. 그는 룸미러를 통해 나의 부어오른 광대뼈와 술떡이 된 작은오빠의 잘 어울리는 앙상블을 관찰하면서 노골적으로 우리를 경멸했다. 그의 말대로 차는 막혔고 디지털시계의 콜론이 한 번 깜빡거릴 때마다 내 혈액이 한 방울씩 마르는 것 같았다.

"혜나야, 나 싫어. 나 법원 안 갈래, 법원 싫어."

그 와중에 김학원은 정신을 차리고 웅얼거리기 시작했다. 마취총이라도 쏘고 싶었다.

"시끄러! 입 닥쳐! 죽이지 않은 것도 다행인 줄 알아!"

"싫어, 혜나야, 나 법원 싫어. 나 수진이한테 갈래. 수진이 어디 있어. 나 수진이 사랑해. 이혼 안 할 거야. 수진아, 수진아."

룸미러에 비치는 노지심의 시커먼 얼굴이 더 험상궂게 일그러졌다. 나는 그가 우리에게 내리라고 할까봐 겁이 났다. 멀리서 법원이 보이기 시작했지만 길은 최악으로 밀리고 있었다. 대한민국의 모든 차가 서초동으로 몰려든 것 같았다. 나는 똥줄이 바짝바짝 탔다.

"이 인간아, 정신 차려! 법원에 가야 해! 안 가면 이대로 끝장이야! 정신 차려! 정신 차려야 해!"

"싫어, 나 무서워. 법원에 안 갈래. 혜나야, 나 안 갈래. 나 도망갈 거야."

"가야 해. 이제 다 왔어. 조금만 참아. 아직 늦지 않았어."

"혜나야, 법원 가지 말자. 우리 도망가자. 아저씨 공항이요. 나 도망갈래. 혜나야, 우리 공항 가자."

혀가 다 풀려서 알아듣기도 힘든 소리였지만 어쨌든 의식을 회복한 김학원은 주절주절 떠들어대기 시작했다. 답답한 회색 하늘과 꽉 막힌 서초대로가 앞유리창에 펼쳐져 있었다. 깜박이는 초침, 밀리는 길과 싸우며 피가 마르도록 법원에 간들 인사불성이 된 김학원은 피고인 구실이나 제대로 할 수 있을까? 갑자기 나도 맥이 탁 풀리면서 이 모든 것이 지긋지긋해졌다. 이렇게 지겨운 세상, 아카데미상을 받으러 가는 것도 아니고 겨우 피고인 선고를 받으러 가는 길에서조차 이렇게 고생을 해야 하다니. 그냥 뛰어내리기 좋은 절벽이 보이거든 아무 데서나 내려달라고 할까? 나는 두 손에 얼굴을 묻고 흐느끼기 시작했다.

"혜나야, 울지 마. 오빠가 이제 잘할게. 오빠 믿지? 오빠 이제 잘할 수 있어. 오빠가 용돈 줄까?"

"아이고, 몰라. 나도 몰라. 어엉…… 엄마……"

그때였다. 노지심이 갑자기 운전석 의자의 등받이를 벌컥 내리더니 번개같이 몸을 돌려서 작은오빠에게 주먹을 날렸다. 팔뚝이 통나무 같았다. 불시에 얼어맞은 작은오빠는 코를 움켜쥐고 고개를 앞으로 숙였다. 그는 임팩트 있는 펀치를 몇 대 날리다가 앞차가 조금 움직이니까 다시 번개같이 운전대를 잡고 약간 전진했다. 그러다가 차가 멈추면 다시 몸을 돌려서 작은오빠를 퍽퍽 쥐어박았다. 작은오빠는 내가 패는 거라고 생각했는지 두 팔로 머리를 감싸고 별로 불평도 하지 않았다. 차 안에는 노지심이 식식거리는 콧김 소리, 혹은 퍽퍽 두들겨패는 소리밖에 들리지 않았다.

나로 말하자면 이 모든 상황이 달리의 그림 속, 시계가 줄줄 녹아내린 습기와 무더위의 시공간 어디쯤인가 싶은 멍한 기분이었고, 혹시 김학원이 언젠가 노지심의 돈을 떼먹고 달아났던 것이 아닐까, 원수를 외나무다리 위에서 만난 게 아닐까 싶어서 그에게 항의하거나 말릴 엄두도 내지 못했다. 그동안 김학원이 이리저리 날린 돈을 생각하면 서울 시민의 절반이 김학원의 철천지원수라고 해도 하나도 이상할 것이 없었다. 교통 혼잡을 틈타서 김학원을 제법 알차게 두들겨팬 노지심은 세시 사십일분에 드디어 법원 출입구에 우리를 떨구어놓았다.

"에잇, 저 쌍놈새끼 내가 오늘 죽일 뻔했다!"

자동차 밖으로 굴러떨어진 작은오빠를 향해 노지심이 포효했다. 법원 출입구를 오가던 많은 사람들이 우리에게 주목했다. 일 초도 허비할 시간이 없었다. 다행히 노지심에게 두들겨맞으면서 작은오빠는 술이 좀 깬 것 같았다. 작은오빠를 둘러메고 법원으로 돌진하는 나의 뒷등에 노지심은 무시무시하지만 뜨거운 동정이 담긴 포효를 날렸다.

"저 새끼 사람 안 돼! 너 저 새끼 봐주면 안 돼! 오늘 반드시 이혼해! 알았지? 이혼해야 해!"

나는 그 노지심이 마초이기는 해도 굉장히 마음이 따뜻한 사람인 것을 알게 되었다.

: 13 :

그곳에는 함박눈이 내렸다고 한다. 1월이니까 이상한 일이 아니었다. 목련꽃처럼 탐스러운 눈송이가 끝도 없이 활주로를 덮었을 것이다. 정욱연은 공항의 통유리창 밖으로 수북수북 쌓여가는 눈을 바라보았을 것이다. 그가 탈 예정이었던 비행기는 이륙을 포기했다. 안타까운 일이었다. 눈이 오기는 했어도 삼십 분 전까지만 해도 비행기는 그럭저럭 뜨고 내렸기 때문이다. 그뒤로 눈은 이틀 동안 쉬지 않고 쏟아졌다. 적설량 칠십 센티미터의 대폭설이었다. 밴쿠버 공항은 폐쇄되었다.

'눈이 너무 많이 와서 출발을 못 했습니다. 병원 가족들과 예약 환자 여러분께 죄송합니다. 곧 돌아가겠습니다.'

눈 내리는 창밖을 물끄러미 내다보는 정욱연. 나는 상상 속의 그 모습에 걷잡을 수 없이 매료되었다. 정욱연이 보낸 사무적인 문자 메시지조차도 미치도록 애절한 느낌이었다. 그가 나에게 보낸 첫

290

번째 문자였다. 서울에도 눈이 내렸다. 병원 앞 카페에서 산처럼 부른 배를 안고 하염없이 눈물을 찍어내는 작은올케의 어깨 너머로, 나는 창밖에 흩날리는 함박눈을 바라보았다. 길 건너 보이는 병원 입구에서 지금이라도 어깨를 움츠린 정욱연이 튀어나올 것 같았다.

"아가씨, 정말 어떻게 해야 할지 모르겠어요. 어쩌면 인생에 이렇게 끝없는 고통이 따르는지…… 뱃속의 아기를 볼 면목도 없고요…… 이런 이야기도 모두 아기가 들을 테니까 조심스럽지만…… 교도소라니 정말…… 요즘은 계속 울기만 하고, 아기도 많이 놀랐을 거예요…… 이제 곧 산달인데, 정말 막막해요……"

작은올케는 복역자 가정과 이혼 가정 중에서 어느 쪽이 아이들의 정서에 덜 해로울 것인지, 온갖 요인들의 덧셈과 뺄셈과 곱셈과 나눗셈을 거듭하는 중이었다.

"뭘 더 고민해요. 이제 우리 식구 누구든 올케언니한테 더 살아달라고 부탁할 염치도 없어요. 그냥 올케언니가 결정하는 대로 따를 거니까 언니가 잘 생각해서 제일 좋은 결정을 내리면 돼요."

선고공판일에 작은오빠를 나에게 떠넘겨버린 양심이 아직 태산만큼 남아서 나는 계속 뻣뻣하게 대답하는 중이었다.

"아가씨가 박회장님께 말씀 좀 드려주세요, 네? 박회장님께서 아가씨 부탁은 잘 들어주시잖아요. 흑흑흑."

"난들 무슨 힘이 있겠어요. 박회장이 호락호락 작은오빠를 봐줄 생각이 아닌 것 같아요. 선고공판일에 맞춰서 해외출장으로 자리를 비우고, 여행을 핑계삼아서 엄마까지 해외로 빼돌린 걸 봐요."

"아가씨, 변호사는 뭐라고 그래요? 항소해야 한대요? 항소하려면 변호사 비용도 많이 들 텐데…… 흑흑흑."

"삼 년이면 많이 나온 거 아니래요. 항소해도 크게 형량이 줄어들 것 같지 않다고 하더라고요."

공치사를 하자면 이 대목에서 할 말이 많았다. 변호사 '배종수 개식기'는 김학원의 형량이 높지 않은 편이라고 말했다. 죄질이 나쁘고 내내 법정 출석 태도가 불량해서 검찰의 구형량을 꽉 채워도 할 말 없을 처지였는데, 구형량보다 일 년 깎아서 삼 년이 선고된 것은 분명히 판사가 그날 나를 보고 동정심을 느꼈기 때문이라는 설명이었다.

술에 절어서 정신도 없는데다 노지심에게 두들겨맞아서 더 얼이 빠진 김학원을 떠메고 재판정까지 간 것은 공화국 영웅 칭호를 받아 마땅한 위훈적 공로였다. 우리는 그날의 재판이 모두 끝나려는 참에 극적으로 결승선에 도착했다. 나는 퇴정하려는 재판장의 법복 뒷자락에 대고 화염을 발사했다.

"우리 왔어요!"

그대로 판사가 나가버린 것 같아서 나는 그만 주저앉고 말았다.

"김학원 왔어요! 판사님! 판사님! 김학원 데리고 왔다고요. 판사님! 판사님!"

그날 김학원을 데리고 가지 않았다면 어떻게 되었을까? 그건 나도 잘 모른다. 선고공판일이라서 반드시 가야 한다는 작은올케의 말에 기겁해서, 작은오빠를 반드시 법정에 출석시켜야 한다는 일념뿐이었다. 그 피눈물 나는 노력이 모두 무위로 돌아가고 결국 재판을 받지 못하게 되었다는 생각에 눈앞이 캄캄했을 뿐이었다. 그때는 머릿속에 아무것도 떠오르지 않았고 멈출 수 없는 통곡만 끝없이 북받쳐올랐다.

"조용히 하세요. 울음을 멈추지 않으면 퇴정을 명하겠습니다."

정신을 차려보니 판사가 돌아와 있었다. 판사의 목소리는 엄했지만 기껏해야 내 또래로 보이는 젊은 그의 얼굴에는 어이없다는 표정과 함께 나를 향한 감출 수 없는 동정심이 진하게 드러나 있었다. 누군가가 다가와서 내 곁에 널브러져 있던 김학원을 추슬러 피고인석에 앉혔다. 판사의 아량으로 마침내 재판을 받게 되었다는 안도감이 치밀었지만 나는 통곡을 멈추는 데 실패했다. 나는 딸꾹질까지 하면서 계속 울다가 결국 복도로 쫓겨났다. 그래도 상관없었다. 사 년이 구형되었던 김학원에게 판사는 징역 삼 년을 선고했고 김학원은 무사히 감옥에 갔다.

"우리 이제 어떻게 살아요, 아가씨…… 이제 아기도 곧 태어날 텐데, 아이 둘 남부럽지 않게 가르치려면 교육비도 더 많이 들 텐데…… 어떻게 살아요…… 아가씨가 제발 도와줘요……"

"그동안 작은오빠가 버는 돈으로 먹고산 거 아니잖아요. 오히려 작은오빠가 사고치지 않고 얌전히 들어앉아 있으면 골치 아픈 일도 없고 좋지 뭘 그래요. 마음 굳게 먹어요. 작은오빠가 큰집 갔다 오고 나면 사람 될지도 모르잖아요."

"당장 먹고사는 이야기가 아니에요…… 아이들은 안정된 환경에서 자라야 하는데…… 애들 아빠가 교도소에 있는 불안정한 환경에서 어떻게 바르게 교육을 시키겠어요…… 아이들이 비뚤어질까봐…… 그게 걱정이에요……"

"내가 버는 돈 다 줄게요. 애들 교육비로 쓰세요."

그러나 그녀의 하염없는 눈물이 내 알량한 월급 정도로 위로될 일이 아니라는 건 애초부터 뻔했다.

"지금 그런 이야기가 아니잖아요…… 아빠가 저렇게 되었으면 조부모님이라도…… 아이들을 보살펴주셔야죠…… 아무리 어머님 이랑 헤어지셨다지만, 태욱이랑 뱃속의 아기는 분명히 아버님 핏줄 인데…… 바르게 클 수 있게 도와주셔야죠…… 우리 태욱이, 아무 리 공부를 잘해도 유학도 못 가는 불우한 환경에서 자라게 할 수는 없잖아요…… 흑흑, 아이가 꿈을 가질 수 있게 해줘야 하잖아 요……"

이제 커다란 유아용 블록을 졸업하고 크리스마스 선물로 준 레고 를 맞추기 시작한 태욱이의 유학 문제에 대해 아는 바가 전혀 없어 서, 나는 계속 창밖만 내다보았다. 눈보라는 극성맞았다. 그만그만 한 건물 사이사이 좁은 골목을 내달리는 겨울바람에 이리저리 부딪 히고 뒤섞여, 눈송이는 일정한 방향 없이 소용돌이치면서 하늘로 치솟았다 지그재그로 볼품없이 떨어졌다. 눈송이는 창문에 부딪히 자마자 금세 지저분한 물방울이 되었다. 밴쿠버의 눈송이는 이렇게 구질구질하지 않을 거라고, 힘찬 바람을 따라 일직선으로 내달리다 가 창문에 부딪히면 키스마크처럼 커다란 동그라미를 남길 거라고 나는 상상했다.

"아가씨, 제발 아버님께 우리 처지 좀 이야기해주세요…… 아버 님이 아가씨 말이라면 외면하지 않잖아요…… 정말 너무해요…… 아버님도 어머님도 박회장님도…… 어쩌면 다들 그렇게 냉정하실 수가 있는 거예요…… 저도 이제 지쳤어요…… 아버님께서 도와주시지 않으면 저도 이제 더이상 못 버틸 것 같아요……"

작은올케는 나의 침묵을 괘씸하게 받아들인 모양이었다. 애비가 큰집 견학 간 이런 비교육적인 환경에서 두 아이를 제대로 키울 수 있는 유일한 방법은 박회장이든 아빠든 그녀에게 건물 한 채쯤 되는 재산을 쥐여주어서 아이들의 유학비 걱정 없이 살게 하는 것뿐이라는 그녀의 주장에는 은근한 협박의 기운이 감돌기 시작했다.

나로서는 작은올케가 타지마할을 짓든 안드로메다로 유학을 보내든 아무 상관이 없었다. 내가 불만스럽게 생각하는 건, 왜 그녀가 나를 붙들고 이야기를 하느냐는 거였다. 나는 건물이나 유학하고는 아무 상관이 없는 월급 백사십만원의 정 산부인과 보육실 비정규직 직원이었다. 나는 이혼 위기에 처했고 내 월급으론 내 커피값을 해결하기도 버거웠다. 작은오빠 같은 걸 남편이라고 맞이한 이 여자의 인생이 불쌍하지 않은 건 아니었지만, 솔직하게 말하자면, 이제 은근히 협박조로 변해가는 그녀의 끝없는 하소연이 지긋지긋했다.

"이렇게 된 마당에 헤어진다 한들 누가 언니 욕을 하겠어요. 이제 올케언니는 해방이에요. 김학원이라는 수렁에서 발을 뺄 수 있는 절호의 찬스잖아요. 나 같으면 춤을 추겠어요."

울어서 빨갛게 부어오른 작은올케의 눈이 동그래졌다.

"저더러 지금 작은오빠랑 헤어지라고요? 그럼 애들은 어떻게 하고요?"

"그건 언니가 결정해야죠. 왜 나한테 물어요."

작은올케의 숨소리가 색색 거칠어졌다.

"만일 작은오빠와 헤어진다면, 나는 아이들을 데려가지 않을 거예요. 나도 살아야 하니까요."

"어쨌든 언니가 결정할 일이에요."

"만일 내가 아이들을 두고 간다면, 어머니와 아가씨가 아이들을 키워야 한다고요."

"글쎄요. 내가 낳은 것도 아닌데 내가 키워야 한다는 법이 어디 있나요. 김학원이 애비니까 알아서 하겠죠."

"그이가 아이들을 키워요? 아가씨! 지금 무슨 소리를 하는 거예요?"

"그러니까 내 말은, 뭐든 올케언니가 결정하고 알아서 할 일이라는 거예요. 아빠를 찾아가든, 아이들을 두고 떠나든, 올케언니가 할 일이라는 말이에요. 내가 아빠한테 도움을 청할 이유도, 내가 아이들을 키울 이유도 없다는 말이에요."

그건 일부분 사실이 아니었다. 만일 작은올케가 다른 사람에게 아이들을 맡기고 떠난다면 나는 총격전을 벌여서라도 그 아이들을 빼앗아올 것이었다. 나는 그런 인간이었다. 하지만 작은올케는 내 능숙한 포커페이스를 간파할 만한 능력이 없었다. 창백하게 질린 작은올케가 파르르 떨었다.

"작은오빠에게 용돈 받아 쓰고 함께 놀러 다닐 땐 둘도 없는 짝꿍이더니, 오빠가 감옥에 가게 되니까 나 몰라라 하는 거죠. 아가씨가 그런 사람인 줄은 정말로 몰랐어요."

나는 대답하지 않았다. 김학원에게 받은 용돈은 그에게 뜯긴 돈의 일 퍼센트도 되지 않았다. 작은오빠는 낯선 환경에 적응하기 위해서 삼백만원의 영치금이 필요하다고 했고 나는 그대로 해주었다. 오백만원이라고 했더라도 그대로 해주었을 것이다. 겨우 백단위의 돈으로 김학원을 만족시킬 수 있게 된 것만 해도 대한민국 사법제도 만만세였다. 그는 삼백만원의 영치금으로 얼마든지 초코파이를 사먹을 수 있는 수감 귀족으로 떵떵거리며 살고 있었다. 그런 구차한 이야기를 작은올케에게 자세히 할 생각은 하나도 없었다. 점심시간이 끝났고 나는 이제 보육실로 돌아가야 했다.

"언니가 힘든 건 이해하겠지만, 언니, 내 사정도 너무너무 복잡해요. 성민이랑 나, 위기예요. 연초에 휴가를 내서 오창에 있기로 했는데 작은오빠 때문에 하루 만에 올라왔어요. 성민이가 머리끝까지 화가 났어요. 작은오빠 때문에 나도 성민이한테 이혼당하게 생겼다고요."

작은올케가 움찔했다. 나는 눈물을 꿀꺽 삼켰다. 내 복잡한 사정을 누구에게 말할 수 있을까. 정욱연이 새벽 세시에 원장실의 문을 열어주었다는 걸. 꿈결같이 키스하고 떠나버렸다는 걸. 딱 하룻밤의 키스는 벌써 천년 전의 일처럼 멀게 느껴졌다. 모두 작은오빠의 공덕이었다. 나에게 남은 건 오창에서 날뛰고 있는 성민과 구치소에서 날뛰고 있는 작은오빠, 언제나 내 몫이었던 구질구질한 현실뿐이었다.

"언니, 힘들겠지만 작은오빠한테 접견 좀 가줘요. 작은오빠 지금 너무 불안정해서 가족들의 도움이 꼭 필요해요. 아직 미결수라서 매일 접견할 수 있지만 항소 청구기간이 끝나면 한 달에 네 번밖에 못 가요. 매일 볼 수 있는 시간도 얼마 안 남았어요. 요새 다행히 병원이 한가해서 내가 매일 갔지만, 나 오창에 다시 가야 해요. 언니, 우리 정말 심각해요. 성민이가 오창으로 발령난 뒤로 우리는 내내 안 좋았어요. 이번에 안 가면 정말 끝이에요. 나 어쩌면 보육실 그 만두고 오창으로 이사갈지도 몰라요. 아무래도 그래야 할 것 같아 요. 안 그러면 우리 정말로 끝날 것 같아요."

이제는 꿈에서 깨어나야 했다. 꿈에서 깨어나라고 밴쿠버에는 칠 십 센티미터의 대폭설이 쏟아졌다. 키스는 천년 전의 일이었다. 정 욱연이 돌아오지 않아서 병원은 아직 한산했다. 나는 다시 하루 휴 가를 낼 생각이었다. 성민에게 돌아가서 손이 발이 되도록 빌어야 했다. 가슴이 찢어질 것 같았지만, 그것이 나의 현실이었다. 꿈은 꿈일 뿐. 정욱연이 돌아오기 전에 나는 사직서를 내야만 했다. 그 다정한 남자가 돌아와서 나를 부르면, 나는 꿈과 현실을 분간하는 마지막 정신줄을 놓아버리고 말 것이 분명했다.

작은오빠가 옳았다. 그 남자는 모든 것을 가졌지만, 나는 아니었 다. 그 남자가 나를 정말로 사랑한다고 믿기에는 나의 현실이 너무 보잘것없었다. 작은오빠가 옳았다. 내가 그를 사랑하면 정욱연은 곤 란해질 것이었다. 하지만 그의 곁에 머물면서 사랑하지 않을 자신 이 없었다. 작은오빠가 옳았다. 꿈이었다. 도취였다. 착각이었다. 상 처받지 않으려면 그의 곁을 떠나야 했다. 꿈에서 깨고 나면 내가 어 디에 있을지 두려웠다.

나는 애써 눈물을 삼키며 휴대전화를 들여다보았다. 이미 점심시 간은 끝난 지 오래였다. 나는 돌아가야 했다. 이제 내가 며칠밖에 더 머물 수 없는 나의 직장으로. 내 인생의 가장 아름다운 꽃이 피었던 그 예쁜 어항으로. 밀림 속의 사원처럼 은밀한 내 사랑의 유적지로. 이제 나에게 남은 것은 천년 전에 일어났던 키스의 추억뿐이었다. 그거면 되지. 더이상 보지 않으면 잊을 수 있겠지. 아니 내 곁에 남은 선물 하나 더. 그가 캐나다에서 보낸 문자메시지. 내가 이미 천 번도 더 키스한, 곧 돌아오겠다는 사랑스러운 약속.

작은올케가 나에게 손을 내밀었다. 그녀의 따뜻한 손가락이 내 뺨의 눈물을 닦았다.

"아가씨도 힘들었구나…… 어떡해, 아가씨, 많이 힘들었구나…… 미안해요. 나는 나만 힘들다고 생각했어. 정말 미안해요. 난 그런 줄 정말 몰랐어요. 아가씨도 힘을 내요. 다 잘될 거야. 그렇지? 우리는 다 잘될 거야."

작은올케는 따뜻한 사람이었다. 우리가 잘될 거라니, 누가 보증한 적도 없는 밑도 끝도 없는 위로였지만, 그래도 우리에겐 그런 거라도 필요했다. 선혈이 흐르는 가슴에는, 뺨에 닿는 따뜻한 손가락만이라도 위로가 되었다. 나는 작은올케의 어깨에 얼굴을 묻었다. 우리는 서로 무한대의 위로가 필요했다.

"고마워요. 이제 나는 들어가봐야 해요. 눈 와서 미끄러운데 조심하세요. 언니, 힘내요. 나도 힘낼게요. 일단 오창에 다녀오고, 작은오빠한테는 그다음에 열심히 갈게요. 지금은 성민이가 너무 급해서 그래요. 언니도 힘내요. 우리는 잘 이겨낼 수 있을 거예요."

나는 작은올케와 작별하고 병원으로 돌아왔다. 화장실에 들러서 빨갛게 부은 눈을 찬물로 가라앉혔다. 보육실로 내려가기 전에 휴가를 내러 원무과에 들렀다. 원무과장은 키가 크고 친절한 여성이었다. 마침 통화중이었던 그녀는 눈웃음으로 조금만 기다리라는 신호를 했다. 나는 그 통화의 다른 쪽 끝이 밴쿠버에 닿아 있다는 사실을 눈치챘다. 그녀의 모니터에는 저 유명한 정욱연 원장의 깨알 같은 스케줄표가 떠 있었다. 귀국이 늦어지면서 어긋나게 된 일정을 의논하는 중이었다.

나는 그녀의 곁에 서서 태연한 척하려고 노력했다. 백만 번이나 계산해본바, 밴쿠버는 지금 한가한 저녁시간이었다. 그는 아내와 함께 있을까? 지구의 반대쪽에 그가 있음을 확인한 것만으로도, 오창은 목성보다 더 먼 어딘가로 느껴졌다. 내가 사직서를 쓸 수 있을까? 정욱연을 잊을 수 있을까? 심장이 목구멍에서 뛰었다. 그대로 있다가는 또 눈물이 쏟아질 것 같아서, 나는 일단 보육실에 갔다가 다시 와야겠다고 생각했다. 원무과장이 돌아서는 나를 붙잡아 세웠다.

"혜나씨, 통화 거의 다 끝났어요. 조금만 기다려요."

나는 하는 수 없이 원무과장 곁에 다시 섰다. 몇 시부터 몇 시 진료는 누구 선생에게, 무슨무슨 수술은 누구 선생에게, 뭐뭐뭐뭐는 취소, 이것과 저것은 다음주 이후로 미루고, 어디에 연락해서 양해를 구하고, 며칠 저녁엔 병원에 들를 수 있을 것 같고 그다음 날부터는 정상 진료. 그의 깨알 같은 스케줄들이 이리저리 분산되는 모습을 나는 곁에서 지켜보았다. 원무과장의 말대로, 통화는 거의 끝물에 접어들고 있었다.

"예, 원장님. 걱정하지 마시고요. 기왕 이렇게 된 거, 아무 생각 마시고 며칠 더 푹 쉬고 오세요."

나는 눈물이 흘러나오지 않도록 천장을 쳐다보면서 옛 노래를 입안에서 흥얼거렸다. 세월이 가면 가슴이 터질 듯한 그리운 마음이야 잊는다 해도, 한없이 소중했던 사람이 있었음을 잊지 말고 기억해줘요. 오래전에 좋아했던 노래였다. 이런 날이 오려고 나는 이 청승맞은 노래를 좋아했었나보다. 통화를 마친 원무과장이 내 손목을 톡톡 쳤다. 나는 숨을 크게 들이마시고, 최대한 밝고 씩씩하게 말했다.

"과장님, 내일 휴가 하루만 더 쓰겠습니다. 원장님이 안 계시는 동안 얼른 지방에 좀 다녀오려고요. 죄송합니다."

원무과장의 표정이 아주 이상했다. 그녀가 나에게 수화기를 내밀고 있는 것을 나는 뒤늦게 알아차렸다. 원무과장이 아주 작게, 거의 입모양으로만 말했다.

"받아봐요."

우리 주변에는 사무장과 두 명의 직원과 두 명의 간호사 들이 각자 심상하게 자기 볼일을 보고 있었다. 내 심장소리 때문에 그들이 돌아볼까봐 두려웠다. 수화기는 원무과장의 체온으로 따뜻했다.

"여보세요? 혜나씨?"

여린 탁음이 섞인, 부드러운 목소리였다. 나는 다시 천장을 바라보았다. 천장이 울렁거렸다.

"안녕하세요."

"집에 무슨 일 있어요?"

"아니요. 괜찮아요."

나는 내가 무슨 말을 하는지도 잘 몰랐다.

"내일부터 공항이 열려요. 한국엔 모레 도착해. 무슨 일인지 모르겠지만 혜나씨, 휴가 내지 말아요. 나 금방 갈게. 혜나씨 목소리 듣고 싶었어. 이제 전화 끊어요. 안녕."

"안녕히 계세요."

수화기를 두 손으로 원무과장에게 돌려주고, 나는 폭신한 구름을 밟듯이 발걸음을 조심하며 원무과를 나왔다.

"혜나씨, 아까 뭐라고 했더라? 휴가? 휴가 낸다고 했어요?"

원무과장이 나를 불러세웠다. 그녀도 나만큼이나 혼비백산한 얼굴이었다. 나는 고개를 저었다. 휴가라는 단어가 무슨 뜻인지도 생각나지 않았다.

"아니요. 괜찮아요. 저 내려가볼게요."

나는 어지럼증을 느꼈다. 정 산부인과는 유난히 중력이 약해서 나는 언제나 허공으로 붕 떠오른 것 같은 어설픈 느낌으로 걸었다. 이 미친 병원의 부실한 중력 때문에 오늘은 하마터면 사람들의 눈앞에서 휴거될 뻔했다. 휴가를 내지 말라니, 도대체 무슨 뜻일까? 그는 미친 것이 분명했다.

나는 결국 해석하기를 포기했다. 이 일은 우주적인 어떤 힘과 관계된 문제인 것 같았다. 오창과 나 사이에는 극복할 수 없는 무시무시한 척력이 존재했다. 성민이 오창으로 발령나자마자 나는 취직이 되었다. 정욱연이 떠난 후 오창으로 내려갔지만 나는 성민에게 정욱연을 사랑한다는 말만 하고 곧바로 돌아오게 되었다. 나는 내일 휴가를 내고 다시 오창에 갈 생각이었는데 난데없이 정욱연이 전화를 걸어서 오창을 단숨에 삼억 광년 바깥 어딘가로 집어던져버렸다. 이건 우주적인 문제였다. 인류는 언제쯤 그 가련한 도시를 다시 찾아낼 수 있을까?

"이십팔 세기야."

투명한 아크릴 벽 너머에서 작은오빠는 이렇게 단언했다.

"이십일 세기 다음으로 멋진 시대는 이십팔 세기지. 아, 그때까진 재림해야 하는데."

역시 발음상의 문제인 것 같았다.

"이십팔 세기가 되면, 그땐 달라져 있을 거라고. 그때쯤은 인간들이 먹고사는 일 따위는 졸업했지. 피부에 엽록체 이식하고 간에 질소고정세균만 키우면 게임 끝이야. 태양과 공기만 있으면 필수 아미노산이랑 탄수화물을 몸속에서 만들어내는 거야! 그러면 먹고사는 걱정을 할 필요가 없어진다고! 그때부터 진정한 인류가 시작될 수 있는 거지. 사실 먹고사는 일에 매달려서 돈이네, 땅이네 하는 게 얼마나 천박하냐. 그게 만물의 영장이 할 짓이니? 이십팔 세기엔 인류가 진정한 의미의 사랑, 정의, 미학을 고찰할 수 있게 되는 거야. 아흑, 짜릿하지 않니? 그때 태어났어야 하는 건데. 돈을 넘어선 진정한 가치를 깨닫게 될 이십팔 세기에 내 유전자의 아주 일부분이라도 도달하려면, 흐흐 태욱이가 씨앗을 많이 퍼뜨려야 할 텐데. 이십팔 세기까지 버티려면 개체수가 많아야 할 것 같거든. 아무래도 험난할 테니까."

나보다 절멸이 더 시급한 저쪽 종자는 아무래도 지구에서 일찍 사라질 생각이 전혀 없는 모양이었다. 감옥에서 좋다는 온갖 다큐멘터리를 다 챙겨 보았다더니 정신세계는 한층 심오해지고 언변은 더더욱 청산유수였다. 그동안 접견시간에 누가 따라 들어오는 일이 없었는데, 오늘따라 하필이면 교도관이 동석했다. 김학원이 무슨 히스테리라도 부렸던 모양이었다. 감정의 표시 없이 우리 남매의 대화를 듣고 있는 교도관의 온몸에서 고준위의 경멸 에너지가 뿜어져 나왔기 때문에 나는 방독면을 쓰고 싶었다. 경멸도 방사능만큼 몸에 나쁘다.

타인의 한심해하는 시선에도 불구하고 작은오빠의 희망적인 전망은 나에게 전기처럼 찌르르하게 전염되었다. 그렇다, 미생물. 인류에게 그런 희망이 있는 줄은, 생각을 못 했지. 피부에 엽록체를 심고 간에 질소고정세균을 키워서 먹고사는 문제만 해결하고 나면, 그때는 나도 살 만할지 모른다. 그 꿈만 같은 이십팔 세기의 지구에 정욱연과 나를 반반씩 닮은 초록색 인류를 약 일억오천만 마리쯤 뿌려놓고 싶은 열망에 불타서 나는 두 주먹을 불끈 쥐었다.

"어, 왜 울어? 갑자기 왜 울어, 혜나야?"

작은오빠가 당황했다.

"어떡해. 어떡하면 좋아, 오빠."

나는 겨우겨우 목소리를 쥐어짜냈다.

"왜? 왜 그래, 혜나야. 무슨 일인데? 오빠한테 다 말해, 응?"

"우리 사랑해…… 우리 사랑해…… 어떡해……"

"욱연이 형? 형이 너한테 넘어갔어? 정복한 거야? 정말? 진짜야?"

정욱연은 밴쿠버 공항이 열리자마자 첫 비행기를 타고 돌아왔다. 그가 돌아오기를 간절하게 기다렸던 일과 사람 들은 너무나 많고많았다. 나는 그 기나긴 줄의 보이지도 않는 끄트머리에 조용히 서 있었다. 아이들이 모두 떠난 텅 빈 보육실을 정리하고 있던 어느 저녁, 그는 조용히 유리문을 밀고 들어섰다. 세상의 모든 시계가 멈춘 것 같았다. 그는 잠시 망설이다가, 곧 숨을 크게 들이마시고 또박또박, 혜나씨, 우리 집에서 저녁 같이 먹을래? 라고 물었다. 나는 아무 생각도 나지 않았다.

"너……? 욱연이 형이랑 했어? 빨리 말해! 형이랑 했냐고!"

작은오빠의 눈에서 두 줄기 뜨거운 빨랫줄이 발사되어 아크릴 벽을 녹였다. 나는 고개를 끄덕였다. 그의 집에서 우리는 세번째 키스를 했고, 성인 남녀들이 사랑에 빠지면 꼭 해야 한다고 세상에 존재하는 모든 경전이 가르치는 바로 그 일을 했다.

"근데 세 번만 하면 정욱연은 그냥 죽을 것 같아. 어쩌면 좋아. 안 할 수도 없고. 흑흑흑."

정욱연은 힘든 일이라면 종류를 가리지 않고 뭐든지 죽도록 열심히 하는 남자였다. 왜 성인 남녀들은 사랑에 빠지면 꼭 그 일을 해야 하는 것일까. 진심으로 나는, 백 번 한 셈 칠 테니까 잠이나 자라고, 이러다 죽으면 어쩌냐고 말하고 싶었다. 겨우 이 주 쉰 걸로 충분하다는 듯이 무시무시하게 과로를 하면서 이제 연애까지 하겠다는 그 남자를 보면 두 눈을 가리고 싶을 만큼 조마조마했다. 게다가 이걸 하는 중간에 응급분만 콜이 오면 어쩌나 오만 가지 공포스런 상상까지 머릿속에 가득 차서, 나는 정욱연의 열심 노력에도 불구하고 세상에 존재하는 모든 경전이 수선스럽게 떠들어댄 그 지고의 쾌락은 구경조차 하지 못했다.

"야! 그럼 안 되지! 지금 죽으면 밴쿠버에 있는 그 여자 좋은 일만 하는 건데! 참아! 참아야 해! 욱연이 형 이혼할 때까지는 절대로 죽으면 안 된다고! 그걸 잊으면 안 돼!"

나는 두 손으로 얼굴을 가렸다. 경멸은 방사능보다 건강에 더 나쁠 수 있다. 교도관의 경멸이 연간 피폭 한계치를 훌쩍 넘겼기 때문에 얼굴을 보호하지 않으면 백혈병에 걸릴 것 같았다.

"그 남자 재산에 관심 있거든 니가 가서 자! 난 돈 따위 관심 없어! 그 여자가 다 가져가도 아무 상관 없어! 난 정욱연 사랑해! 그 불쌍한 남자가 살기만 하면 된다고! 알았어? 내 말 들려? 난 그 남자 진짜로 사랑한다고, 이 멍청아!"

우리는 아크릴 벽 너머로 고함을 질러대며 헤어졌다. 십 분의 접견시간은 덧없이 짧기만 했다. 나는 숨이 막힐 정도로 내 안에 쌓여 있는 말들의 겨우 백만분의 일도 다 하지 못했다. 이 믿을 수 없는 기적을 아무하고도 나눌 수 없다는 건 고문이었다. 병원에서 나는 땅만 보고 다녔다. 고개를 들었다가 누구하고라도 눈이 마주치면 죽을 것처럼 행복하다고 비명을 지를 것 같았다. 아이들과 고리던 지기 놀이를 하다가 나는 결국 울음을 터뜨렸다. 어리둥절한 아이들 중 똑똑한 꼬마 하나가 이렇게 말했다.

"우리들이 너무 예뻐서 그러세요?"

보육실 반경 십 미터 안으로 접근하면 정욱연도 역시 생각에 잠긴 듯 고개를 숙이고 땅만 바라보았다. 딱 한 번 아이들을 데리고 화장실에 가다가 준비 없이 눈이 마주쳤는데, 우리는 서로 UFO를 본 것처럼 놀랐다. 언제나 나보다 회복이 빠른 정욱연이 엷게 웃으며 돌아섰고, 화장실에서 심장을 움켜쥐고 바라본 거울 속의 나는 믿을 수 없도록 아름다웠다.

박회장과 임현명 여사는 다정하게 귀국했다. 둘째아들이 수감되었다는 소식에 엄마는 고개를 한번 끄덕였을 뿐이었다.

"회장님께 이야기 들었다."

엄마의 표정이 다소 무겁기는 했지만 둘 사이에는 이미 의견 조율이 끝난 모양이었다.

"혜나양이 수고가 많았다고 들었어요. 나한테 섭섭한 것이 많았겠지. 혜나양이 고생한 건 내가 참말로 대견하게 생각하네."

나는 박회장에게 별다른 악감정이 없었다. 수감자 가족이 되었다는 첫번째 충격이 지나가자 나는 김학원이 사라진 이후로 확 높아진 내 삶의 질에 감탄하게 되었다. 할 수만 있다면 평생 저렇게 처박아두고 싶은 심정이었다.

"우리 혜나가 덩치는 작아도 다부지답니다. 어릴 때부터 똑똑하고 야무지기가 비할 데 없었어요. 공부 머리는 좀 아니었지만."

"혜나양이 참으로 여장부요. 임여사께서 따님을 참 장하게 키우셨소. 아들 열 몫을 하겠소. 인물도 저리 잘나고."

박회장은 우리 집안 남자들을 한심해하는 것만큼이나 우리 모녀를 사랑스러워했다.

"혜나양이 언제 하루 시간을 내서 회사로 좀 찾아오시오. 나하고 찬찬히 할 이야기가 좀 있으니. 임여사께서도 긴 여행에 피곤하실 테니 쉬십시오. 내 곧 연락을 하겠습니다."

박회장이 떠나고 나는 드디어 엄마와 단둘이 마주할 기회를 얻었다. 지난 한 달 동안 애타게 기다리고 기다렸던 시간이었다. 엄마.

아름답고 사랑스러운 나의 엄마. 엄마는 나보다 십오 센티미터나 키가 컸다. 엄마 앞에서 나는 언제나 어린아이였다. 나는 엄마에게 하고 싶은 이야기가 너무나 많았다.

"혜나야, 그동안 네가 고생이 많았다. 회장님께서 여행 다니는 동안에도 서울에서 있었던 일들을 다 챙기시더라. 학원이 놈이 저리된 건 어쩔 수 없는 일이지만 형기 꽉 채우게 내버려두시지는 않을 것 같더라. 반성 좀 하게 넣어놨다가 적당한 때 꺼내주시겠다고 하니까 감사하지 뭐. 항소할 필요도 없다고 하시더라. 회장님이 너한테 거는 기대가 크시니까 회장님이 일 맡기시거든 열심히 잘해라. 우리 집에 지금 믿을 만한 기둥이 너 말고 어디 있니. 네가 앞으로 학원이도 더 보살펴주고……"

바람 앞의 촛불 같던 우리 집안에 기다리고 기다리던 박회장의 은총이 내리려는 순간이었다. 나는 우리 미치광이 삼남매 중 그나마 상태가 나아서 머리에 기름 부은 자로 선택되었다.

북한에서 고된 삶을 살았던 모녀와 우리 모녀 사이에는 실제로 거의 아무런 유사성도 없었다. 하지만 엉성하기 짝이 없는 닮은꼴 놀이에 박회장이 그럭저럭 만족했다는 이유만으로 나는 모든 사람이 꿈꾸는 그 원더랜드의 입장권을 손에 쥐었다. 한 인간이 한 인간을 만나는 것에 불과했던 그 일이 얼마나 경제적으로 중차대한 결과를 몰고 왔는지. 세상의 많은 중요한 일들은 왜 그렇게 실없는 방식으로 결정되는지. 내가 아빠의 딸로 태어났던 것과 유사한 불로소득권 당첨 행운이었다. 물론 박회장이 아빠처럼 나를 무상으로 보육하지는 않겠지만, 요새는 뭐든 일하고 돈을 받을 수 있는 기회를 잡는 것만 해도 그 자체로 엄청난 복권당첨인 시대였다.

"박회장님은 자꾸 나더러 집을 얻어서 나오라고 하시는데, 학원이도 저렇게 되었는데 작은애 혼자만 있게 내버려둘 수가 있니. 곧 아기도 태어날 텐데, 나라도 곁에 있어주어야 하지 않을까? 아니면 돈을 좀 보태주어서 저 혼자 애들 데리고 살게 하는 게 나은가? 작은애가 불쌍해서 같이 있어주고 싶은데, 나는 아무래도 시어머니니까 나랑 같이 있는 게 제 쪽에서 좋은지 어떤지도 모르겠고, 박회장님은 아무래도 작은애 보기가 불편하신 것 같고……"

선택의 여지없이 강행되었던 작은오빠와 엄마의 합가는 불과 한 달 만에 해소될 조짐을 보이기 시작했다. 엄마는 오빠더러 얼른 재기해서 빨리 분가해야 한다고 당부했지만 정작 재기한 건 엄마 쪽이었다.

"엄마, 나 할 말이 있어."

"뭔데?"

"나 사랑하는 사람이 생겼어."

엄마는 주변에 누가 있기나 한 것처럼 눈치를 보면서 목소리를 낮추었다.

"어쩌면 좋아. 그게 누군데?"

"우리 병원 원장님."

"너희 병원 원장? 나도 TV에서 본 적이 있어. 말도 잘하더라……"

"성민이랑 나, 깨질지도 몰라."

흔해빠진 나의 망상이나 짝사랑에 대한 이야기가 아니라는 걸 뒤늦게 깨닫고, 엄마의 입술에서 핏기가 가셨다.

"이게 무슨 소리야? 성민이랑 깨져? 너 지금 심각한 거야? 그 원장 때문에?"

나는 고개를 끄덕였다.

"갑자기 왜 그런 거야? 너희 둘, 사이 나쁘지 않았잖아? 무슨 일이 있었어?"

나는 결국 울음을 터뜨리고 말았다.

"나도 몰라! 갑자기 그렇게 되었어! 얘기가 복잡해! 나도 어쩌다 이렇게 되었는지 모르겠어!"

그랬다. 성민과 나는 사이좋게 잘 지냈다. 내가 정욱연을 만나지 않았다면 평생 밤마다 하이파이브를 하면서 사이좋게 늙어갔을 것이다. 내가 어쩌다 성민에게 이런 일을 하게 되었을까? 모든 일이 갑작스럽고 피할 수 없었다. 내 나이 서른아홉, 나는 누구도 예상하지 못했던 블랙홀에 빠졌다. 그곳에서는 아무 소리도 들리지 않았다. 우리는 모두 비명도 환호도 닿지 않는 마하 39의 속도로 미친 듯이 질주했다.

"엄마, 나 어떡해. 나 정말 이러고 싶지 않았어. 그런데 나도 어쩔 수가 없었어. 쓰나미에 휩쓸린 것 같아. 몸부림친다는 게 아무 의미도 없어. 너무 빠르고, 너무 거대해. 엄마, 그 사람만 보면 아무 생각도 안 나. 정말로 아무 생각도 안 나. 그 사람이 나를 보면서 웃기만 하면 머릿속이 하얘지고 다른 건 어떻게 되어도 아무 상관이 없다는 생각밖에 안 들어. 엄마, 어떡해. 나 어떡해."

나는 엄마의 무릎에 얼굴을 묻고 한참 울었다. 엄마인들 어쩌랴. 이 딱한 사정을 어찌 도와주랴. 하지만 엄마가 있어서 다행이었다.

이렇게 울 수 있는 무릎이 있어서 다행이었다. 엄마는 이런 면에서 언제나 최고였다. 우는 사람을 윽박지르지 않았다. 이래라저래라 하지도 않았다. 그저 그 일이 자기 일인 것처럼 마음 아파했다. 그게 바로 나의 엄마 임현명 여사였다.

"불쌍한 우리 아가. 얼마나 마음이 아팠을까."

엄마의 목소리가 떨렸다. 엄마의 한숨에서는 어느 정도 감미로운 격려가 묻어났다. 나는 그 느낌이 몸이 떨리도록 좋았다. 나는 아주 약간 힘을 얻어서 몸을 일으켰다.

"카사블랑카에서 샀어. 네 선물이야."

엄마는 긴 스카프를 내 어깨와 머리에 둘러주었다. 단순하고 얇은 민무늬 캐시미어 스카프였는데, 자세히 보면 자잘한 금사가 섞여서 전등 불빛을 반사했다. 나는 베두인 여인처럼 얼굴만 빠꼼 내놓은 모습이 되었다. 미인이 많다는 이화여대에서도 뜨르르하게 소문이 났던 엄마가 잉그리드 버그먼처럼 흐드러진 미모를 물려주기만 했더라면 뒤늦게 찾아온 사랑에 가슴을 앓는 막내딸에게 얼마나 큰 보탬이 되었으랴, 엄마는 그런 생각을 하고 있는 것 같았다. 나도 절대 동감이었다. 정욱연의 침실에서 우리 둘의 얼굴이 나란히 거울에 비쳤을 때, 나는 거울에 벽돌을 던지고 싶었다.

"나는 말이다, 네 아빠랑 사십칠 년을 살았어. 계속 함께 살았다면 내년에 금혼식을 했을 거야. 너도 조금은 알겠지만 결혼생활이란 건 쉽지 않은 일이야. 결혼생활이 잘 풀릴 때도 있었고, 거지같이 안 풀릴 때도 있었고, 결국은 깨져버렸지. 한참 동안 힘들기도 했다만, 난 괜찮아. 정말로 괜찮아. 박회장님 이야기가 아니야. 그 사람하고는 아무 상관이 없어. 이건 네 아빠와 나에 관한 이야기야. 나는 네 아빠를 정말로 사랑했고 네 아빠도 그랬단다. 우린 정말 치열하게 사랑했어. 그렇게 죽을 만큼 사랑했다는 점이 중요한 거야. 끝까지 잘되었으면 좋았겠지만, 이렇게 끝나더라도 크게 여한은 없어. 인생을 건 진짜 사랑은, 그 자체로 훈장처럼 느껴질 때가 있거든. 어차피 사람은 죽으면 헤어지게 마련이니까."

엄마는 그런 사랑이 찾아오면 어쩔 수 없는 일이라고 생각하는 것 같았다. 그래서 아빠를 별말 없이 보냈는지도 모른다. 엄마는 대책 없는 낭만주의자였고 누구보다 시퍼런 이십팔 세기인이었다. 성질이 나면 스패너를 꺼내들고 문짝을 부수는 성질 더러운 트럭운전사와 오늘까지 화곡동에 살고 있다 해도 엄마는 그것이 자신의 훈장이라고 여겼을 것이다. 엄마는 그런 사람이었다. 엄마의 몸을 실험실에 맡기면 과학자들은 엄마의 간에서 단백질을 합성하는 싱싱한 뿌리혹박테리아를 찾아낼 것이다.

나는 거울을 보았다. 카사블랑카에서 방금 날아온 스카프를 두르고 있어도 잉그리드 버그먼을 닮은 구석은 아무 데도 없었다. 혹시 내가 험프리 보가트가 되는 건 아니겠지. 아무렇지 않은 척 눈물을 삼키며 정욱연을 보내게 되는 건 아니겠지. 혹여 그리 된다 하더라도, 누구라서 항의할 수 있으랴. 사랑은 비명보다도, 운명보다도 빨리 달린다. 험프리 보가트가 된다 해도, 그에게는 그의 훈장이 있을 것이다.

나는 눈물을 닦고 엄마를 껴안았다. 엄마도 다정하게 나를 안아주었다. 한평생 모녀지간으로 살았어도 이렇게 서로를 껴안아본 건

참 오랜만이었다. 나는 조금 힘이 났다. 엄마가 나에게 미모를 물려
주지 않은 것은 유감이었지만, 그래도 괜찮았다. 정말로 괜찮았다.

성민과 나는 오랜만에 마주 앉았다. 내가 오창에 갔던 그날 이후 첫 만남이었다. 그동안 우리는 내내 묵언, 냉담, 비접촉 기조를 유지했다. 나는 먼저 입을 열지 않았다. 삼매에 들어간 것처럼 머릿속이 하얗고 아무 생각이 없었다.

"야, 김혜나, 지금 니가 나한테 화를 내는 거야?"

성민이 기막혀했다. 내가 성민에게 화를 내는 것처럼 보였다면 유감이었다. 그냥 나에게 닥친 일들 모두가 믿어지지 않았을 뿐이었다. 나는 카프카가 쓰고 피카소가 그린 괴상한 순정만화의 주인공 같았다.

성민이 오창으로 내려간 뒤 운명의 수레바퀴는 괴상한 방향으로 돌았다. 마지막으로 성민을 만났을 때 내가 전했던 소식은 정욱연과 키스했다는 것이었다. 이제 전해야 할 소식은 19금이었다. 이건 현실이 아닐 것 같았다. 어디부터 일이 이상하게 돌아갔더라, 나는 그런 생각에 골몰해 있었다.

난 분명히 키스에서 멈추려고 했는데, 정욱연은 왜 나를 자기 집으로 초대한 거지? 나는 분명히 오창에 가려고 했는데, 정욱연은 왜 가지 말라고 한 거지? 그날 새벽 원장실 앞에서, 작은오빠는 왜 나에게 문자질을 해댄 거지? 정욱연은 왜 문을 열어준 거지? 그런 부분들은 내 잘못이 아닌 것 같았다. 나는 그런 부분들을 탐욕스럽게 더 많이 찾아내고 싶었다. 지금 당당하게 성민에게 내세울 수 있는, 내 잘못이 아닌 부분들. 내가 어쩔 수 없었던 부분들.

하지만 그런 자잘한 운명의 부스러기들을 아무리 긁어모아보아도 겨우 콩알만한 크기였다. 그 작은 콩알이 울산바위만한 내 사랑의 옆구리를 살짝 떠밀었을 뿐이었다. 콩알이 살짝 떠밀자 바위는 기다렸다는 듯이 산비탈을 내달렸다. 굉음조차 비명조차 들리지 않았다. 그 커다란 바위는 믿을 수 없이 빨랐다. 발뺌은 불가능했다. 이런저런 운명의 장난에 나는 기가 차고 어이가 없었다. 그러다보니 성민보다 내가 더 화가 난 꼴이 되었을 뿐이었다.

"너 보육실 언제 그만둘 거야?"

"생각중이야."

"당장 그만둬! 양심이 있어야지!"

"참견하지 마. 내가 알아서 할 거야."

내 목소리에 나 자신도 놀랐다. 마누라가 다른 남자와 키스했다는 말을 듣고도 전복죽을 사왔던 착한 남자. 그 이후로 지금까지도 이어지는 나의 무성의가 작은오빠의 교도소행 때문일 거라고 애써 믿으려 노력했던 착한 성민은 드디어 일이 크게 잘못되었음을 인식했다.

"너 솔직하게 말해봐. 지금 그 남자 때문에 이러는 거야?"

"응."

"너 지금 나랑 헤어지자는 거야? 그 남자 때문에?"

"응."

성민의 얼굴이 굳어졌다. 그는 내가 독재적 비타협 비이성 회로를 돌기 시작했음을 깨달았다. 나는 가끔 이럴 때가 있었다. 작은오빠는 나의 이런 상태를 '김혜나의 그랜드 개꼬장'이라고 불렀다. 내가 제대로 미치는 기간이었다. 이럴 땐 무슨 말을 해도 소용이 없다는 걸 우리 식구들은 모두 잘 알고 있었다.

"너 미쳤구나."

그게 정답이었다. 나는 미쳤다. 그냥 병원에 처넣은 셈 치고 잊어달라고, 이제 일어서도 되느냐고 말하고 싶었다.

"김혜나! 정신 차려! 그 남자가 널 진짜로 사랑한다고 생각해? 그 남자가 뭐가 아쉬워서 널 사랑하겠어? 그냥 널 가지고 놀고 있는 거야! 그걸 모르겠어?"

작은오빠도 성민도, 사랑이 무슨 등급제인 것처럼 말했다. 정욱연은 1++등급 꽃등심이고 나는 4등급 국거리라서 그는 나를 사랑하지 않을 거라고 말했다. 그런 말을 들으면 머리끝까지 신경질이 났다. 사랑이 쇠고기냐? 정욱연이 나를 사랑하는 게 그렇게나 이상하냐? 삼매경 속에서도 발끈하는 나를 보고 성민이 얼른 다른 말을 했다.

"너 설마 그 사람이랑 끝까지 잘될 수 있다고 생각하는 거야? 그 사람 가정 있는 사람이라며. 아이들도 있다며. 너 그런 사람 뺏어올 수 있어? 너 그렇게 독한 애 아니잖아."

그의 가정. 그의 아내. 그의 아이들. 눈앞을 부옇게 흐리던 삼매가 옅어지고 아릿한 슬픔이 밀려왔다. 지금 내 눈앞에서 깨지고 있는 멀쩡한 내 가정도 있는데 그의 소중한 가정이 깨지는 것을 가슴 아파하다니, 나는 정말 미쳐도 곱지 않게 미친 게 분명했다.

지독하게 긴장해서 제정신이 아니었는데도, 정욱연의 집에 처음으로 들어서자마자 나는 왠지 마음이 편안해졌다. 분명 그의 아내의 취향이었을 테지만, 그의 집은 당당하면서도 간결했다. 나는 그렇게 품격 있으면서도 단순한 공간을 좋아했다. 원장실과 마찬가지로 거실 벽에는 소소한 물건들을 찍은 정물 사진들이 걸려 있었다. 붙박이장의 금속 손잡이, 책과 펜이 놓인 책상, 따뜻한 질감이 느껴지는 모피 슬리퍼. 가족들의 모습을 볼 수 있는 사진은 아무것도 없었다.

마침내 나는 소파 옆 협탁에 놓여 있는 8×10 사이즈 가족사진을 찾아냈다. 침착하려고 노력했지만 나도 모르게 필사적으로 그 사진을 곁눈질하느라 눈이 돌아갈 지경이었다. 보다 못한 정욱연이 액자를 내 무릎에 놓아주었다. 스튜디오에서 찍은 사진이었다. 소문대로 그의 아내는 대단한 미인이었다. 머리칼을 단정하게 정리해서 묶어올렸고, 나를 반으로 쪼개도 나올 수 없는 아름다운 바디라인이 드러나는 세련된 드레스를 입고 있었다. 가녀린 그녀의 오른손은 정욱연의 왼쪽 쇄골 끝부분에 자연스럽게 살짝 얹혀 있었다. 무용을 전공하고 지금은 밴쿠버에서 두 아이들과 지내는, 은행가의 딸이었다.

그의 아들은 머릿결마저 아빠와 똑같아서 작은 정욱연 같아 보였다. 녀석의 얼굴에는 그 나이 사내아이가 보통 그렇듯이 낙천적이고 단순한 웃음이 배어 있었다. 동생의 환한 표정에 비해 좀더 성숙해 보이는 그의 딸은 카메라를 향해 이게 전부가 아니라고 말하고 있는 것 같았다. 딸아이의 표정에는 좀더 내심을 숨기는, 정욱연을 닮은 성격이 드러났다.

흰 셔츠에 베이지색 면바지를 입은 정욱연의 한 손은 포니테일로 머리를 묶은 딸의 어깨에 놓였고, 다른 한 손은 아내의 허리 뒤로 사라져 보이지 않았다. 액자 안의 모든 것이 완벽했다. 나는 그가 '가장'임을 실감했다. 사랑스러운 가족을 거느린, 최고로 성공적인 남자만이 보일 수 있는 자신감 넘치는 얼굴이었다. 눈부시게 아름다운 네 식구가 액자 안에서 마늘쪽처럼 웃고 있었다.

나는 머릿속에 이성이 돌아오지 않도록 한층 단속을 강화했다. 다시 눈앞이 하얘지고 삼매에 들었다. 성민은 무슨 말로도 나를 설득할 수 없다는 걸 깨달았다.

"우리에게 이런 일이 생길 줄은 꿈에도 몰랐어. 이건 정말 선의에서 하는 말이야. 혜나야, 넌 지금 미쳤어. 정신 차려. 마지막으로 생각해볼 시간을 줄게. 이게 너에게 주는 마지막 기회야. 잘 생각해. 나도 오래 기다리진 않을 거야."

기회를 줄 필요도 없어. 이게 끝이야. 나는 마음속으로 이미 결정했다. 성민을 향한 미안함에 대해서 생각하지 않는 것이 가장 중요했다. 생각해볼 기간이 얼마큼이냐고 묻지 않고 나는 그대로 일어섰다. 나는 소위 '그랜드 개꼬장' 기간이었고 이럴 때는 어떤 말도 통하지 않았다.

나는 정욱연의 아파트로 두번째 초대를 받았다. 엘리베이터에 동승자가 있었는데, 그녀는 우리에게 전혀 주목하는 것 같지 않았지만 나는 피가 머리 꼭대기로 몰렸다. 그의 집에 들어서자 그제야 숨을 쉴 수 있었다.

그의 냉장고에는 의외로 밑반찬들이 많이 있었다. 집안일을 해주시는 도우미 아주머니께 부탁드려서 늘 종류를 바꾸어가며 서너 가지 반찬을 갖추어놓는다고 했다. 우리는 몇 가지 반찬을 꺼내놓고 함께 간소한 식사를 했다. 도우미 아주머니의 음식솜씨가 매우 훌륭했다. 모든 밑반찬이 입에 맞았다.

"나 음식에 되게 까다롭다."

간이 잘 밴 가지나물을 입에 넣으며, 정욱연이 불쑥 말했다. 나는 코웃음쳤다. 공적, 혹은 사적인 자리에서 여러 번 그와 식사를 함께했지만 그는 뭐든지 덤덤하게 먹는 사람이었다. 맛있다고 반색하지도, 맛없다고 찌푸리지도 않았다. 꽃제비 정욱연이 말하는 까다로움이란 썩은 음식은 먹지 않는다는 정도가 아닐까 하고 나는 대수롭잖게 넘기려 했다.

"캐나다에 가기 전에 아내가 계란말이를 해놓았더라. 나는 젓가락도 대지 않았어. 사실 나 계란 좋아하는데."

"그럼 왜 안 먹었어요?"

"난 계란말이는 아주 뜨거워야 한다고 생각해."

"전자레인지에 데우면 되잖아요."

"난 전자레인지에 데운 음식은 안 먹어."

그의 무용가 아내가 밴쿠버에서 나에게 윙크를 날렸다.

"난 김치를 뒤적거려서 바람이 들어가면 안 먹어. 멸치볶음이 축축하면 안 먹어. 장조림을 칼로 썰면 안 먹어. 생채에 국물이 생기면 안 먹어. 국에 기름이 뜨면 안 먹어. 얼린 마늘로 나물을 무쳐도 안 먹어. 쌈에 물기가 있어도 안 먹어. 된장찌개에 일본 된장을 섞어도 안 먹어."

나는 입안의 밥을 씹는 것을 잊었다.

"웃기지 말아요. 난 원장님이 그런 거 먹는 거 다 봤어요. 지난 연말에 고깃집에서 회식했을 때, 그때 그 맛없는 된장 그냥 먹었잖아요. 김치? 그건 남들이 먹던 걸 다시 줬을지도 몰라요. 원장님 그거 다 군소리 없이 먹었잖아요."

"거긴 집이 아니잖아. 집에선 그랬다고."

이 개자식아, 소리가 혀끝까지 치밀었다. 정욱연이 짓궂은 표정을 지었다.

"농담이죠? 설마?"

"아니, 진짜. 안 먹어."

나는 젓가락으로 오이무침을 들어올려 양념국물이 뚝뚝 떨어지는 것을 보여주었다. 그가 정정했다.

"안 먹었어."

"거짓말 말아요. 어릴 때 제대로 차린 반찬을 본 적도 없으면서."

"혜나씨, 인생은 다면적인 거야. 그래서 어떤 한 면만 생각하면 전체가 우스꽝스럽게 비틀려 보이기도 하는 거지. 나도 대략 굶지나 않으면 다행인 형편이었지만, 가끔은 좋은 물건을 손에 넣거나 잘 차린 음식을 먹을 때도 있었다고. 횟수의 문제일 뿐이지. 인생은 길거든."

그러더니 오늘은 아주 얄밉게 굴기로 작정한 것처럼 덧붙였다.

"게다가 나는 뭐든지 한 번만 보면 다 아니까."

나는 더이상 말씨름하지 않기로 했다. 그가 마지막 한 숟갈을 입에 넣을 때까지 기다렸다가, 나는 얼굴을 불쑥 들이밀고 깐족거렸다.

"원장님, 요러다가 아버지한테 죽도록 맞았구나?"

그래서, 영광스럽게도 나는 팽창하는 우주의 경계선 바깥으로 뛰쳐나간 최초의 인간이 되었다. 그곳엔 으깨진 밥풀과 오이무침이 날아다니고 있었다. 머리칼에 붙은 밥풀들을 다정하게 떼어주다가, 그는 내 이마에 키스했다.

"아버지 때문에 웃어본 건 처음이야."

나는 심해상어의 사랑을 목격한 다이버처럼 우쭐거렸다.

"나 곧 보육실 그만둘 거예요. 다른 일자리가 생겼어요."

우리는 스툴에 발을 올리고 그의 소파에 나란히 앉아서, 그는 내 머리칼을 쓰다듬고 나는 그의 셔츠에 코를 킁킁거리며 시간을 보내고 있었다. 우리가 가장 좋아하는 휴식이었다.

"그래, 잘됐어. 우리 보육실이 혜나씨한테 제일 좋은 일자리라고 말할 수는 없으니까."

"나 안 붙잡아요?"

"직장을 옮긴다고 했지, 다시는 안 보겠다고 한 건 아니잖아? 그런 뜻이었어?"

"그건 아니에요. 어떤 직장인지 안 물어봐요?"

"이제 물어볼 참이었어."

박회장을 만나면 언제나 이산가족이나 만두 같은 이야기만 했기 때문에 나는 나도 모르게 그가 70년대풍의 검박한 사무실을 운영하리라고 상상해왔다. 엘리베이터가 없는 계단식 건물에 무거운 철문을 열고 들어가면 쿠션이 꺼진 오래된 소파가 놓여 있고 창문에는 초록색 플라스틱 블라인드, 거미줄 앉은 벽 모서리에는 작은 선풍기가 달려 있는 그런 사무실 말이다. 그건 나의 어림없는 착각이었다. 강남에서도 가장 목좋은 고층 건물이 그의 소유였고 박회장의 회사는 전망 좋은 한 층을 통째로 쓰고 있었다.

"어서 와요, 혜나양. 한번 회사도 보여줄 겸 해서 오라고 했지."

나는 건물 입구에서부터 남몰래 몸을 떨고 있었다.

"절반은 이 건물을 관리하는 인력이고, 절반은 투자사업을 해요. 투자팀은 요즘 내가 일을 정리하면서 사람을 많이 줄였어. 관리팀에 열네 명 있고, 투자팀에 열한 명 있어요. 지금은 사람이 적어서 사무실이 휑하지만 앞으로 조직을 재구성하면 사람이 알맞게 차겠지."

나는 사무실의 휑한 쾌적함에 몸을 떨었다. 건물 관리와 투자. 어느 쪽도 내 적성은 아니었다. 오랫동안 떠올린 적 없었던 소주 생각이 난데없이 간절해졌다.

"혜나양에게 미리 말해두겠지만 내가 혜나양에게 돈 관리를 맡기지는 못하겠소. 그건 아니야. 혜나양이 바르고 똑똑한 사람이지만 돈 문제는 어두워. 학원군도 그렇고 임여사도 그렇고, 돈 관리를 맡아 할 사람들이 아니오. 돈을 관리할 사람은 내 따로 작정해둔 사람

322

이 있고, 차차 그 사람을 알게 될 거요.

　나는 이 건물을 포함한 내 개인 재산과 앞으로 발생할 수익을 합쳐서 재단을 만들고 있어요. 개인 재단으로는 규모가 상당할 거요. 제일 우선적으로는 탈북자 지원사업을 하고 싶어. 내 고향 사람들이니까 도와주고 싶어. 혜나양에게 그 재단 일을 맡기고 싶어. 임여사와 혜나양을 재단이사로 등재하려고 해요. 모친께는 웬만큼 생활비가 될 만한 돈이 갈 거고, 혜나양은 실무이사로 일하는 거요. 혜나양이 마음이 따뜻하고, 돈을 몰라서 그게 좀 탈이지만, 어쨌든 이런 일에는 적합한 사람인 것 같아.

　그러니 지금 재단을 설립하는 과정부터 따라다니면서 일을 배워요. 일은 마음만 가지고 하는 게 아니야. 일을 하려면 행정적인 능력도 필요해. 혜나양이 곱게 자란 사람이지만 힘든 일도 잘할 거라고 믿어요. 요즘은 여인들의 능력이 좀 대단해야 말이지."

　그리하여 김학원의 모든 계획은 현실로 이루어진 것이었다. 엄마는 박회장에게 노후를 보장받고, 덤으로 나까지 좋은 직장을 얻고, 정욱연과 나는 사랑에 빠졌으니까 말이다. 누가 김학원을 미친놈이라고 비웃었는가?

　내 어깨에 둘러진 정욱연의 팔이 무겁게 느껴졌다. 내가 새로 얻은 직장에 대해 주절주절 떠들고 있는 사이 그는 언제부터인가 잠들어 있었다. 망망한 바다에서 허우적거리던 우리 한심한 집구석이 드디어 황금테 두른 구명대를 잡았다는 소식에 지나치게 안도한 모양이었다. 상당히 민망한 진실을 밝히자면, 나는 그가 숨을 거둔 줄 알고 잠시 새파랗게 질렸다. 비명을 지르며 그를 뒤흔들기 일보 직전에 그가 깊은 숨을 내쉬었고, 나는 하얗게 질렸던 내 손톱에 천천히 혈색이 돌아오는 걸 지켜보았다.

빼빼 마른 몸이라서 가벼울 거라고 생각했는데, 잠들어서 늘어진 남자는 한없이 무거웠다. 나는 군소리 없이 그의 받침대 노릇을 했다. 이 일이야말로 내가 가장 해보고 싶었던 일이었다. 부잣집 막내딸보다도, 거대 사회재단의 실무이사보다도, 정욱연을 쉬게 만드는 사람인 지금의 내가 좋았다.

내가 앉은 위치에서 눈을 조금만 치뜨면 네 식구가 마늘쪽같이 웃고 있는 그의 가족사진이 보였다. 잠든 정욱연을 어깨에 얹고 배에 힘을 주면서, 나는 사진 속의 무용가와 대화를 나누려고 노력했다. 그녀는 나에게 하고 싶은 말이 있는 것 같았다.

정욱연이 후드득 몸서리를 치며 깨어났다. 그는 고개를 한번 흔들고 빠르게 제정신으로 돌아왔다.

"내가 잤나봐. 미안해. 깨우지그랬어."

나는 밴쿠버에 닿을 뻔했던 텔레파시가 끊긴 것이 아쉬웠다.

"원장님이 잠들어서 좋았어요. 나는 원장님이 쉬는 게 좋아요. 계속 잤으면 더 좋았을 거예요."

"어디까지 들었지…… 박회장님이란 분이 혜나씨한테 재단 일을 맡기신다고 그랬지?"

그는 내가 토라졌다고 생각하는 것 같았다. 나는 왠지 재단 이야기를 하고 싶지 않았다. 아무 노력도 없이 좋은 일자리를 쏙쏙 뽑아가지는 내 마이더스의 손이 부끄러웠다.

"엄마랑 작은오빠에게 면회를 갔어요. 요즘은 면회라고 하지 않

324

고 접견이라고 해요. 아무튼 작은오빠는 화가 나 있었어요. 우리가 항소를 포기했잖아요. 오빠가 삐쭉거리면서 말했어요. '엄마, 요새 바쁘신가봐요? 저한테는 신경쓰실 틈도 없나보죠?' 그랬더니 엄마가 화를 벌컥 내면서 대답했어요. '이 자식아, 니 마누라 붙들고 늘어지느라 꼼짝을 못 한다.'"

사람들은 누구나 우리 식구들 이야기를 좋아했다. 우리 모녀가 미치광이 김씨 남자들을 다루는 솜씨를 한번 보여주면 다들 정신을 잃었다. 우리 집 여자들은 황소의 잔등에 올라탄 것 같은 우리의 현기증 나는 인생을 이런 독특한 방식으로 현금화하는 기묘한 재주가 있었다.

"그래서, 수진씨는 잘 버티고 있나?"

정욱연이 아직 도망가지 않은 꿋꿋한 와이프에게 애정과 관심을 듬뿍 담아 물었다.

"모르겠어요. 워낙 고지식해서 여태 잘 버텼는데, 이번에는 정말로 심각한가봐요. 작은올케한테는 다른 무엇보다도 남편이 범죄자라는 게 견디기 힘든가봐요. 아무리 똑같은 개건달이라고 해도, 교도소에 간 것과 안 간 것은 하늘과 땅 차이가 있다는 거예요. 원래부터 모범생인 건 알았지만 이 정도인 줄은 몰랐어요. 나는 그게 뭐 그렇게 중요한 일인지 모르겠어요. 어제의 김학원과 오늘의 김학원이 달라진 건 아무것도 없는데. 늘 미쳤고 남들에게 손해를 끼쳐왔는데 말이에요."

"난 수진씨가 이해되는데. 아무리 잘 버티는 사람이라도, 도저히 견딜 수 없는 어떤 일이 있거든. 다른 사람들은 대수롭지 않게 여기는 흔한 일이라도, 어떤 사람에게는 더이상 견딜 수 없는 일격이 되기도 하니까."

그의 눈길이 액자로 향했다. 그가 도저히 견딜 수 없었던 일격이 그 액자 안에 들어 있는 모양이었다. 나는 그의 아내와 아이들에 대해서 목이 타도록 궁금한 한편, 그들에 대해 귀를 틀어막고 아무것도 알고 싶지 않은 또다른 일면이 있었다. 그들에 대해 알기가 두려웠다. 그들이 지구 반대편에 있다는 사실만 철석같이 믿고, 그냥 나몰라라 하고 싶었다. 그래서 나는 묻지 않았다. 입도 뻥긋하지 않았고, 첫날 가족사진을 본 이후로는 그쪽으로 눈길조차 가지 않도록 조심했다. 하지만 정욱연은 지금 그들에 대해 이야기하고 싶어했다. 그가 하고 싶어하는 일이라면, 나는 야간분만 말고는 뭐든지 다 참을 수 있었다.

햇수가 바뀌어 칠 년째 기러기 생활을 하고 있었지만, 원래 정욱연의 결혼생활은 알려진 것처럼 불행하지 않았다. 그들 부부가 결혼생활 내내 참을 수 없이 불화했다는 루머는 전형적인 김학원식 아전인수였다. 그의 결혼생활은 평화롭고 행복했다. 아니 완벽하다고 할 만했다. 완벽의 정의가 사람마다 다르다는 걸 훗날 뼈저리게 깨닫기는 했지만 말이다. 그는 닥쳐오는 인생의 여건들에 대해 어떤 것에는 온 힘을 다해 저항하지만 어떤 것에는 믿을 수 없으리만큼 불평 없이 순응하는 특징이 있었다. 아버지와 형들은 전자에 속했고 결혼생활은 후자에 속했다.

언젠가 김학원이 지적했듯이, 그는 대학에 진학한 후 자신의 여건으로는 꿈도 꾸지 않아야 옳을 부르주아지 서클에 가입했다. 자신에게 여심을 쥐었다 놓았다 하는 특수한 재능이 있다는 사실을 일찌감치 알았기 때문에 경제력의 심각한 격차에 대해 별로 걱정하지도 않았다. 사회생활의 절반 이상을 차지하는 남자들간의 관계에서 불필요한 갈등이나 경계심을 불러일으키지 않도록, 그는 그 기술을 고양이의 발톱처럼 꼭 필요할 때만 꺼내서 사용했다.

대단히 부유한 은행가 집안의 막내딸이었던 그의 아내는 그 서클에서도 독보적으로 아름다웠다. 장인과 장모는 점잖게 그를 환영했지만, 그를 친척들에게 소개할 때면 이렇게 말했다.

"그냥 의사야."

그는 그 말의 의미를 아주 잘 알고 있었다.

유명 호텔에서 치른 장모의 칠순잔치는 고상하고 품위 있는 사람들만 모여 아무래도 김빠진 사이다 같았다. 잠든 딸을 안고 눈에 띄지 않게 서 있던 정욱연이 생각하기엔 그랬다. 여흥의 마이크를 넘겨받은 그는 반주곡으로 〈의사 선생님〉을 선택했다. 그의 단골 주유소에서 늘 틀어놓는 노래였다.

"의사 선생님 의사 선생님 나에게 약 좀 주세요.
사랑하다 병이 들어 외로운 가슴
달래주고 위로해줄 약은 없나요."

간주 부분에서 그는 부끄러움을 꿀꺽 삼키고 디스코와 트위스트를 적당히 뒤섞은 비장의 엉덩이춤을 선보였다. 목덜미까지 자두처럼 빨개졌지만 어쨌든 끝까지 했다. 사실 그는 지루박 스텝도 잘 알았다. 한창때 그쪽 방면 기술자로 명성을 떨쳤던 둘째형이 늘 건들거리던 춤이었다. 실력은 둘째형보다 한참 어설펐지만 위력은 태풍

카트리나 이상이었다. 무용가인 아내와 근엄한 내빈들이 뒷목을 잡고 추풍낙엽같이 쓰러졌다. 그는 쟁쟁한 처가식구들 사이에서 '그냥 의사' 이상의 화려한 무언가가 되는 것에 성공했다. 그의 딸이 고등학교 진학을 앞두게 된 지금까지도 장인과 장모는 가족 행사에 갈 때마다 '의사 선생님'은 잘 있냐는 인사를 들었다.

개업하자마자 심하게 번창 일로로 들어선 그의 병원 때문에 그가 아빠 혹은 남편으로서 많은 시간을 함께할 수 없었던 것은 사실이었지만, 그 점에서도 그들 부부는 손발이 잘 맞았다. 그의 아내와 장모는 '사회적으로 지나치게 성공해서 가정에 할애할 시간이 피눈물 나게 부족한 아빠 혹은 남편'에 대한 이론과 실제에 모두 능통했다. 그 안타까운 현상에 대한 여성들만의 여러 가지 유쾌한 대처 비법도 집안에 대대로 전수되었다. 그는 자투리 시간이라도 금같이 쪼개서 가족들과 값있는 시간을 보내는 것으로 양적인 부족함을 벌충할 수 있다 믿었고 그렇게 노력했다. 그의 아내는 아무런 불만도 없어 보였다. 모든 것은 믿을 수 없이 순조롭게 흘러갔다. 천성적으로 조심스러운 그가 한평생 내려놓지 못했던 불운에 대한 경계심조차 무디게 할 정도로 모든 것이 완벽했던 나날이었다.

그러므로 어느 날 그의 아내가 아이들을 데리고 캐나다로 떠나겠다고 말했을 때, 정욱연은 진료용 스커트 안에서 남성의 상징을 발견했던 날 만큼이나 놀랐다. 그는 그것이 아내의 농담 혹은 일시적인 생각이거나, 아니면 며칠간의 진솔한 대화와 그의 개선으로 풀 수 있는 심각한 오해일 것이라고 생각했다. 그러나 그 어느 것도 사실이 아니었다. 그의 아내는 그에게 화가 난 것도, 한번 그래보는 것도 아니었다. 오히려 그 반대였다. 그가 그렇게 믿어왔듯이 그의 아내 역시 그들의 결혼생활이 순조롭고 완벽하다는 데에 동의했다. 그의 아내에게, 그렇게 완벽하게 흘러가는 결혼생활 교과서의 다음 챕터가 '아이들의 유학'이었을 뿐이었다.

머리가 워낙 좋아서 모든 것을 한 번만 보면 알 수 있다고 믿어왔던 정욱연의 자부심은 그때 여지없이 박살났다. 십 년이나 그 안에 속해 있었음에도 불구하고 상류층의 가정생활에 대한 그의 지식과 이해는 풍선껌같이 얄팍한 것에 불과했던 것으로 드러났다. 그가 어떤 말로 설득하고 반대해도 그의 아내는 이렇게만 대답했다.

"당신은 정말 모른다니까요."

가족들의 캐나다행이 피할 수 없는 현실로 다가오면서, 그는 오랫동안 기억 속에 처박아넣고 떠올리지 않았던 그의 아버지와 형들을 다시 떠올렸다. 그의 아버지와 세 형들 중 한둘은 늘 다쳤거나 앓았다. 버림받지 않았을 때는 늘 시중을 들며 그들의 불평과 짜증을 견뎌야 했다. 그가 중학생 때부터 동네 초등학생들을 가르치면서 쥐꼬리만한 돈벌이를 시작한 뒤로는 앞다투어 돈을 뜯어갔다. 청소년기의 그가 그렇게 미친 듯이 공부를 해댄 이유는 단 하나였다. 공부를 멈추는 순간 '왜?'라는 질문이 해일처럼 밀어닥쳤기 때문이었다. 그는 그 질문이 파괴적이라는 사실을 알았다. 그것과 싸워서는 이길 방법이 없었다. 두뇌회로에서 '왜?'라고 묻는 기능을 아예 삭제해버려야 했다.

그는 비인간적인 공부로 그 질문을 짓눌러버리고, 최대한 정교한 계산만으로 그의 아버지와 형제들을 대하는 방법을 익혔다. 너무

적게 주면 불유쾌한 실랑이가 벌어졌고 너무 많이 주면 생활에 타격을 입었다. 평화를 유지할 수 있는 최소한의 비용을 계산해내는 것이 무엇보다 중요했다. 조금만 계산이 어긋나도 그의 삶 전체가 벼랑 끝에 놓였다. 그는 그의 가족들이 왜 저렇게 행동하는지, 왜 자신에게는 이런 일들만 닥쳐오는지 생각하지 않고 오로지 상황이 그가 견딜 수 있는 한계 바깥으로 나가지 않도록 적절하게 관리하는 일에만 신경을 썼다.

그는 그 기술을 아내와 아이들에게도 적용했다. 그는 더이상 그들이 왜 떠나는지 생각하지 않았다. 그들의 떠남이 그의 생존을 위협하는 한계선 바깥으로 나가도록 내버려두지도 않았다. 그들이 캐나다에서 생활하는 데 필요한 적절한 비용을 계산하고 묵묵히 지불했다. 그는 언제든지, 얼마든지 캐나다에 갈 수 있는 독수리 아빠였다. 하지만 그러지 않았다. 연말을 제외하고는 그들을 떠올리지도 않았다. 여름방학 때 아내와 아이들이 귀국해도 휴가를 내지 않았다. 그들의 사진을 보아도, 그들의 전화를 받아도 감정이 생기지 않는 경지에 이르기까지 그리 긴 시간이 걸리지 않았다. 그의 아내는 몰랐겠지만 그는 그 방면으로도 전설의 고수였다. 못하는 게 없는 남자였다. 그를 추종하는 청담동 며느리 팬클럽이 있었음에도 단 한 번의 스캔들도 없었던 것은 당연한 일이었다. 그는 아름답거나 부유한 여인들에게 직업적인 필요 이상 아무런 관심이 없었다.

화목하던 부부 사이에 갑작스럽게 등장한 캐나다라는 단어가 심상찮은 파괴력을 더해가면서, 그는 어느 국가대표급 임신부도 겪지 않았던 지옥 같은 입덧을 앓기 시작했다. 이전까지 아무 불만 없이 먹었던 계란말이에, 김치에, 멸치에, 장조림에, 생채에, 국에, 나물에, 쌈채소에, 된장찌개에 그는 참을 수 없는 분노를 느꼈다. 경제적으로 안정되니까 아무리 식사조절을 해도 야금야금 사이즈가 늘어난다고 걱정했던 것은 옛일이 되었다. 그 지겨웠던 헤어짐의 기간 동안 그는 체중이 칠 킬로그램 줄어서 총각 시절 몸매로 돌아갔고 다시는 회복되지 않았다.

그가 생각하기에 그의 지랄맞았던 밥투정은 그 우스꽝스러웠던 캐나다 대투쟁에서 유일하게 말이 되는 부분이었다.

"최소한 그 정도 이유는 있어야 헤어지는 거 아니야?"

그는 내게 물었다. 그런 질문을 예상하지 못했던 나는 엉겁결에 생각하고 있던 것을 그대로 말해버렸다.

"성민이는 아무 이유도 없이, 밥투정도 못 해보고 갔거든요."

그래서 나는 정욱연의 화난 얼굴을 처음으로 보게 되었다.

"이 바보야, 이유가 없긴. 나 때문이지."

그는 정말 화난 것처럼 나를 거세게 끌어안았다. 두번째 밤에는, 나는 응급분만에 대해서 까맣게 잊었다.

　혹한은 여전한데 어떤 나무에는 벌써 잎눈이 돋은 그런 계절이었
다. 후임자는 쉽게 구해졌고, 나는 보육실을 그만두었다. 나의 첫 직
장, 평생 잊지 못할 내 사랑의 유적지였다. 처음 취직하고 너무 흥분
해서 북, 장구, 레고, 볼링놀이 세트 등을 내 돈으로 마구 사버렸다.
하나하나 최고급이라서 비싼 가격표를 붙이고 있었던 그 물건들을
고스란히 놔두고 가게 되었다. 나는 앞으로 공적 자금과 사적 자금
의 구별을 분명히 하는 사람이 되겠다고 결심했다. 사십대를 눈앞에
둔 지금까지도, 나는 여전히 조금씩 자라고 있는 중이었다.

　육 개월간 낯을 익힌 병원 사람들에게 작별인사를 했다. 그들은
아쉽다고 말했고, 새 직장은 구했느냐고 물었다. 그만그만한 소시민
인 그들에게 내가 힘들이지 않고 얻은 거창한 직함을 솔직하게 말
하기 부끄러워서, 나는 직장에 다니는 작은올케가 둘째아이를 낳았
는데, 그 집 아이들을 돌봐주기로 했다고 해버렸다. 똑같이 아이를

보는 일이라면 사대보험이 되는 이 직장에 붙어 있는 게 낫다고 사람들이 너도나도 조언을 해서, 나는 그 집 아이를 봐주지 않을 수 없는 여러 가지 이유들을 덧붙여야 했다. 작은오빠는 계단에서 굴러떨어져서 뇌수술을 했고 친정엄마는 충격으로 쓰러졌는데 다행히 깨어났지만 치매의 조짐을 보이는 등등등.

사람들에게 인사하는 내내 사무장이 따라다니는 게 계속 불길하더니, 아니나 다를까 그 눈치 없는 작자는 원장실까지 쫄쫄 따라 들어왔다. 원장실에서 흰 가운을 입은 정욱연과 키스를 나눌 수 있었던 마지막 기회는 그렇게 무산되고 말았다. 책상에 앉아 있던 정욱연은 나란히 들어서는 우리를 보았다.

"원장님, 보육실의 김혜나씨입니다. 이번에 개인적인 사정으로 그만두게 되었습니다. 직장에 다니시는 작은올케가 둘째아이를 낳아서 그 집 아이들을 돌봐주기로 했다고 합니다. 웬만하면 붙잡고 싶은데 작은오빠는 계단에서 떨어져서 뇌수술을 했고, 친정어머니는 그 충격으로 글쎄 치매까지……"

정욱연은 자리에서 일어서서 우리에게 다가왔다.

"수고 많았어요, 혜나씨. 그동안 잘해줘서 고마워요. 보육실을 처음 만들었는데 혜나씨 덕분에 반응이 좋았어요. 계속 같이 일하면 좋을 텐데."

그는 나에게 손을 내밀었다. 그런 괴력을 흉내조차 낼 수 없는 나는 그 손을 잡으면서 결국 큭큭 웃음을 터뜨리고 말았다. 그걸 갑작스러운 눈물로 위장하느라 죽도록 고생을 했다. 정욱연 원장 앞에선 워낙 다양한 반응을 보이는 여자들에게 하도 익숙해진 터라서,

사무장은 나의 서툰 연기를 손톱만큼도 의심하지 않았다. 정욱연과 나는 돌아오는 금요일 밤을 함께 보내기로 벌써 약속이 되어 있었다.

작은올케가 아이를 낳은 것은 사실이었다. 또 사내아이였다. 나는 애벌레처럼 돌돌 싸인 아기를 안고 하염없이 눈물을 흘리는 작은올케를 위로하면서 창밖을 내다보았다. 창밖의 가지에도 애벌레 같은 잎눈이 다닥다닥 돋아 있었다. 세상에 이렇게 많은 애벌레가 다시 태어난다는 것에 나는 새삼 놀랐다. 정욱연의 신생아실에도, 작은올케의 바구니에도, 창밖의 나뭇가지에도 무수히 많은 애벌레들이 새로 태어나고 있었다.

저마다의 한살이를 힘차게 시작해보려는 그들의 투지에 나는 콧등이 시렸다. 어쩌니, 너희들. 나는 창밖의 잎눈들과 내 품 안의 작은 애벌레에게 말을 건넸다. 아직 추운데. 우리 피부에는 초록색 엽록체를 심지 못했는데. 우리는 부끄럽게도 너희에게 엽록체보다 더 시퍼런 욕망을 심어줄 텐데. 그래서 너희 살기 몹시 피곤할 텐데. 어쩌니, 너희들. 이렇게 예쁜 애벌레로 이 세상에 태어나서 어쩌니.

우리 미치광이 식구들은 누구나 미치도록 아기를 좋아했다. 심지어 큰오빠도 그랬다. 새로 태어난 아기의 사진을 보고 김학원은 울었다.

"우리 집안엔 딸이 필요한데. 자꾸 아들만 나오고. 흑흑흑."

김학원이 울면서 말했다.

"네가 딸을 낳으면 난 미쳐버릴 텐데. 흑흑, 생각만 해도."

내가 딸을 낳으면 김학원이 즉시 미칠 거라는 데에는 우리 집안 그 누구도 이의가 없었다. 김학원은 새로 태어난 여자 조카를 껴안고 지구의 끝으로 도망가버릴 것이다. 자식이야 물론 말할 수 없이 신비롭고 소중하겠지만, 세상에서 가장 감미로운 것은 조카였다. 나는 그렇게 굳게 믿었다. 조카는 양육이라는 중압감 없이 오로지 혈육의 신비함만을 음미할 수 있는 오묘한 존재였다.

어떤 사람들은 내가 아이를 낳지 않는 것이 사회적 책무를 망각한 행동이라고 책망하기도 하고, 세상에 태어날 권리가 있는 아이의 기회를 내 맘대로 박탈하는 비정한 행동이라고 비난하기도 했다. 나는 이 세상이 그리 멋진 곳이라고 생각하지 않기 때문에 내가 박탈한 내 자식의 기회에 대해서는 별로 죄책감을 느끼지 않았다. 하지만 딱 하나 내 아이에게 미안함을 느낀다면, 그것은 그 아이에게 김학원이 가장 사랑하는 조카가 되는 기회를 박탈한 것이었다. 김학원의 조카가 된다는 것은 하나의 왕국을 거느리는 것과 비슷하다고 보면 된다. 그 아이는 생일선물로 반달곰이나 별똥별을 받을 것이다.

"엠병, 또 머이매야. 우리 집안은 딸이 나은데."

아빠도 그렇게 말했다. 그러고 보니 나의 딸은 박탈당한 권리가 꽤 많았다. 조카딸을 안고 달아나는 김학원을 지구 끝까지 따라갈 김덕만 사장도 있기 때문이다. 아빠는 내 휴대폰에 저장된 아기의 사진을 한번 흘끗 보고는 내 쪽으로 금세 밀어버렸다.

"노산이라고 벌써 양수 검사를 했다는데, 이것도 머이매래, 엠병."

나는 표정에 변화가 생기지 않도록 조심했다.

"이 나이에 아이를 낳다니 그것도 개코 같은 일이지만, 게다가 머이매라니 벌써 틀려부렀어. 나는 아들을 낳는 데는 소질이 없어. 다 없으니만도 못한 놈들이야. 새로 생기는 놈이라고 별수 있나? 보지 않아도 뻔해. 지 애비를 껍닥까지 벗기겠다고 설쳐대겠지. 철원이나 학원이나 도긴 개긴이야. 이 꼴 저 꼴 안 보려면 차라리 일찍 숟가락 놔버리는 게 나은데."

아빠의 아들들에 대한 절망적인 인식에 대해서는 나도 내심 동의하는 바였기 때문에 무어라고 위로할 말을 찾기가 힘들었다.

"그러고 보니까 작은오빠 감옥에 갔네."

나는 작은 목소리로 중얼거렸다. 아빠는 언성을 높였다.

"진즉에 갔어야 옳지! 그놈은 쓰레기야. 감옥에서 별짓을 다 해도 그놈을 사람으로 만들 수는 없을 거이다. 전기구이를 하든지 개미굴에 처넣든지 해야…… 몇 년이나 받았나?"

"삼 년."

아빠는 그제야 깜짝 놀랐다.

"어이쿠, 많이도 받았네. 무슨 짓을 했길래. 사기 쳐서 삼 년 가기는 쉽지도 않은데."

"그동안 김학원이 차 샀던 돈이 다 회사 돈이었대. 어쩐지 차를 자주 바꾸더라니. 회사 돈을 많이 빼돌렸더라고. 이거저거 다 합하면 이십일억원쯤 되나봐."

빼돌린 돈으로 김학원이 구입한 물건들의 긴긴 목록 중에서 난데없는 태양광 발전 요트 한 척을 발견하고 나는 실소하지 않을 수 없었다. 그는 기술 투자 명목으로 그 요트를 구입했다가 나중에 슬그머니 개인 용도로 바꾸었다. 다행히 그 부분은 횡령으로 인정되지 않았다. 그것까지 인정되었으면 둘째가 초등학교에 갈 때까지 못 나왔을 것이다.

"1심인데 벌써 들어갔다고?"

"죄질이 불량하고 법정 출석도 자꾸 빼먹고 도주의 우려가 있다고 법정구속됐어."

"판사가 누군지 똑똑하네. 잘했다."

"항소 안 했어."

"돈 아깝게 왜 하냐."

아빠는 작은오빠에 대해서는 유난히 인정이 없었다.

"콩밥을 먹어도 정신을 차릴까 말까 한 놈들이야. 철원이 그놈도 똑같아. 속이 시커메서. 애비 엎치면 주머니 뒤질 놈덜. 그 저축은행 부장이라는 놈이 한패거리더구만. 내가 그 속셈 모를 줄 알아? 그놈들이 작당을 해서 내 땅에다 담보 설정을 해놨던데, 내 그놈들한테 본때를 보여줄라고. 아주 식겁하게 혼을 내놔야지. 학원이 옆방에 처넣어버릴 테다."

큰오빠는 내 소관이 아니었다. 큰오빠가 선고일에 나타나지 않아서 총살된다고 해도 난 모른다. 박회장은 적당한 때 작은오빠를 꺼내줄 요량이라도 있다지만, 김덕만 사장에게 잘못 보인 큰오빠에게는 그만한 온정조차 베풀어지지 않을 것 같았다.

"자식이 아니라 원수여. 너는 아니지만. 너는 내가 제대로 낳았지. 하지만 사내놈들은 다 틀렸어. 모질이 겉은 놈들. 능력도 없는 주제에 욕심만 많아서. 그놈들이 제 힘으로 한 게 뭐이가 있다냐? 그저 애비 돈을 훔치는 것밖에 모르는 놈들이야. 그런 주제에, 뭐?

아파트를 분양해? 육시발기를 낼 놈들. 인생이 이렇게 허망할 수가 있나. 그놈들 때문에 남은 것이 없어, 재산도 가정도. 내가 그놈들을 안 낳았더라면 만 가지로 노후가 편안했을 거인데."

아빠는 은근히, 조강지처와 사십칠 년간 꾸려온 가정을 풍비박산 낸 책임을 오빠들에게 얹으려는 눈치였다. 내 반응이 신통치 않자 곧 말머리를 돌렸다.

"그동안 힘든 일은 없었고? 지내기는 괜찮았어? 왜 연락 한 번 안 했어? 고집하고는."

"괜찮았어. 잘 지냈어. 정말로."

아빠는 품 안에서 지갑을 꺼내더니 신용카드를 한 장 내밀었다.

"담번에 네 이름으로 하나 새로 만들어줄게. 일단 이거 써라."

아빠의 목에도 그 신용카드가 콱 걸려 있었던 모양이었다. 예고 없이 내 앞에 놓인 아빠의 신용카드를 보고 나는 맥없이 울컥 눈물이 솟아버렸다. 날마다 우편함을 뒤지고 신경질을 부리고 밤마다 소주를 들이붓던 작년의 나를 눈물 없이 다시 떠올리기는 힘들었다. 나는 얼른 눈물을 닦으며 카드를 아빠에게 다시 밀었다.

"아빠, 고마워. 카드를 줘서 고마워. 근데 나 이제 카드 필요 없어. 정말이야. 아빠 카드 없어도 잘 지낼 수 있어. 커피 끊으니까 돈 안 모자라고 밤에 잠도 잘 오더라."

"어허, 넣어두라니까."

"안 쓴다니까. 돈 안 모자란다니까."

우리는 카드를 서로 밀면서 옥신각신했다. 아빠는 고집불통이었다. 나는 아빠를 이길 수 없다는 걸 알았다.

338

"그럼 이거 말고 딴 걸 줘."

아빠는 득의만만하게 지갑을 통째 내밀었다. 나는 여러 장의 카드를 뒤져서 아빠의 사진이 들어 있는 플래티넘카드 하나를 골랐다. 우리가 아무리 닮았다고 해도, 아빠의 사진이 들어 있는 카드를 내가 쓰도록 내버려두는 눈먼 가맹점은 세상에 없었다. 박회장의 재단에서 받은 황금빛 법인카드 옆에, 김덕만 사장의 플래티넘카드가 나란히 꽂혔다.

나는 창밖을 내다보았다. 거기도 잎눈이 다닥다닥 매달린 나무가 있었다. 키가 작은데 눈은 많기도 했다. 아빠의 휴대폰이 울렸다. 아빠가 어두운 얼굴로 전화를 받았다. 아빠는 거기 어디냐는 질문에는 "요 앞에 카페"라고 정직하게 말했고 누구와 함께 있느냐는 질문에는 "혜나"라고 짧게 답했다. 혜나라는 이름이 그녀에게 낯설었는지 "막내딸이잖아"라는 부연설명이 뒤를 이었다. 나의 정체를 알아낸 그녀는 갑자기 나를 바꾸어달라고 하는 모양이었다.

"아, 얘를 뭐더러 바꿔."

아빠는 미심쩍게 말했지만 결국 나에게 휴대폰을 건네주었다. 나는 전화기를 받아들었다.

"여기까지 왔으면 집으로 오지, 왜 거기 있어. 날도 추운데 집으로 오지. 여기까지 왔는데, 아빠랑 집에 와서 저녁 들고 가요, 응?"

존댓말과 반말이 어색하게 뒤섞인 첫인사였다. 그동안 여러 가지 경로를 통해 듣고 상상했던 인상과는 달리 신경질적이지 않은 목소리였다. 두 살이나 많은 큰오빠가 굴욕감을 무릅쓰고 어머니라고 깍듯이 예우해도 차갑기만 하더라는 여자의 목소리치고는 무척 부드러웠다. 내 아빠를 배우자로 선택해서 나와 서른아홉 살 차이나는 남동생을 임신한 여자의 초대를 나는 정중하게 거절했다.

"다음에 인사드릴게요. 죄송해요. 오늘은 제가 이 근처에 볼일이 있어서 우연히 아빠한테 전화한 거예요. 오늘은 일찍 가봐야 해요. 저녁 약속이 있거든요."

"여기까지 왔다가 그냥 가면 어떡해. 왔다가 가야 내 마음이 편하지. 아빠가…… 아빠가 뭐라고 그러셔? 아빠가…… 아빠가 요즘 예민하셔서…… 혜나씨도 다 큰 사람이니까 이해하지? 나 그렇게 나쁜 사람 아니야. 집으로 와요, 응?"

그녀의 목소리는 다소간 피로감이 섞여 있었지만 진솔하게 들렸다. 적어도 전화기로 들리는 목소리만으로는, 그녀는 좋은 사람인 것 같았다. 그녀 쪽에서는 나를 어떻게 생각하고 있을까? 재산을 나눌 수는 없지만 한 끼 저녁식사쯤은 괜찮은 사이? 한 가닥 전깃줄도 없이 무선으로 목소리를 나눈 우리의 첫인사 사이에는 김덕만이라는 한 노인과 그의 재산, 그리고 그에게 전적으로 의존했던 무능한 일가족의 숨 가쁜 몰락이 오백 톤 향유고래처럼 버티고 있었다. 그 무게에 숨도 쉬지 못할 만큼 짓눌려, 우리는 긴 통화를 하기 힘들었다.

"고맙습니다. 건강하시죠? 좋은 소식 있다고 아빠한테 들었어요. 축하드려요. 집으로 불러주셔서 고마워요. 다음에 갈게요. 건강하세요. 다음에 뵐게요."

우리는 서로 기분 나쁘지 않게 전화를 끊었다. 아빠는 안도한 얼굴이었다. 그녀의 저녁 초대를 굳이 거절한 처지에 별다르게 더 시간을 끌 수도 없어서 우리는 그만 헤어지기로 했다. 겉옷과 휴대폰을 챙기느라 약간 부산을 떨면서, 아빠가 말했다.

"너 그렇게 마르니까 꼭 네 엄마 같다."

나는 엄마의 잘나가는 근황에 대해서 설명하지 않기로 했다. 아름다운 임현명 아가씨가 섹시한 연인과 로맨스를 나누고 있다는 이야기를 들으면 아빠는 미친놈처럼 날뛸 것이다. 본인은 재혼해서 아이까지 새로 만들었지만 임현명 아가씨는 늘 혼자 지낼 거라고 믿었을 것이다. 아빠는 그런 사람이었다.

"아빠는 엄마 같은 마누라를 다시는 얻지 못할 거야. 다.시.는."

"흥, 누가 그립다고 그러든?"

그러나 풀이 죽은 목소리였다.

"아빠가 팔십까지 살아도 걔는 겨우 여덟 살이야. 딴생각하지 말고 애아범 노릇이나 열심히 해. 양심이 있어야지."

그렇게 말해놓고, 나는 결국 울컥 목이 메고 말았다. 아빠의 재산이 오빠들에게 흘러가는 걸 막기 위한 용도로 태어나는 또하나의 작은 애벌레. 어쩌면 하나같이 기구한 팔자들을 타고난단 말이냐. 우리는 카페를 나서서 흐린 하늘을 올려다보았다.

"내가 너 같은 자식을 낳았다니 신기한 일이지. 너는 뭐든지 한 번만 척 보면 탁 안단 말이다. 어릴 적부터 그랬거든."

아빠가 중얼거렸다. 아빠의 착각이었다. 아무리 봐도 모르겠는 일들이 나에게는 너무너무 많았다. 뭐든지 한 번만 보면 안다고 세상을 향해 까불어봤던 정욱연도 세상은 그런 것이 아니더라고 두 손을 들었다. 그래도 혹시나 해서 한번 물어보았다.

"정말 그래? 나는 어릴 때부터 뭐든지 한 번 보면 알았어?"

"잉, 아조 귀신같이 알았다니까. 나를 닮아서 공부는 좀 아니었지만. 다른 건 다 틀림없었지."

나를 이 지경으로 버려놓은 아빠가 자신만만하게 보증했다. 나는 오랜만에 포근한 안정감을 느꼈다. 김덕만 사장은 그런 사람이었다. 무식한데다 반쯤 미쳤고, 돈을 버는 덴 귀신이었고, 지독한 이기주의자였고, 머릿속에는 황금으로 만든 김혜나의 동상이 들어 있었다. 삼십구 년 만에 처음으로, 나는 내가 느끼는 이 포근한 안정감이 내 지갑에 들어온 플래티넘카드 때문이 아니라는 걸 확실히 느꼈다. 아빠가 바람나서 다른 살림을 차린 것은 유감이지만, 이제 나도 아빠를 나무랄 처지가 아니었다. 그 덕분에 나는 돈과 분리된 아빠의 존재를 처음으로 느낄 수 있게 되었다.

"이제 자주 와라."

"직장에 다니니까 자주 오긴 어렵지만, 가끔은 올게."

눈발이 흩날리기 시작해서 각자 우산을 펼쳐 들고 우리는 서로 반대 방향을 향해 걸었다.

세번째 데이트를 앞두고 정욱연은 그의 아파트 비밀번호를 나에게 가르쳐주었다. 나는 그가 퇴근하기 전에 그의 집으로 일찌감치 스며들었다. 그의 집은 언제나 정갈했다. 나는 그 집이 정욱연에 대한 이야기를 나눌 수 있는 또다른 친구처럼 느껴졌다.

언제라도 그의 가족들이 일상으로 돌아올 것처럼, 그의 아파트에는 아이들의 방과 가구 들이 그대로 남아 있었다. 사람이 드나들지 않아 쓸쓸한 방들이었다. 그의 아내의 물건들도 남아 있었다. 내 다리통 한 짝도 들어가지 못할 손수건만한 스커트에 나는 경외심을 느꼈다. 혼자 살기엔 지나치게 넓으면서도 그의 향기가 곳곳에 배어 결코 썰렁하지 않은 그 집에서, 나는 이 방 저 방 돌아다니고 여기저기 냄새를 맡고 아무 때나 내키는 대로 엉엉 울면서 행복한 시간을 보냈다.

정욱연은 사흘 연속 야간분만을 해치운 사람이라고는 믿을 수 없을 만큼 활기찬 모습으로 집에 들어섰다. 현관에 들어서면서 싱긋 웃는 그의 모습을 본 여자는 아직까지 지구상에 두 명밖에 없었다. 내가 바로 그 두번째 행운아였다. 가슴이 벅차서 아무 말도 나오지 않았다.

우리는 아주 뜨거운 계란말이를 만들어서 밥을 먹었다. 정욱연은 기름이 지글지글 끓는 프라이팬에서 황금빛으로 익어가는 계란을 둘둘 말 줄 아는 남자였다. 계란말이를 도마로 옮기고 재빨리 썰어서 다시 긴 접시로 옮기는 일까지 솜씨 있게 해치우는 그를 보면서, 계란 프라이도 못 뒤집는 나는 괜히 기분이 나빠졌다. 정욱연은 말없이 밥만 우걱우걱 먹는 내 눈치를 보다가 조심스럽게 말을 걸었다.

"아참, 작은오빠는 좀 어때? 뇌수술 했다면서."

아무 준비가 없었던 나는 그만 콧구멍으로 계란이 나오고 말았다. 그의 머리칼에 붙은 너덜너덜한 계란말이를 떼어주다가, 나는 꿈에서라도 꼭 해보고 싶었던 일 하나가 생각났다.

"작은오빠는 뇌가 있으나 없으나 똑같더라고요."

나는 그의 관자놀이에 키스했다.

소파에 나란히 앉아 스툴에 발을 올리고, 우리는 며칠 새 쌓인 서로의 근황을 교환했다. 그는 일 년 전 그의 도움으로 불임을 극복했던 유명 PD가 정욱연의 일상과 자선사업을 묶어 삼부작 미니 휴먼 다큐멘터리를 만들기로 했다는 수줍은 소식을 전했다. 시간을 분단위로 잘라서 쓰는 그의 일상이 괜찮은 볼거리가 되긴 하겠지만, 지금도 밥 먹듯이 코피를 흘리면서 겨우 목숨만 부지하는 주제에 미니 다큐멘터리라니, 그 마지막 장면은 영결식이 분명했다. 도무지 대책이 없는 남자였다. 나는 그에게 항의하려고 했지만, 그의 얼굴에 부드럽게 일렁이는 행복감을 보고서 그만 입을 다물고 말았다.

나는 그에게 처음으로 갖게 된 명함과 황금빛 법인카드를 보여주었다. '재단법인 황해, 이사 김혜나'가 나의 공식 직함이었다. 급여는 월 오백만원이 넘었다. 하지만 생각처럼 거저먹는 일은 아니었다. 박회장은 나에게 정욱연만큼이나 바쁘게 살아야 한다는 취지의 산더미 같은 업무를 떠안겼다. 아직 설립단계라서 관공서를 드나드는 게 주업무였지만 이제 곧 하나원, 새터민 단체, 언론사 등등과 하나하나 관계를 맺어가야 했다. 박회장은 중국의 탈북 루트를 지원하고 활성화하고 싶어했다. 그러려면 김이사는 중국 출장도 밥 먹듯이 가야 할 것이라고 했다. 그러더니 앞으로 확장해나갈 장학사업과 문화사업에 대해서는 어떤 비전을 가졌냐고 갑자기 질문을 던졌다. 재단의 비전 따위 생각해본 적도 없었던 김혜나 이사는 명청하게 입만 벌리고 있었다. 박회장은 언제부터인가 김이사에게 버럭버럭 성질도 잘 부렸다.

"파워포인트도 몰라? 김이사 이거 변변치 않구나!"

내가 재단법인 황해에 다니기로 결심한 이유는 단 하나, 정욱연 때문이었다. 가정이 있는 남자의 연인 노릇을 하려면 직장이라도 번듯해야 덜 꼴사납다는 서글픈 자존의 노력이 섞여 있었다. 앞으로 내가 해내야 할 수많은 중요한 투쟁에서 승률을 높이려면 보육실 김혜나보다는 이사 김혜나가 훨씬 유리했다.

참 이상하게도, 나 김혜나는 한 사람인데 내가 어떤 직함을 가지고 있느냐에 따라서 내 의견의 무게가 천지 차이로 달라졌다. 당장 큰오빠 부부를 보면 알 수 있었다. 똑같이 "오늘 짜장면 먹자"라고 말해도, 내가 보육실 직원일 때는 "짜장면 집어치워라. 너는 어떻게 먹는 생각밖에는 없니"라는 대답이 돌아오고 내가 이사일 때는 "혜나가 짜장면을 먹자고 하네요. 정말 좋은 생각입니다, 어머니"라는 대답이 돌아왔다. 한낱 짜장면에도 이럴진대 다른 일들은 말할 필요도 없었다. 인생이 걸린 대 투쟁을 앞둔 나에게는 천지신명의 모든 조력이 절실했다. 부적이라도 사다 붙여야 할 형편이었다. 이 중차대한 시기에 공짜로 굴러들어온 이사 직함을 걷어찰 만큼 한가한 처지가 아니라는 정도의 자각쯤은 나에게도 있었다.

정욱연은 내 지갑에서 법인카드 뒤편에 숨어 있던 아빠의 신용카드를 찾아냈다. 그는 손톱만한 아빠의 사진을 보면서 즐거워했다. 아빠와 나는 남들에게 즐거움을 주는 얼굴이었다. 나란히 놓고 보면 즐거움이 두 배가 되었다. 나는 그의 지갑을 뒤져서 사진이 박힌 신용카드를 꺼냈다. 그는 즉석사진의 저주조차 무사히 피해간 말끔한 얼굴로 신용카드 안에서 미소짓고 있었다. 나는 법인카드와 아빠의 카드, 그리고 정욱연의 신용카드를 나란히 손에 쥐고 찬찬히 들여다보았다.

"삼 년 전까지, 나는 어린아이처럼 살았어요. 나는 공부할 필요
도, 일할 필요도 없었어요. 나는 아빠 딸이었으니까요. 돈은 얼마든
지 있었어요. 사랑도 지천이었어요. 아빠 딸이기만 하면 다 되었어
요. 아무 노력도 할 필요가 없었어요. 그래서 난 참 좋았어요. 아무
것도 생각할 필요가 없었으니까요. 아빠가 도망가지 않았으면, 끝까
지 그렇게 살았을 거예요."

지난여름, 나는 작은오빠의 빨간 스포츠카를 타고 밤길을 달렸
다. 폭우와 번개 속에서, 나는 그대로 생이 끝나기를 간절하게 소망
했다. 지금 내 손에 쥐여진 석 장의 신용카드 중 단 하나라도 얻기
위해서라면, 그때 나는 악마에게 영혼을 파는 일이라 해도 못할 것
이 없었을 것이다. 그때의 내 모습을 눈물 없이 회상하기란 쉬운 일
이 아니었다. 그리 먼 과거의 일이 아닌 것이다.

"나는 아빠 때문에 내가 불행해졌다고 생각했어요. 그래서 아빠
를 미워했어요. 그런데 내가 틀렸다는 걸 알게 되었어요. 아빠가 떠
나서 불행한 게 아니라 내가 무능해서 불행했다는 걸, 나는 보육실
에서 일하면서 깨달았어요. 모두 당신 덕분이었어요. 당신이 아니었
으면, 난 또 아무것도 배우지 못했을 거예요."

정욱연이 아니었다면 나는 지하 일층 보육실에서 굴욕의 자의식
에 매몰된 시신으로 발견되었을 것이다. 그 투명한 수치의 전당에
서 죽어가던 나에게, 언제나 달리다시피 빠르게 보육실을 스쳐가는
정욱연의 옆모습은 오백 볼트 전기가 흐르는 심폐소생기나 다름없
었다. 그의 싱그러운 웃음에, 그의 따뜻한 위로에 내 심장이 퍼덕퍼

덕 깨어났다. 그를 향한 나의 혈중애정농도는 언제나 면허취소 수준이었다. 나는 도취되고 눈멀어서 힘든 줄도 모르고 보육실을 휘저었다.

"나는 당신 보는 재미에 보육실에 다녔어요. 당신한테 잘 보이고 싶어서 열심히 일했어요. 그런데 열심히 일하다보니까 어느새 내가 조금 나은 인간이 되었더라고요. 사람이 일을 하면 강해진다는 걸 처음으로 깨달았어요. 그리고 그렇게 조금씩 강해지는 느낌이 정말로 좋았어요. 당신처럼, 당신처럼 되고 싶었어요. 당신은 미치도록 멋있었어요. 그렇게 많은 일들을 해내고 아무리 큰 어려움도 이겨내는 모습이요. 나 말고 다른 사람들도 모두 그랬을 거예요. 난 정말 당신이 부러웠어요."

정욱연을 처음 알게 된 때부터 지금 이 순간까지, 나는 어떻게 하면 이 순간을 피할 수 있을지 골똘히 생각해왔다. 피할 수 없다면 어떻게 미화할 수 있는 방법이라도. 그러나 내 사랑은 일직선으로 내달렸다. 바위가 너무 커서, 무엇에 부딪쳐도 그대로 깔아뭉갰다. 옆으로 피하지도, 방향을 바꾸지도 않았다.

"당신이 왜 그렇게 미친 듯이 일만 하면서 살았는지, 이젠 알아요. 당신의 아버지나 형들, 아내와 아이들을 당신 뜻대로 바꿀 수는 없었으니까 그런 거죠. 일하면 강해지니까, 일하면 잊어지니까 그런 거죠. 당신은 정말 훌륭해요. 누구라도 당신처럼 잘할 수는 없었을 거예요. 하지만 더이상은 아니에요. 당신은 바보예요. 사람이 무한대로 일할 수는 없어요. 당신 가족들도 바보예요. 당신이 무한대로 견뎌낼 수는 없어요. 당신이 그렇게 미친 듯이 일하면서 견디는 동안, 가족들이 당신 곁으로 돌아왔으면 얼마나 좋았겠어요?"

내 안에 있던 뼈도 심장도 모두 으스러졌다. 그의 것들도 무엇 하나 성치 못했을 것이다. 하지만 그걸로도 끝이 아니었다. 눈앞에 보이는 까마득한 절벽으로, 바위는 거침없이 내달렸다. 나는 아랫배에 힘을 주고 숨을 들이마셨다.

"난 바보가 아니에요. 난 당신 사랑해요. 당신이 일하다가 쓰러지게 내버려둘 수 없어요. 당신 그러다 죽어요. 버팔로도 당신처럼 일하면 죽어요. 약물을 끊고, 당신이 일할 수 있는 만큼만 일해요."

정욱연의 얼굴이 창백했다. 나는 그가 소리를 지르거나 일어서서 나가버릴지도 모른다고 생각했다. 하지만 아무 일도 일어나지 않았다. 작은 움직임도, 작은 소리도 없었다. 이렇게 절대적인 적막을 경험한 적이 있었던가 싶었다.

"내가 모를 줄 알았어요? 당신이 산모들과 환자들을 실망시키지 않기 위해서 어떤 방법을 쥐어짜내는지, 모를 줄 알았어요? 놀지도 않고 쉬지도 않고 화내지도 않고, 항상 웃고 일만 하고 다 견뎌내기 위해서 새벽에 그 은신처에서 당신 혼자 무슨 지랄을 하는지, 내가 모를 줄 알았어요? 알고도 내가 당신을 가만 내버려둘 줄 알았어요?"

나는 세 장의 신용카드를 힘껏 집어던져버리고 그의 무릎에 얼굴을 파묻었다. 차마 그의 얼굴을 볼 수가 없었다.

"어떤 최악의 일도, 막상 닥치면 견딜 만하다고요? 누가 그래요? 어떤 개자식이 그랬냐고요!"

작은올케는 간신히 이혼만은 않기로 결심했지만 태욱이에게 비교육적인 현실을 알려줄 수는 없다는 강경방침을 고수했다. 그녀는 교육상의 이유로, 남편의 수감이라는 치욕스러운 사건을 가족사에서 깨끗이 은폐하기로 마음먹었다. 이혼만 안 해주시면 너무나 감사한 우리 가족들은 그저 분부대로 따를 뿐이었다.

태욱이는 초등학교에 입학할 때까지 아빠가 외국에서 일하고 있다고 믿게 될 예정이었다. 우리는 태욱이의 질문에 대비해서 80년대 중동 건설노동자풍의 풍찬노숙 대하드라마를 준비해놓았다. 모든 세세한 디테일까지 완벽했다. 태욱이의 아빠가 일하는 그 땅은 너무 멀고 척박해서 아무런 교통수단도 없고 전화도 인터넷도 심지어 도로도 없었다. 오로지 우체국 하나 달랑 서 있는 나라였다. 태욱이의 아빠는 삽 한 자루만 들고 사막을 향해 터벅터벅 걸어갔으며, 삼 년 동안 공사를 해서 그 나라 최초의 공항이 만들어지면 공항에 착륙한 첫 비행기를 타고 귀국할 예정이었다.

작은올케를 힘들게 하는 열악한 교육환경은 작은오빠뿐만이 아니었다. 작은올케는 거품내서 씻은 유리 젖병을 나에게 건네주며 열변을 토했다.

"헤어진다니요! 아가씨 쪽에서 노력을 해야죠! 고모부가 무슨 잘못을 했어요? 사람 착하지, 착실하게 직장 다니지, 부모와 가족들에게 잘했지, 도대체 무슨 문제가 있다는 거예요? 솔직히 말해서 김씨들이랑 같이 사는 게 얼마나 힘든 일인지 알아요? 저는 정말 어머님도 이해가 되지 않아요. 만일 아가씨가 내 딸이라면 이렇게 헤어지도록 내버려두지 않을 거예요. 부부가 살다보면 불만이 있을 때도 있고 힘들 때도 있는데, 고모부 지방 발령 받은 지 겨우 육 개월 만에 아예 별거라니요. 아가씨까지 이러면 어떻게 해요? 우리 아이들이 뭘 배우겠어요? 정말 아가씨 이건 너무한 거 아니에요? 아가씨가 그런 사람인 줄 몰랐어요. 나도 사는데, 나도 사는데 말이에요."

작은올케의 말씀이 구구절절 옳아서 나는 아무 말도 하지 못했다. 우리는 요즘 작은올케가 '나도 사는데'만 들먹거리면 꼼짝도 못했다. 아직 정욱연 이야기는 비밀로 했기 때문에 작은올케는 나를 더욱더 이해하지 못했다. 그저 내가 무책임하고 변덕스러워서 그러는 줄 알았다. 나는 그저 풀이 죽어서 젖병만 헹구었다. 한참 열을 올리던 작은올케가 제풀에 한풀 꺾였다.

"어휴, 지금 내가 뭐하는 중인지 몰라. 내 처지에 지금 누구더러 훈계를 하겠어요. 지금 내 코가 석 잔데. 아가씨, 정말로 고모부랑 별거하기로 마음 완전히 정했어요? 확실한 거예요?"

"네."

"아가씨, 그러면 기왕 이렇게 된 거, 우리 합쳐서 사는 건 어떨까요? 어머님께서는 아무래도 박회장님 때문에 우리랑 같이 있는 게 불편하신 것 같아요. 말씀으로는 괜찮다고 하시지만 저도 마음이 편치 않고…… 우리랑 같이 있으면 서로 의지가 되지 않을까요? 아이들 돌보는 건 입주도우미 아주머니를 쓸 테니까 걱정 말아요. 애들 봐달라는 소리가 아니에요. 그냥 같이 있기만 해도 낫잖아요. 아가씨도 혼자서 사는 건 외롭잖아요. 무섭기도 하잖아요. 태욱이도 고모라면 최고로 좋아하는데……"

뜻밖의 제안에 나는 말문이 막혔다. 조카들과 작은올케를 돌보고 싶은 마음이야 굴뚝같았지만 엄마뿐만 아니라 이 몸도 목하 열애중이었다. 꿀먹은 벙어리가 된 나를 보고 작은올케가 험상궂은 표정을 지었다.

"아가씨, 사귀는 사람 있구나, 그치?"

한큐에 들켰다. 나는 어깨를 움츠리고 부부윤리의 탈레반인 작은올케의 입에서 쏟아져나올 '나도 사는데' 쓰나미를 각오했다. 그러나 뜻밖에도 작은올케는 한숨을 폭 내쉬더니 씻어놓은 젖병을 소독기에 차곡차곡 넣기 시작했다.

"그럼 안 되겠구나. 고모부하고도 다시 잘될 가망이 없는 거네? 태욱이 고모부도 참 좋은 사람인데. 누구예요? 하긴, 누군들 무슨 상관이 있어. 아가씨가 좋으니까 그런 결심을 했겠지. 아가씨 대단하다. 난 아가씨가 그런 결단을 내릴 줄 몰랐어요. 정말 대단하다. 난 그런 결단력이 없거든."

그녀의 말에는 별다른 비난이나 가시가 느껴지지 않았다. 탈레반의 뜻하지 않은 관용에 나는 또 한번 어안이 벙벙해졌다. 젖병소독기의 전원을 올리고 재빠르게 원두커피를 내리면서 작은올케가 말을 이었다.

"생각나요? 우리 옛날에, 우리 둘 다 결혼하기 전에, 같이 점 보러 갔던 거? 그때 점쟁이가 나한테, 무지무지 속 썩고 살지만 절대 못 헤어질 거라고 했잖아요? 내 사주에 뭐가 들어 있어서 하늘이 두 쪽 나도 절대로 이혼이란 없다고, 그랬잖아요. 그 말이 맞는 건지, 나는 이러고 계속 살잖아요. 작은오빠랑 이혼해봤자 무슨 뾰족한 수가 있겠어요? 아이들 생각하고 부모님 생각해서 사는 거죠. 근데 아가씨, 생각나요? 그 점쟁이가 아가씨한테 뭐라고 했는지?"

그때 작은올케는 결혼을 앞두고 있었고 나는 성민을 만나기도 전이었다. 우리가 함께 갔던 그 점쟁이의 한옥집이 기억나긴 했지만 내 기억에는 그날 작은올케만 점을 봤던 것으로 기록되어 있었다. 하지만 작은올케의 기억 속에서 나는 분명히 생년월일을 내놓고 점괘를 받았다.

"그때 그 사람이 그랬어요. '어허, 이 아가씨 큰일 날 사람이네. 이 사람은 한번 불이 붙으면 끝이야. 그저 부나방이 모닥불에 뛰어들듯이 끝장을 보아야 직성이 풀리는 사람이야' 그랬잖아요. 하나도 기억 안 나요? 아가씨, 지금 그런 거예요? 앞도 뒤도 안 보고, 부나방처럼 그냥 달려드는 거예요?"

가끔은 점쟁이들도 쓸모 있는 말을 하는 모양이었다. 작은올케가 내미는 커피잔을 받아들면서, 나는 그 부나방의 밤으로 돌아갔다.

그 끔찍한 말을 입에 담은 뒤에도 지구는 조용히 자전했다. 울다가 졸다가 하는 사이 희부연 새벽이 창밖에 내려앉은 뒤로도 우리는 여전히 함께 있었다. 가슴이 먼지털이처럼 갈기갈기 찢어져 새벽바람에 너덜너덜 흔들렸지만, 내가 두 눈을 질끈 감고 그 밤 속으로 뛰어들었던 건 내가 진짜로 부나방이었기 때문이었다. 나는 작은올케에게 살며시 웃어 보였다.

큰오빠의 격려사는 더 화끈했다.

"누가 뭐라고 해도 저는 혜나 편입니다. 혜나가 잘 생각했지요. 사실 성민이가 서울대 나온 것 하나 빼고는 뭐 내놓을 만한 것이 있습니까? 집안도 가난하고, 보잘것없는 월급쟁이에 불과하잖습니까? 애초부터 너무 기울어지는 짝이었어요. 차라리 아이도 없을 때 헤어지는 것이 잘되었습니다. 이제 혜나도 번듯한 자기 일이 생겼으니까 사회생활을 하다보면 더 격에 맞는 짝을 찾을 수 있겠지요."

나는 하마터면 큰오빠 때문에 성민에게 돌아갈 뻔했다. 큰오빠의 격려사에 의하면 나는 거대 사회재단의 이사라는 직함을 꿰찬 뒤 지난 십 년간 나를 묵묵히 부양해준 남편을 버리고 부자 의사로 갈아타려 하는 머리 좋은 여자였다. 큰오빠의 입을 통해 그 사실을 확인하자 아찔했다. 성민은 나와 헤어진 뒤 우리나라의 물가가 생각보다 비싸지 않다는 사실을 곧 깨닫게 될 것이다.

성민에게 저지른 못된 짓을 만회할 기회 따위는 나에게 찾아오지 않겠지만, 그래도 나에게는 충분하고 넉넉한 징벌이 보장되어 있다는 것이 성민에게 작은 위로가 될까? 나는 곧 닥쳐올 세간의 손가락질에 초연해지는 법을 익히려고 미리부터 노력하는 중이었다. 생각만 해도 눈앞이 캄캄했다. 내 멀쩡한 가정이나 그의 자식 딸린 가정이나, 깨기 쉬운 건 하나도 없었다. 차라리 작은오빠 대신 내가 그 안에 들어가 있고 싶은 심정이었다.

하지만 정욱연을 보면 아무 생각도 나지 않았다. 눈앞이 하얗게 바래고 아무 소리도 들리지 않았다. 사랑은 비난이나 경멸보다 빨랐다. 심지어 시간보다도 빨랐다. 미래조차 까마득한 저 뒤에 내팽겨쳐버리고, 내 눈먼 사랑은 그저 두 팔을 벌리고 그를 향해 달릴 뿐이었다.

엄마의 말이 옳았다. 혼신을 다한 사랑이란 훈장과도 같은 면이 있었다. 죽을지 살지 모르고 덤벼드는 사람만이 느낄 수 있는 자유로움이, 후련함이 있었다. 정신을 차리고 보면 팔다리가 없어졌거나 눈이 안 보일지도 모르지만, 그가 그렇게 몸을 던진 적이 있었음을 증명하는 그 작은 금속은 영원히 그의 명예다. 훗날 우리가 어떻게 살든, 죽든.

"방을 잘 만났어. 깨진 방에 들어가는 바람에 내 위로 고참이 하나밖에 없거든. 그리고 고참이 착해. 물론 내가 잘해서 그런 거지만."

김학원은 구치소에서 교도소로 이감되었다. 구치소에 있을 때보다 오히려 '빵동기'들을 잘 만난 모양이었다. 굉장히 운 좋은 일이라고 했다. 방이 깨졌다는 게 무슨 말인진 모르겠지만 그곳에는 바깥사람들이 알지 못하는 정교하고 섬세한 여러 가지 규칙들이 있었다. 나는 그냥 알아듣는 것처럼 고개를 끄덕이기만 해도 되었다.

"나 우리 방에서 인기 좋다? 사람들이 나한테 자꾸 이야기해달라고 그러거든."

김학원이 한 일 중에 떠벌려서 사랑받을 일이 대체 뭐가 있다는 걸까? 제발 입을 다무는 게 그나마 사랑받는 수감생활의 지름길이 아닐까?

"네 이야기를 해주면 사람들이 엄청 좋아하거든. 너 우리 방에서 완전 앤젤리나 졸리야. 아니 우리 층에서 다 유명하거든. 너한테 팬레터 갈지도 몰라. 다들 네 이야기 몇 개만 해주면 울고 자지러지고 아주 난리도 아니라니까."

김학원을 보면 멍게, 해삼, 말미잘에게도 기대하지 않았던 지능이 있다는 사실을 알 수 있었다. 그는 나를 교도소의 성녀, 재소자들의 누이로 만들어서 따뜻하고 사랑스러운 이미지를 팔아먹으며 호의호식하고 있는 모양이었다. 그래, 마음껏 팔아먹어라. 회사 돈을 횡령하고 투자금을 털어먹고 아빠의 땅을 팔아먹는 것보다는 백배 천배나 낫다. 나도 그동안 김학원을 팔아먹어서 몇 가지 소소한 유익을 누린 적이 있으니 그가 나를 팔아먹어서 누리는 교도소에서의 자그마한 호강에 항의할 생각은 조금도 없다.

"아직도 욱연이 형이랑 잘나가?"

나는 잘난 척하며 손가락 세 개를 펴 보였다.

"안 죽었어?"

"내가 살살 했거든."

"계속 갈 거야?"

"갈 데까지 갈 거야. 끝이 어딘진 모르겠지만."

김학원이 아크릴 벽을 쳤다.

"너 대박 잡았구나! 그 형 돈 진짜 많아! 성민이한테 위로금 한 오십억 줘도 될걸? 내가 처음부터 이렇게 될 줄 알았어! 욱연이 형이 딱 너 같은 애 좋아하거든. 동글동글 귀엽고 좀 엉뚱한 스타일. 야, 내가 욱연이 형 처남이 되다니. 이건 꿈일 거야. 정말 초대박이야! 내가 요즘 주일마다 예배를 보거든! 우리에게 복을 주실 거라더니 정말인가보아! 할렐루야! 신이시여, 이게 꿈은 아니겠지요!"

그래 할렐루야. 그렇게 소처럼 일하는 걸로도 모자라서 이제 다큐멘터리까지 찍고 장렬하게 쓰러질 작정인 미친놈과 엮어줘서 참 고맙다. 너나 그 인간이나 대책 없기는 마찬가지야. 그런 인간을 소개해준 벌로 너는 지금 감옥에 있는 거야. 감옥에서 나오더라도 정욱연 앞에 코끝이라도 얼씬거렸다가는 발목을 잡고 머리 위로 세 바퀴 휘둘러서 공항도 없는 사막으로 날려버릴 줄 알아.

세상에는 미치광이들이 많기도 했다. 원조 미치광이는 누가 뭐래도 아빠였다. 아빠는 내 생일이면 회사에 휴가를 낸 다음 한복을 입고 집에서 하루 종일 춤을 추었다. 아빠를 보면 인간이 웬만큼 욕을 많이 먹어도 끄떡없이 잘 살 수 있다는 희망적인 사실을 알 수 있었다. 칠순의 아빠가 자식뻘 되는 여자와 눈이 맞아 집안 최초 이혼 소동의 월계관을 나 대신 차지해준 것도, 지금 생각하면 아빠에게 살짝 고마운 면이 없지 않았다.

이미 김학원으로 단련된 탄탄한 기본 실력에 정욱연이 한 숟갈쯤 더 얹은들 큰일 날 것도 없었다. 정신없고 쪽팔린 일이야 나만큼 당해본 사람이 또 있으리? 쪽팔림은 아무리 당해도 익숙해지지 않는다는 게 문제이긴 하지만, 김학원이 마침 휴가도 주었으니까 그 기간을 정욱연을 위해 쓴다고 생각하면 간단했다. 미치광이라면 이제 신물이 나지만, 정욱연은 그래도 사랑스러운 버전이니까.

김학원은 아크릴 벽 저쪽에, 나는 이쪽에. 이제는 작별할 시간이었다. 나는 그에게 손을 흔들었다.

"잘 있어! 다음에 또 올게!"

접견실을 나가려던 김학원이 갑자기 돌아섰다. 폭포수 같은 눈물이 흘러서 얼굴이 번들거렸다. 마이크가 꺼져서 아무 소리도 들리지 않았지만 나는 그가 뭐라고 말하고 있는지 토씨까지 정확하게 알아들을 수 있었다.

"혜나야, 축하해. 정말로 축하해. 욱연이 형 정말 좋은 사람이야. 너 행복할 거야. 그런데 너, 혹시, 임신한 건 아니겠지? 그렇겠지? 그런데 혹시라도, 만에 하나 혹시라도 그렇다면 어떡하지? 너 아이 가진 거 아니겠지? 정말로 그렇다면 나는 정말로…… 생각만 해도…… 만일 그 아이가 딸이라면…… 나는 정말로……"

작가의 말

혜나와 함께 달렸던 지난여름, 나는 모든 공과금을 연체하고 통장을 부도냈다. 서른아홉번째 생일을 넘기는 가장 유쾌한 방법이었다.

혜나는 함께 일하기 대단히 좋은 파트너다. 복잡할 것이 하나도 없다. 혜나는 어차피 내 의견 따위는 듣지도 않는다. 그녀가 원하는 방향으로, 그녀가 원하는 속도로 달린다. 심지어 혜나는 내가 이 소설을 쓰기 시작할 때부터 내 머릿속에 있었던 단 두 개의 장면 중 하나를 깨끗이 무시해버렸다. 그녀에게 항의하거나 의견을 조율하는 건 의미가 없다. 그녀는 마하 39로 달리는 여자다. 그녀와 함께 일하기 위한 조건은 단 하나뿐이다. 달리기 실력.

혜나와 함께 일하면서 나는 많은 것들을 내려놓아야 했다. 그런 속도로 달리기 위해서는 많은 것을 몸에 지닐 수가 없었다. 살면서 중요하다고 생각해왔던 것들이 실제로는 대단치도 않았다. 그것들을 내려놓고서도 나는 끄떡없이 달렸다. 반면 내가 대단치 않게 여겼던 것들이 실제로는 중요했다. 예를 들자면, 나 자신. 혜나를 만나기 전까지, 나는 가족과 일상을 발라낸 나 자신에 대해 아는 것이 별로 없었다.

혜나를 따라서 달리다가, 서른아홉의 나를 다시 만났다. 십 년 전, 스물아홉에 내 아이를 만났던 것만큼이나 충격적인 사건이었다. 서른아홉, 내 아이를 보듯이 나 자신을 보는 법을 배웠다. 매일매일 나 자신을 만나는 게 고역스럽지 않았던 건 처음이었다. 혜나와 작별한 뒤라도, 나를 보는 이 시선만은 놓치지 말아야겠다고 마음속으로 다짐해본다.

혜나가 다시 달린다. 살짝 미친 저 여자는 점점 더 빨라진다. 나도 지체 없이 달려야 한다. 그녀와 함께 일하기 위해 필요한 건 오로지 달리기 실력뿐이다.

우리는 이제 마하 40으로 달리고 있다.

문학동네 장편소설
사랑이 달리다
ⓒ 심윤경 2012

| 1판 1쇄 | 2012년 7월 20일 |
| 1판 5쇄 | 2012년 12월 21일 |

지은이 심윤경
펴낸이 강병선
책임편집 박지영 | 편집 이경록 백다흠 조연주 | 디자인 엄혜리 유현아
마케팅 신정민 서유경 정소영 강병주 | 온라인 마케팅 김희숙 김상만 이원주
제작 서동관 김애진 임현식 | 제작처 영신사

펴낸곳 (주)문학동네
출판등록 1993년 10월 22일 제406-2003-000045호
주소 413-756 경기도 파주시 문발동 파주출판도시 513-8
전자우편 editor@munhak.com | 대표전화 031)955-8888 | 팩스 031)955-8855
문의전화 031) 955-8890(마케팅) 031) 955-8864(편집)
문학동네카페 http://cafe.naver.com/mhdn

ISBN 978-89-546-1881-6 03810

* 이 책의 판권은 지은이와 문학동네에 있습니다.
   이 책 내용의 전부 또는 일부를 재사용하려면 반드시 양측의 서면 동의를 받아야 합니다.
* 이 도서의 국립중앙도서관 출판시도서목록(CIP)은 e-CIP 홈페이지(http://www.nl.go.kr/ecip)에서
   이용하실 수 있습니다.(CIP제어번호: CIP2012003122)

www.munhak.com